Anonymos

Das Sinnesleben der Insekten

Anonymos

Das Sinnesleben der Insekten

Inktank publishing, 2018

www.inktank-publishing.com

ISBN/EAN: 9783750114722

All rights reserved

Das Sinnesleben der Insekten

Kritische Bemerkungen über einige, seit 1887 publizierte Experimente andrer. Eigene Experimente über den Gesichtssinn der Insekten, ihr Farbensehen, ihr Fernsehen.

I. Sigmund Exner.[1]

Wir schulden Exner ganz besonderen Dank wegen seiner physiologischen Studien über das Insekten- und Krustaceenauge. Diese meisterhaften, tief eindringenden Studien enthalten die Resultate der in seinen früheren Werken niedergelegten Forschungen mit einigen wichtigen Modifikationen, ohne dass indessen radikale Änderungen notwendig gewesen wären. Ehe ich in kurzen Zügen auf diese Arbeiten eingehe, möchte ich ein fundamentales Gesetz betonen, das aller Sinnestätigkeit zugrunde liegt. Die Schärfe der Leistung eines Sinnesorgans ist stets — bei gleichen sonstigen Verhältnissen (wir werden dies noch an Copilia demonstrieren) — proportional der Anzahl seiner Nervenendelemente. Die scheinbaren Ausnahmen dieses Gesetzes (so die Vermehrung der Nervenendelemente bei grösseren Tieren oder die

---

[1] Sigmund Exner:

1. Durch Licht bedingte Verschiebungen des Pigments im Insektenauge und deren physiologische Bedeutung. (Sitz.-Ber. d. k. k. Akad. d. Wiss., Wien, math. naturhist. Klasse. Bd. 98, Abt. 3, März 1889.
2. Das Netzhautbild des Insektenauges. Ebenda, Februar 1889.
3. Die Physiologie der facettierten Augen. Leipzig u. Wien, bei Franz Deuticke, 1891.

Dehnbarkeit der Sehfähigkeit bei Copilia) dienen nur zu seiner Bestätigung. Mir scheint, dass dieses Gesetz bei der Aufstellung von Theorien über die Sinne von Insekten nur zu oft vernachlässigt worden ist. Es ist Exner gelungen, das alleinige aufrechte Gesamtbild, wie es im Facettenauge von Lampyris splendidula (Leuchtkäfer) gebildet und von dem Gehirn dieses Insektes zweifellos mehr oder minder deutlich wahrgenommen wird, zu entdecken und zu fixieren. Dieses Bild ist wesentlich deutlicher als das, welches er auf Grund seiner Theorien vermutet hatte, und welches ich selbst im Anfang dieses Buches (Taf. I, Fig. 3) abgebildet habe. Wenn nun dies letztere nicht sehr deutlich ist, so darf nicht vergessen werden, dass es ein theoretisch nur von drei Facetten erzeugtes Bild, und zwar eines sehr kleinen Gegenstandes wiedergeben will. Auch möchte ich hier gleich erwähnen, dass Exner selbst seinen Zweifel darüber ausspricht, ob das Insekt fähig ist, das betreffende Bild mit derselben Schärfe wahrzunehmen, mit der es von ihm (Exner) selbst gesehen und photographiert worden ist. Gesetzt selbst, dass dies möglich ist, so ist doch das biologische Experiment allein imstande, uns mit annähernder Bestimmtheit darüber Auskunft zu geben, was Exner selbst auch vollständig zugibt.

Das Bild, das Exner aus dem Auge von Lampyris splendidula erhalten hat, ist das eines Fensters, das sich 2,25 m von dem Auge entfernt befand; auf dieses Fenster ist ein „R" aus Papier geklebt, dessen Grundstriche 4,9 cm breit sind, auch kann man durch das Fenster hindurch einen 135 Schritt dahinter gelegenen Kirchturm eben noch erkennen. Ophthalmologisch ausgedrückt repräsentiert dieses Bild eine Sehschärfe von $\frac{6}{400}$ bis $\frac{6}{500}$ Snellen. Danach würde ein Lampyris ein aus Stäben von 5 cm Breite bestehendes Gitter noch aus einer Entfernung von 2,25 m als Gitter erkennen. Aus einer Entfernung von 1 cm aber würde es noch Stäbe von 0,22 mm Breite erkennen. Die Deutlichkeit des Bildes entspricht also der Zahl von Nervenendelementen, oder mit andern Worten der Zahl der Facetten, da jede Facette ein im vorliegenden Falle mit sieben Zellen versehenes Rhabdom besitzt, und Exner schliesst daraus ganz mit Recht, dass grössere und an Nervenendelementen reichere Insekten- und Krustaceenaugen zweifellos noch viel deutlichere Bilder liefern.

In Beantwortung einer, diesen Gegenstand betreffenden Anfrage antwortete mir Prof. Exner mit folgenden Worten: „Ich kann nunmehr mit Bestimmtheit behaupten, dass die Deutlichkeit des Bildes sich steigert mit der Anzahl der auf jeden Winkelgrad der Augenwölbung entfallenden Facetten". Dies stimmt also ganz genau mit meinen früheren Angaben und Resultaten überein.

Trotzdem erfährt die Theorie Johannes Müllers über das musivische Sehen infolge der Exnerschen Arbeiten einige ziemlich wesentliche Modifikationen. Es ist mir an dieser Stelle unmöglich, auf die Einzelheiten der Brechungsverhältnisse des Facettenauges einzugehen; ich muss vielmehr den Leser auf das Studium des Originals verweisen.

Exner untersuchte aufs gründlichste den Brechungsindex der verschiedenen lichtbrechenden Medien des Auges bei zahlreichen Arthropoden. Er macht vergleichende Angaben über die Bilderzeugung, je nachdem die Gesichtswahrnehmungen des Tieres unter Wasser oder in der Luft stattfinden, wobei sich auf Grund der Struktur der erwähnten Medien des Auges nur geringe Unterschiede ergaben. Er beweist, dass die Substanz der Kristallkegel in Schichten von verschiedenem Brechungsindex angeordnet ist, und zwar in negativer Progression. Durch diese Tatsache verbinden sich die Eigentümlichkeiten der zylindrischen Form, die jede Facette auszeichnet, mit denen einer Sammellinse. Exner gibt diesem Apparat den Namen eines „Linsenzylinders". Diese Feststellung zwingt ihn zu einer Modifikation seiner früheren Theorie, wonach die Strahlen einfach durch die Wände des Zylinders zurückgeworfen würden. Auf die mathematischen Berechnungen, die Beobachtungen und entsprechenden Beweisführungen, die Sigmund Exner anlässlich dieser Frage mit Hilfe seines Bruders Karl Exner anstellt, kann ich hier nicht eingehen. Ihr Gesamtresultat lässt sich in folgenden zwei Hauptfällen zusammenfassen: Fall A.: Der Fokus der gebrochenen Strahlen befindet sich an der hinteren Basis des Zylinders (der Kristallkegel), dessen Länge infolgedessen der Fokaldistanz entspricht. Dann werden die zentralen Strahlen der Facetten von ihrem Austritt aus dem Zylinder an (gegen die Retinula zu) parallel, nachdem sie das Bild erzeugt haben. Fall B.: Der Zylinder ist doppelt so lang als seine Fokaldistanz; dann wird ein umgekehrtes Bild eines sehr entfernten Objektes in der Mitte der Länge des Zylinders erzeugt, und die Strahlen verlassen den Zylinder am anderen Ende ebenso wie sie eingetreten sind, d. h. unter demselben Winkel, den sie bei ihrem Eintritt mit solchen Strahlen bildeten, die von einem andern Punkt des Objektes ausgingen. Die Wirkung entspricht der eines nicht vergrössernden astronomischen Teleskops, das auf unendliche Entfernung eingestellt ist.

In Wirklichkeit aber stellen die Facetten der Arthropoden sehr verschiedene Kombinationen dieser beiden Refraktionsmodalitäten dar, Kombinationen, die dahin zielen, ein so gebrochenes Strahlenbündel zu konzentrieren, und zwar in Gestalt eines umgekehrten nebelhaften Bildes eines begrenzten Teiles des im Gesichtsfeld gelegenen Objekts. Die Gesamtheit der Strahlenbündel einer grossen Anzahl von Facetten dient dann zur Bildung des grossen aufrechten Bildes, das von dem Individuum wahrgenommen wird.

Exner zeigt, dass es, je nach der betreffenden Insekten- oder Krustaceenspezies, entsprechend den soeben dargelegten Tatsachen, zwei hauptsächliche Formen des dioptrischen Sehens (der Bilderzeugung) gibt.

1. Im ersten Falle beschränken sich die Corneae und die Kegel mehr oder minder auf die Wirkung eines lentikuloiden Zylinders (A) von der Länge der Fokaldistanz. Die Kegel sind bis zu ihrem hinteren Ende, welches das Licht zuweilen nur an einem sehr kleinen Zentralpunkt passieren lässt, von Pigment umgeben. Die empfindlichen Nervenendorgane sind dicht und unmittelbar hinter den Kegeln gelegen. Die Strahlenbündel jeder Facette wirken daher auf jede Retinula getrennt und bilden durch ihre Kombination ein aufrechtes Bild durch Juxtaposition auf derselben Ebene unmittelbar am Ende der Kegel und tangential oder identisch mit der Ebene der Gesamtheit der Retinulae. Dieser Fall liegt vor bei dem Auge eines Krusters (Limulus), der von Exner untersucht worden ist, und bei dem es ihm gelang, das aufrechte Bild zu sehen.

Bei vielen Insekten sind die Sehstäbe sehr lang (Rhabdome) und von den Kristallkegeln durch ein durchsichtiges Gewebe von beträchtlicher Stärke (Glaskörper) getrennt. In diesem Fall unterliegt die J. Müllersche Theorie durch das, was Exner als aufrechtes Bild durch Superpositon bezeichnet, einer starken Modifikation. Hier ist das Pigment mehr nach vorn, zwischen die Kristallkegel konzentriert, während das rückwärtige Ende dieser letzteren desselben ermangelt. Infolgedessen werden die Lichtstrahlen in jeder Facette gebrochen, deren Zylinder die doppelte Länge der Fokaldistanz (Fall B) besitzt, was ihn wie ein astronomisches Teleskop, das auf unendlich eingestellt ist, wirken lässt.

Strahlen, die z. B. aus einer Lichtquelle hervorgehen, die weit genug entfernt ist, um Strahlen, die als parallele betrachtet werden dürfen, auszusenden, werden von mehreren Facetten in der Weise gebrochen, dass sie längs einer gewissen Ausdehnung desselben Elementes (Rhabdom) der Retina, übereinandergelegt werden; ein Strahl, der von der rechten Seite des Objektes ausgeht, wird auch nach der rechten Seite des aufrechten Bildes gehen. Die Strahlen, die von einem zweiten Licht ausgehen, werden sich (übereinandergelegt) auf einem andern Rhabdom derselben Seite wie das genannte zweite Licht konzentrieren usw. Mit einem Wort, wir erhalten ein aufrechtes Bild durch Aufeinanderlegung der von verschiedenen Facetten gebrochenen Lichtbündel. Die Nachbarfacetten werden sich teilweise an den verschiedenen Portionen des Bildes beteiligen. Dies wird nur ermöglicht durch die Abwesenheit von Pigment in dem rückwärtigen, dicksten Teil des dioptrischen Apparates. Diese Art des Sehens nähert sich einigermassen dem der Wirbeltiere. Ich verweise hier ebenso auf die von Exner gegebenen mathematischen Beweise wie auf seine Figuren. Selbstverständlich macht dieses Auge viel mehr Strahlen nutzbar als dasjenige, welches das Bild durch Juxtaposition gibt, indem es die meisten schrägen Strahlen durch Absorption beseitigt.

Exner hat festgestellt, dass die Bilderzeugung durch Superposition nur bei den nachtliebenden Arthropoden vorkommt. Bei denjenigen, die ein Tagleben führen und unfähig sind, nachts zu fliegen und sich zu orientieren, ist das Pigment derart in den hinteren Abschnitten abgelagert, dass es den dioptrischen Apparat jeder einzelnen Facette bis zur Retina von seinen Nachbarn trennt; auf diese Weise wird das Bild dann durch Juxtaposition erzeugt.

Exner hat weiter gefunden, dass eine grosse Anzahl von Insekten und Krustaceen die Fähigkeit besitzt, die Lagerung des Pigments ihrer Augen (Irispigment) derartig zu verschieben, dass es bei intensivem Licht nach hinten verlegt wird und alle starkgebrochenen Strahlen absorbiert, so dass nur die zentralen Strahlen bis nach hinten dringen können; bei dunkler Beleuchtung dagegen wird das Pigment in den vordern Abschnitten zwischen den Kristallkegeln konzentriert, so dass deren hintere Abschnitte und die Kristallkegel frei bleiben; in diesem Falle werden fast alle Strahlen, die in die einzelnen Facetten fallen, nutzbar gemacht. Exner hat auch eines der Augen einer im Dunkeln gehaltenen Lasiocampa quercifolia entfernt und dann das Insekt dem Tageslicht ausgesetzt. Das Pigment des im Moment des Todes beleuchteten und dann in Alkohol fixierten Auges befindet sich zwischen dem vorderen Teil der Rhabdome und verhindert absolut jedes Zustandekommen eines mehreren Facetten gemeinsamen Bildes; das Pigment des Auges hingegen, das im Moment des Todes im Dunkeln gehalten wurde, befindet sich im Gegenteil ausschliesslich vorn zwischen den Kristallkegeln (Tafel IV, Fig. 28 u. 29 bei Exner). Nun vermögen die Tiere, die diese Fähigkeit besitzen, sowohl bei Tage als bei Nacht zu sehen. Fast alle Insekten, die man gemeiniglich als Nachtinsekten bezeichnet, gehören zu dieser Kategorie, denn sie vermögen auch bei Tage zu sehen. Im Gegensatz dazu erfolgt bei den wirklichen Taginsekten die Bilderzeugung ausschliesslich durch Juxtaposition, und diese Tiere sind bei Nacht vollkommen blind.

Aus diesen schönen Beobachtungen geht auf das deutlichste hervor, dass der Sinn der Bilderzeugung durch Superposition in der Konzentration von möglichst viel Licht auf jedes retinale Element besteht.

Das Bild des Auges von Lampyris splendidula, das von Exner so klar photographiert und so meisterhaft studiert worden ist, ist ein durch Superposition erzeugtes Bild.

Es ist selbstverständlich, dass es auch Zwischenformen gibt, wie es Tiere gibt, deren Anpassung an das Tag- oder Nachtleben keine vollkommene ist. Exner hat klar gezeigt, wie die eine Augenform sich aus der andern entwickelt hat, wobei die Juxtaposition als der primäre, die Superposition als der sekundäre, von ihr abgeleitete Zustand aufzufassen ist.

Sowohl bei denjenigen Insekten (mit mehreren Facetten), welche ein aufrechtes Bild durch Juxtaposition, als auch denjenigen, welche es durch Superposition sehen, ist die Wahrnehmung von Licht, das von demselben Punkt ausgeht, niemals auf eine einzige Facette beschränkt.

Die „Teilbildchen" jeder Facette sind deshalb mehr oder weniger mit denen ihrer Nachbarn vermischt, wodurch ein mehr oder weniger grosser Zerstreuungskreis gebildet wird, der die Gesichtswahrnehmung weniger scharf macht, aber die Fähigkeit erhöht, Ortsverschiebungen des Bildes wahrzunehmen. Denn infolge davon ergibt sich aus der kleinsten Verschiebung jedes Teils die Reizung einer beträchtlichen Zahl von Nervenendorganen. Dies steht somit in Beziehung zu der ausserordentlichen Fähigkeit des Facettenauges, Bewegungen, d. h. Bildverschiebungen wahrzunehmen. Das Wirbeltierauge besitzt diese

Fähigkeit lange nicht in solch hohem Grade, denn es nimmt solche Verschiebungen ganz vorwiegend in der Peripherie des Gesichtsfeldes wahr, wo die Unterscheidung der Form nur unvollkommen ist. In diesem Punkt bestätigt Exner seine alten Angaben.

Ferner besitzt das Facettenauge sehr häufig einen katoptrischen Apparat oder ein sogenanntes Tapetum, das dazu dient, solche Strahlen zu beseitigen, die zu schief einfallen oder solche, welche in die Intervalle der Facetten durch Reflexion gelangen. Dies Tapetum ergibt zuweilen wundervolle Spiegelungen.

Ein andrer sehr wichtiger Punkt, auf den Exner Licht geworfen hat, ist der folgende: Das Auge von Limulus und überhaupt die Facettenaugen von mehr primitivem Charakter nähern sich in ihrem Bau den Ocelli oder einfachen Augen. Auf jede Facette kommt bei ihnen eine grössere Zahl von Nervenendelementen (14—16 oder mehr statt 4—8). Diese aber sind nicht in ein Rhabdom verlötet. Das durch Juxtaposition im Auge von Limulus erzeugte Bild ist nichtsdestoweniger ein aufrechtes, einzelnes. Doch erkennt Exner an, dass hier vielleicht für jede Facette das Vermögen anfängt, selbständig ein partielles, umgekehrtes, verwischtes Bild (entsprechend den Anschauungen von Gottsche) wahrzunehmen, und zwar auf Grund der grösseren Anzahl von Nervenendorganen. Phylogenetische Gründe sprechen für diese Anschauung.

Um diese Frage weiter aufzuklären, hat Exner das Auge von fossilen Trilobiten untersucht. Dieses Auge aber (es war das von Phacops fecundus) ist ein Mittelglied zwischen dem Auge von Limulus und einer Ocelle. Es ist gross und aus Facetten zusammengesetzt, die auf den ersten Blick an das Auge von Limulus erinnern. Doch anstatt eines Kristallkegels hat jede Facette eine wunderschöne einzige chitinöse Linse, ohne Kegel, ähnlich einer Ocelle. Dies Auge müsste demnach in jeder Facette ein umgekehrtes Bild erzeugen, woraus durch Juxtaposition ein grosses, aufrechtes Gesamtbild entstehen würde.

Die Spinnen aber besitzen, anstatt und an Stelle von Facettenaugen, eine Anhäufung von Ocellen, die Exner als „hochentwickelt" bezeichnet. Er glaubt nun, dass die Summe von Strahlenbündeln, die von all den umgekehrten Bildern der einzelnen Ocellen herrühren, ein grosses, mehr oder weniger verschwommenes, aufrechtes Bild ergeben müssten, das von der Spinne als Gesamtbild empfunden wird. Wir entfernen uns somit allmählich von dem Facettenauge und hier kommt, wie man sieht, die Auffassung von Gottsche in Betracht; denn eine Facette, die aus einer einfachen Linse besteht, erzeugt notwendigerweise auf der in ihrem Fokus gelegenen Retina ein umgekehrtes Bild der Gegenstände.

Diese Tatsachen erklären die Phylogenie der zwei Sorten von Augen. Das primitive Auge oder der vor einer Nervenendigung gelegene und von Pigment umgebene, erste, durchsichtige Fleck der Epidermis gestattete dem Tier zu allererst eine Differenzierung zwischen Licht- und Tastempfindung. Die Vermehrung von Nervenendorganen unter einer einfachen linsenförmigen Cornea führte zur Bildung einerseits der Ocelle, andrerseits auch des Wirbeltierauges. Eine Anhäufung kleiner primitiver Augen, die nach und nach in Facetten umgewandelt wurden (mit Corneae, zylindrischen Kristallkegeln und Rhabdomen), hat sich schliesslich zum Facettenauge mit einer ganz speziellen Art dioptrischen Sehens (musivisches Sehen) ausgebildet.

Gehen wir zu einigen weiteren Einzelheiten über.

Exner hat die Augen einer grossen Anzahl von Arthropoden untersucht. Gewisse Arten zeigen eine unregelmässige oder dimorphe Struktur. Die Wölbung des Auges variiert sehr stark. Bei gewissen Libellen (so z. B. Cordulegaster) zerfällt das Auge in zwei Teile von verschiedener Struktur. Jede Struktur hat ihre eigene „raison d'être" und stellt zweifellos eine Anpassung an einen bestimmten Zweck dar, eine Anpassung, zu der der Autor in gewissen Fällen den optischen Schlüssel gefunden zu haben glaubt. Die Augen befinden sich fast immer so weit voneinander entfernt, wie die Dimensionen des Kopfes es nur irgend zulassen. Zuweilen sind sie verschmolzen, weil sie den ganzen vorhandenen Raum beanspruchen.

Bei Libellula depressa sind die Facetten des oberen Teils des Auges fast zweimal so gross und so lang wie diejenigen des unteren Teils, ja, die Kristallkegel sind sogar mehr als doppelt so gross. Die beiden Teile zusammen bilden trotzdem ein Tagauge (Bild durch Juxtaposition). Exner macht darauf aufmerksam, dass diese Anordnung den oberen Teil des Auges besser befähigt erscheinen lässt, Gegenstände in einer grösseren Entfernung zu sehen, während der untere Teil mehr auf die Wahrnehmung naher Gegenstände zugeschnitten sein dürfte. Nun bewegen sich, wie er ganz mit Recht bemerkt, die Libellen vorwiegend in einem niedrigen und horizontalen, „schwebenden" Fluge, so dass sie ihre Feinde oder ihre Beute meist vor oder über sich erblicken, während, sobald sie ihre Beute gepackt haben, sie dieselbe nah, unterhalb von sich und in einem mehr oder weniger unbeweglichen Zustand sehen.

Das Auge gewisser Krustaceen (Copilia, Sapphirina etc.) ist ganz einzigartig. Es besteht aus einer einzigen prachtvollen Chitinlinse. Sehr entfernt davon, jedoch durch einen Muskel und Ligamente damit verbunden, befindet sich ein Kristallkegel und hinter diesem ein kleiner optischer Nerv mit einem einzelnen Rhabdom mit drei Zellen. Zwischen der Linse und dem Kristallkegel befinden sich Teile des absolut durchsichtigen Körpers des Krebstiers. Warum ist nun hier ein einzelnes Rhabdom mit einem so bemerkenswerten Apparat verknüpft? Dies erscheint Grenacher ganz unverständlich. Exner aber hat bemerkt, dass der Kristallkegel, der mit dem Rhabdom zusammen ein Ganzes ausmacht, sehr beweglich ist und beim lebenden Tier symmetrisch mit dem des andern Auges bewegt wird, während beide sich in der gleichen Entfernung von der Linse halten. Mit anderen Worten: das einzige Nervenendelement untersucht hintereinander die verschiedenen Portionen des einen, umgekehrten von der Linse erzeugten Bildes; es „betastet" resp. prüft sie sozusagen in ganz ähnlicher Weise wie der gelbe Fleck des menschlichen Auges hintereinander die verschiedenen Teile eines Bildes, das wir sehen, prüft, so dass, obgleich wir wohl die Gesamtheit des Bildes sehen, wir deutlich in einem Augenblick nur denjenigen Punkt wahrnehmen, der von dem gelben Fleck fixiert wird.

Diese Hypothese Exners, zusammen mit seinen Beobachtungen, vermag allein dies eigentümliche Auge zu erklären, das, soviel muss zugegeben werden, eine richtige „Ausnahme von der Regel" darstellt. Gleichzeitig repräsentiert es einen prachtvollen Fall von spezieller Adaptation, indem hier die Durchsichtigkeit des gesamten Körpers der Copepoden ihren Gesichtswahrnehmungen dienen muss.

Bei der Gattung Phronima mit ihren ungeheuern, dünnen und gebogenen Kristallkegeln, deren Enden geradezu die Retinulae berühren, wird die Erzeugung eines Bildes durch Superposition unmöglich. Auch eine Bilderzeugung durch Juxtaposition, wie Exner sie tatsächlich für möglich hält, scheint mir ausgeschlossen, und zwar infolge der Krümmung und Dünne der Kristallkegel, die die Dioptrik des linsenförmigen Zylinders nicht gestatten. Trotzdem ist Exner sowohl durch Theorie als durch direkte Beobachtung zu dem Schluss gekommen, dass die Strahlen in jeder einzelnen Facette gebrochen werden, so dass sie verstärkt am Ende der Kristallkegel anlangen. Hier wird

wieder ein einzelnes aufrechtes Bild erzeugt, ähnlich dem durch Juxtaposition geschaffenen, aber noch mehr nach der Weise der J. Müllerschen Theorie musivischen Sehens. Bezüglich des Auges von Phronima
sieht sich Exner veranlasst, den in seinen früheren Werken vertretenen
Theorien treu zu bleiben.

Zweifellos sind die von den Facettenaugen erzeugten Bilder ungenau
resp. in ihrer Form entstellt. Aber man darf nicht vergessen, dass
auch wir uns der Unvollkommenheiten unseres Sehens wie überhaupt
unsrer Sinne nicht bewusst sind (man denke an die Farbenblinden
und an die Astigmatischen). Das Insekt, dessen Auge ihm ein in
der Form entstelltes oder verschwommenes Bild liefert, hat es nie
anders gekannt. Es unterscheidet lebende und leblose Gegenstände
und ihre Bewegungen allein mittels seines so beschaffenen Gesichtssinns, der sein einziges Kriterium für Unterschiede bildet. Ohne sich
je der Unvollkommenheiten seiner Sinne bewusst werden oder ahnen
zu können, dass es Besseres gibt, geht es seinem Tagewerke nach,
mit Instinkten, die eben jenen Sinnen angepasst sind, ja auf denselben, wie sie nun einmal beschaffen sind, basieren.

Exner betrachtet die Wahrscheinlichkeit einer Akommodation beim
Facettenauge als sehr gering. Trotzdem sind Insekten imstande,
Entfernungen abzumessen, selbst dort, wo die Konvergenz der beiden
Augen ihrer Unbeweglichkeit wegen fortfällt. Exner glaubt indessen,
dass die Entfernung der beiden Augen voneinander und der gemeinsame Teil ihres Gesichtsfeldes wo ein solcher besteht[1], durch
den Winkel, der aus den Achsen der zwei Bilder erzeugt wird,
einen gewissen Grad von stereoskopischem Sehen bei geringer Entfernung ermöglicht. Er macht an dieser Stelle darauf aufmerksam,
dass, wenn wir selbst eines unsrer Augen schliessen und unsern
Kopf bewegen, diese Bewegung genügt, um uns z. B. die Tiefe eines
Baumzweiges (bei verkürzter Ansicht desselben) beurteilen zu lassen,
was wir vom ruhendem Zustand aus nicht können. Dies kommt
daher, dass die Verschiebungen bei den nahen Gegenständen stärker
sind, grössere Ausschläge geben als bei den entfernten. So können
auch in Bewegung befindliche Insekten sowie Krebse mit ihren beweglichen Augen die Tiefe der Gegenstände besonders gut beurteilen.

---

[1] Bei vielen Insekten z. B. Cryptocerus gibt es keinen gemeinsamen Abschnitt in den Gesichtsfeldern der beiden Augen. Vgl. oben Tafel I, Fig. 6 a
und 6 b.

Ich muss den Leser hier an etwas bereits weiter oben Betontes erinnern, dass nämlich die Schnelligkeit, mit der, entsprechend der vergrösserten Entfernung, das Bild im Facettenauge undeutlicher wird, dem Insekt wesentlich helfen dürfte, Entfernungen abzuschätzen. Um in der Fülle der komplizierten Probleme, die uns hier beschäftigen, nicht die Übersicht verloren gehen zu lassen, komme ich jetzt noch auf ein psycho-physiologisches Gesetz zurück, das wir nie aus den Augen verlieren sollten: Das Gehirn wird in der Qualität seiner Wahrnehmungen beherrscht vom Differenzierungsvermögen, das ihm die Sinne liefern. Es ist demzufolge durchaus nicht bloss hypothetisch gesprochen, wenn wir von einer Differenzierung, die aus der bestimmten Struktur und Lage eines Sinnesorgans erwächst, schliessen auf eine korrespondierende Differenzierung der zerebralen Wahrnehmungen. Und in gleicher Weise sollte die Abwesenheit einer Sinnesorganstruktur und -Lage uns auf die Abwesenheit der entsprechenden Wahrnehmung schliessen lassen, es sei denn, dass diese Struktur durch eine andre analoge vertreten sei, so wie z. B. das Facettenauge mit seinem einzigen aufrechten Bild, freilich unter gewissen Modifikationen das umgekehrte Bild unsres Auges ersetzt; und ferner sollte eine überzählige Struktur mit wohlumschriebener Funktion uns auf eine korrespondierende überzählige zerebrale Wahrnehmung hinweisen. Wir werden auf diesen Gegenstand anlässlich des Kontakt-Geruchssinns und seines Sitzes auf einem beweglichen Organ zurückkommen, doch lag mir daran, das allgemein gültige Gesetz schon hier und in seiner Beziehung auf den Gesichtssinn zu formulieren. Freilich bedarf es in jedem Fall des Kontrollbeweises mittels des biologischen Experiments.

Ehe wir Exner, der uns die optische Basis des Gesichtssinns der Arthropoden so trefflich erläutert hat, verlassen, möchte ich noch erwähnen, dass er sich mit gewissen widersprechenden Hypothesen anderer Autoren (Notthaft, Thompson, Lowne,[1] Patten[2]) auseinandergesetzt hat und ihnen gerecht geworden ist. Notthaft habe ich selbst schon weiter oben besprochen. Lowne ist der Meinung, dass das Rhabdom kein Nervenorgan, sondern ein Teil des dioptrischen Apparates sei; er glaubt noch hinter demselben eine Retina gefunden zu haben. Doch ist es undenkbar, dass das Rhabdom in Anbetracht seiner Struktur das zwiefach umgekehrte Bild, das Lowne ihm zu-

---

[1] Trans. Linn. Soc. 1884.
[2] Journal of Morphology, I. Nr. 1, 1887.

schreibt, hervorbringen sollte. Ferner kann, vom histologischen Gesichtspunkte gesprochen, kein Zweifel darüber herrschen, dass das
Rhabdom den Stäbchen der Retina entspricht, Organen, die sich in
allen Augen erkennen lassen.

Ich erwähne noch zum Schluss, dass Prof. Dr. Grützner in Tü-
bingen eine grosse schematische Nachahmung des Facettenauges
konstruiert hat, mit Hilfe welcher man direkt das aufrechte Bild
Exners sehen kann.

II. Sir John Lubbock.[1]

In einem neuen Buch, welches seine alten Experimente und die
andrer Autoren resümiert, bestätigt Lubbock seine und meine eignen
früheren Beobachtungen über den Gesichtssinn, wendet sich ebenso
wie ich, jedoch ohne auf Einzelheiten einzugehen, gegen Plateau und
pflichtet den Theorien von Exner und Grenacher bei.

Bezüglich meiner eignen Experimente an Ameisen mit abgeschnittenen Antennen spricht Lubbock gewisse Zweifel aus, da nach seiner
Meinung „Ameisen in einsamem und vollends leidendem Zustand viel
weniger kampfbegierig sind als unter normalen Verhältnissen." Mein
verehrter Widersacher ist, bei all seinem sonstigen Scharfblick, in
diesem Fall im Unrecht, und zwar aus folgenden Gründen:

Ameisen mit gefirnissten Augen, Ameisen, die in der Mitte des
Körpers entzwei geschnitten wurden, Ameisen, denen man eine einzige Antenne oder mehrere Füsse abgenommen hat, all diese kämpfen
miteinander und töten sich genau wie normale Tiere ihresgleichen,
vorausgesetzt, dass die beteiligten verschiedenen Arten oder Kolonien
angehören. Warum hört nun aber jedes Kämpfen auf, sobald beide
Antennen oder auch nur die beiden Fühlergeisseln abgeschnitten werden?
Warum entsteht vielmehr bei Myrmica, ebenso wie wenn man diese
Tiere mit Sublimat bestreut, sofort nach Amputation ein plötzlicher
und allgemeiner Krieg, und zwar zwischen den Schwestern derselben
Kolonie? Diese Tatsachen lassen sich nur durch den Verlust des Ver-
mögens erklären, Freund und Feind zu erkennen, und zwar des Ver-
mögens, ihn mittels des Kontaktgeruchs zu erkennen, dessen Träger
die Fühlergeisseln sind. Eines aber scheint Lubbock nicht genügend in
Betracht zu ziehen, dass wir es nämlich hier mit einem viel komplizier-

---

[1] On the Senses, Instincts and Intelligence of Animals. London 1888.
Deutsche Übersetzung von W. Marshall, Leipzig 1889.)

teren und dem Gehirn genauere Raumverhältnisse liefernden Geruchssinn zu tun haben, als unser eigner es ist, mit einem Geruchssinn,
dessen Rätsel mir noch längst nicht gelöst erscheinen.

Bezüglich der Fähigkeit, die Ameisen haben oder nicht haben,
Ameisen zu erkennen, die in einer andern Ameisenkolonie ausge-
krochen sind, die jedoch vor dem Auskriechen als Puppen ihrer eigenen
Kolonie angehörten, erneuert Lubbock seine Experimente mit Lasius
niger. Diese scheinen ihm seine frühere bejahende Beantwortung dieser
Frage zu bestätigen. Ich selbst habe bei Formica, und zwar bei verschiedenen Gelegenheiten, das Gegenteil gefunden. Nun haben wir beide aber
an verschiedenen Gattungen experimentiert — sollte dies der Grund
der widersprechenden Resultate sein? Es ist dies ein Punkt, der
weiterer Aufklärung bedarf.

Was die hypothetischen Gehörorgane und den Gehörssinn der
Insekten überhaupt betrifft, so glaubt Lubbock jetzt, dass die Insekten hören, ohne jedoch direkte oder neue Beweise dafür vorzu-
bringen. Wir verweisen auf das oben Gesagte.

Dagegen stimmt Lubbock völlig mit mir überein betreffs des
Geschmackssinns und der Geschmacksorgane; auch ist er der Meinung,
dass das Wolffsche Organ (am Gaumen) diesem Sinn dient. Wir
wissen, bis zu welcher Höhe der Geschmackssinn sowohl, wie dieses
Organ bei dem Bienenvolk entwickelt ist, während die Lebensweise
der Chalciditen und der Braconiden, denen das Wolffsche Organ fast
gänzlich fehlt, wohl ein sehr scharfes Geruchs-, nicht aber Geschmacks-
organ bedingt.

Was den Geruchssinn betrifft, so bekennt sich Lubbock im allgemeinen zu unserer Ansicht, indem er die Antennen als Sitz desselben
betrachtet. Doch glaubt er auch Spuren von Geruchssinn in den
Palpen gefunden zu haben. Überzeugt (ebenso wie ich), dass das
Riechvermögen aus der Entfernung bei den Bienen wenig entwickelt
ist, vermag er es sich nicht zu erklären, warum ihre Antennen eine
so enorme Zahl von Nervenendorganen aufweisen — nach Hicks
20000! — und schliesst aus dieser Tatsache auf das Vorhandensein
eines andern Sinnes in denselben. Doch ist Hicks' Berechnung absolut
falsch, wofern die Zahl nicht auf einem Druckfehler beruht. Die Sinnes-
haare der Bienen sind, wie Hicks dies selbst demonstriert hat, einseitig
an der sehr kurzen Antenne angeordnet. Es ist nun die mediane
dorsale Oberfläche der letzten acht Glieder der Fühlergeissel, die bei
der Honigbiene als Sinnesfläche dient. Nach meiner annähernden

Schätzung dürfte jedes Glied des Fühlers 200—250 Nervenendorgane aufweisen, höchstenfalls aber 300. Daraus geht hervor, dass Lubbock und Hicks eine Null zu viel gesetzt haben, und dass die Totalsumme sich auf 2000 allerhöchstens belaufen dürfte. Lubbock zieht nun das, was ich als Kontaktgeruch bezeichnet habe, überhaupt nicht mit in Betracht. Gerade der Kontaktgeruch scheint aber bei der Biene sehr gut entwickelt zu sein. Man kann sehr leicht beobachten, dass die Bienen die Staubgefässe und den Stempel der Blumen, an denen sie saugen, mit ihren gegeneinander gerichteten Antennen betasten, d. h. dass sie den betreffenden Teil der Blume zwischen die beiden Fühlergeisseln zu fassen kriegen und mit deren Sinnesfläche prüfen. Dies ist keine Betätigung des Tastsinnes, sondern des Kontakt-Geruchssinnes, mittels dessen sich die Biene über die chemischen Eigenschaften der Blumen orientiert.

Was nun die Champagnerpfropforgane betrifft, so habe ich selbst (Études myrmecol., 1894, Bull. soc. vaud. sc. nat., Vol. XX, Nr. 91) gezeigt, dass sie, ebenso wie die flaschenförmigen Organe, bei den Vespidae fehlen oder fast fehlen, bei den Honigbienen dagegen sehr stark vertreten sind. Diese einfache Tatsache entkräftet ohne weiteres die Theorie, dass dies, wie Lubbock annimmt, Gehörs- oder Geruchsorgane seien.

Bezüglich des Gehörssinns muss ich an die Tatsache erinnern, dass die inneren Gehörorgane bei Mensch und Wirbeltier, ebenso wie auch der Gehörnerv, zwei gänzlich verschiedenen Funktionen dienen. Die Nervenendapparate der Cochlea, speziell des Cortischen Organs bilden den eigentlichen Hörapparat. Die nervösen Endapparate des Vorhofes und der Bogengänge erfüllen die Funktion eines Gleichgewichtsorgans und haben wahrscheinlich gar nichts mit dem Gehör zu tun. Die Bulbarzentren der beiden Nerven sind, wie ich durch meine Experimente an Kaninchen bewiesen habe, absolut voneinander verschieden (s. Forel, Vorl. Mitteilungen über den Ursprung des Nervus acusticus, Neurolog. Zentralblatt 1885; Onufrowicz, Br.: Exp. Beiträge z. Kenntnis d. Zentr. Ursprungs d. Nervus acusticus, Archiv für Psychiatrie 1885). Es gibt keinen Beweis dafür, dass die Otolithen der niederen Wirbeltiere, Mollusken etc. dem Cortischen Organ entsprechen. Dagegen erscheint mir ihre Homologie mit dem Vestibularapparat und speziell mit der Basis der Bogengänge mehr als wahrscheinlich.

Diese einfachen Tatsachen zwingen uns zum Nachdenken und zum

Herbeibringen der triftigsten Beweise, ehe wir es wagen, den Insekten und andern Wirbellosen kompliziertere Gehörorgane zuzuschreiben. Wäre es doch möglich, dass die tympaniformen Organe einen uns noch ganz unbekannten, vom Gehör sehr verschiedenen Sinn darstellen. Was nun den hypothetischen Richtungssinn betrifft, so schliesst sich Lubbock völlig der von Romanes und mir selbst vertretenen Ansicht an, die dahin zielt, dass es sich hierbei einfach um eine Erinnerug an den Anblick der betreffenden Örtlichkeiten handelt. Gleichzeitig gibt Lubbock zu, dass er sich eine Zeitlang von den Argumenten Fabres (s. oben) habe bestechen lassen.

Was nun den Gesichtssinn betrifft, so möchte ich, besonders auch im Hinblick auf die weiter unten zu referierenden Experimente Plateaus, folgende Lubbockschen Versuche erwähnen:

1. Er stellte Honig in ein Fenster und wartete stundenlang, ohne dass eine Biene den Honig gefunden hätte. 2. Er setzte eine Biene (ohne dass diese von dem Honig angelockt worden wäre) zu einer Portion Honig in ein ungefähr 150 m vom Bienenstock entferntes Fenster. Sie sog den Honig, flog davon, kehrte aber nicht wieder. (Dieses Experiment hat Lubbock mehr als zwanzigmal mit demselben Erfolg wiederholt.) 3. Wenn er die Biene, 15 m vom Stock entfernt, in gleicher Weise an den Honig setzte, so kam sie zwar schliesslich zum Honig zurück, ohne jedoch einen Gefährten mitzubringen. Niemals, obwohl er dieses Experiment sehr oft wiederholte, sah er die Biene in Begleitung von Gefährten wiederkommen. 4. Er stellte Honig zwei oder drei Fuss entfernt von dem Ort, wo die Bienen Blumen zu besuchen pflegten, auf; nie fanden sie ihn. 5. Nach langem und geduldigem Experimentieren kam er zu dem Schluss, dass die Bienen blau jeder anderen Farbe vorziehen. Ich kann nicht behaupten, dass mir das Resultat dieser letzten Experimente völlig klar und überzeugend geworden wäre.

Im ganzen genommen aber finde ich, dass mit Ausnahme der Gehörssinnsfrage, bei der mir durch die experimentellen Beweise absolut nichts erwiesen erscheint, Lubbocks Experimente und die meinigen fast gänzlich übereinstimmende Resultate zeitigten; einige divergierende Einzelheiten erscheinen mir hierbei ganz unwesentlich. Diese Tatsache hat um so grösseren Wert, als Lubbocks kritische Geistesrichtung besonders dahin tendiert, Meinungsverschiedenheiten zu unterstreichen, und als dieser Autor einer der wenigen ist,

11*

die gründlich in diese Frage eingedrungen sind und sie von allen
Gesichtspunkten aus beleuchtet haben.

III. Felix Plateau[1]. Meine eignen neuen Experimente.

Nur mit Widerstreben begebe ich mich an die Besprechung dieses
Autors. Nicht, dass es schwer wäre, ihn zu kritisieren, aber meine
Kritik wird einen beträchtlichen Raum beanspruchen, und vor allem
wird es äusserst peinlich für mich sein, die falschen Schlussfolgerungen eines Fachgenossen auszulegen, vor dessen Geduld, Fleiss, Ehren-
haftigkeit und gutem Glauben ich die grösste Hochachtung hege. Doch
ist es um so notwendiger, auf diese Angelegenheit gründlich einzugehen, als Plateau, trotz oder vielleicht auf Grund der unendlichen
Geduld und Ausdauer seiner Forschungen eine grosse Verwirrung
in diese uns beschäftigenden Fragen hineingetragen hat, und als ferner
seine Resultate und Schlussfolgerungen nur zu leichtgläubig von gewissen andern Autoren aufgegriffen worden sind, und zwar gerade
von solchen, die sich sonst allen ihren Vorgängern gegenüber sehr
überlegen fühlen.

Ehe ich in meine Besprechung der Plateauschen Arbeiten eintrete,
möchte ich nochmals ganz kurz an einige allgemeine Thesen erinnern,
die für mich längst feststehen, und in denen ich mich eins mit Darwin,

---

[1] Felix Plateau:
1. Comment les fleurs attirent les insectes. Bulletin de l'Académie royale
de Belgique, 3me série, Tome 30, N. 11, 1885; Tome 32, N. 11, 1896;
Tome 33, N. 1, 1897; Tome 34, N. 9 u. 10, 1897; Tome 34, N. 11, 1897
(5 Teile).
2. Derselbe. Un filet empêche-t-il le passage des insectes? Ibidem.
Tome 30, N. 9 u. 10, 1895.
3. Derselbe. Nouvelles recherches sur les rapports entre les insectes
et les fleurs. Mémoires de la soc. zool. de France, Tome 11, S. 339,
1898.
4. Derselbe. Exp. sur le rôle des palpes chez les arthropodes maxillés.
Bull. de la soc. zool. de France, 1887.
5. Derselbe. Recherches expérimentales sur la vision chez les arthropodes. 3me, 4me et 5me Parties. Bulletin de l'Acad. royale de Belgique, 1888.
6. Derselbe. Nouv. Rech. sur les rapports entre les insectes et les fleurs.
Mém. soc. zool. de France. Tome 11, N. 3, 1898, u. Tome 12, S. 336,
1899.
7. Derselbe. La vision chez l'Anthidium manicatum. Annales soc. ent.
Belg. T. 43, 1899.

Romanes, Lubbock, kurz mit allen den Forschern fühle, die wirklich tiefer in die Psychologie der Insekten eingedrungen sind. Diese Thesen möchte ich klipp und klar wie folgt formulieren:

a) Selbst wenn, wie dies häufig der Fall, einer der Sinne die hauptsächliche richtunggebende Rolle bei einem Insekt spielt, so ist es doch die Regel, dass die Insekten die Wahrnehmungen verschiedener Sinne bei ihrer Orientierung kombinieren.

b) Aufmerksamkeit spielt bei der Orientierung der Insekten eine grosse Rolle. Ist die Aufmerksamkeit stark auf ein bestimmtes Ziel oder Objekt gerichtet, so ignorieren die Tiere oft alle andern Dinge, ähnlich wie ein in sich versunkener Gelehrter. (Diese Beobachtung machen wir an honigfressenden Bienen, kämpfenden Ameisen etc.)

c) Das Gedächtnis der Insekten variiert stark, je nach der Spezies, und hat zu seiner Grundlage die verschiedenen assoziierten Sinneseindrücke und Muskelinnervationen. Es ist stärker als man a priori annehmen sollte bei Insekten mit komplizierten Instinkten und besonders bei sozialen Hymenopteren, aber ausserordentlich schwach bei den mit kleinen Gehirnen versehenen Arten.

d) Wie Lubbock und H. Müller gezeigt haben, spielt die Übung oder Trainierung eine grosse Rolle. Von einer Gesichts- oder Geruchswahrnehmung irgendwelcher Art angezogen (zuweilen von einer Kombination dieser beiden), richtet ein Insekt im Anschluss hieran seine Aufmerksamkeit auf einen Gegenstand oder auf eine instinktive koordinierte Handlung, die mit einem bestimmten Zweck verbunden ist. Wenn dies erst einmal vollzogen ist, kann man sehen, wie das Insekt, sei es seine Wanderungen zu dem betreffenden Objekt, sei es die erwähnte instinktive Handlung zu öfteren Malen und mit einer rapid zunehmenden Präzision wiederholt. Dies bedeutet nun nicht etwa, dass das Insekt erst die Dinge lernen müsste, die sein ererbter Instinkt ihm fertig überwiesen hat, wohl aber, dass, um mit Sicherheit die ganze Serie instinktiver Tätigkeiten auszuführen, es häufig einer entsprechenden Serie von Gedächtnisbildern (von Engrammen, um mit Semon zu sprechen) bedarf, d. h. von assoziierten und assoziierbaren sinnlichen Bildern, die nicht nur sehr klar an sich, sondern auch sehr klar in das Gedächtnis eingeprägt sein müssen. Tätigkeiten, die keiner Gedächtnishilfe bedürfen, wie z. B. das Kauen oder die Kopulation, scheiden hierbei natürlich aus. Die komplizierten Tätigkeiten der sozialen Hymenopteren dagegen bedürfen des Gedächtnisses und folglich einer progressiven Einprägung und Assoziation von Eindrücken

22

durch Wiederholung, woraus dann die Gewohnheiten oder das „Training" hervorgeht, und zwar sowohl auf zentripetalem (psychosensiblem) als auch auf zentrifugalem (psychomotorischem) Gebiet.

Bei uns selbst spielt sich diese gleiche Sache, nur in einer unendlich viel umfassenderen und komplizierteren Weise ab, und die Gesetze für die Fixierung von Gewohnheiten oder sekundären Automatismen sind dieselben auf dem psychosensiblen und intellektuellen Gebiet (optische und akustische Erinnerungsbilder usw., Lektüre, Verständnis der Lautsprache) als auf psychomotorischem Gebiet (technische Geschicklichkeiten). Nur ist beim Insekt fast die ganze „Gewohnheit", fast der ganze Automatismus prädeterminiert und von Geburt ab, wenigstens in seinen hauptsächlichen Teilen, durch Erblichkeit fixiert. Immerhin bedarf es plastischer Kombinationen von Gedächtniseindrücken, um diese Mechanismen jedem besonderen Einzelfall anzupassen. Sehr beträchtlicher Kombinationen, soviel geben wir zu, bedarf es beim Insekt allerdings nicht, denn die „Instinkts-Portionen", wenn ich so sagen darf, (oder die erblichen Automatismen) sind stets bereit, sobald der entsprechende Sinnesreiz (Empfindung) ihre Erweckung veranlasst, mit grösster Präzision in Aktion zu treten. Immer aber sind wenigstens Empfindungen, auch bei den niedersten Tieren, die Vorbedingung zum Ablauf eines Instinktes. Bei entwickelteren Insekten sind ausser diesen relativ einfachen Empfindungen kompliziertere Wahrnehmungen notwendig, welche in Kombinationen zwischen Gedächtniseindrücken unter sich und mit neuen Empfindungen bestehen, so z. B. die Fähigkeit, einen Gegenstand wiederzuerkennen. Die Wahrnehmung begreift überhaupt das Wiedererkennen in sich.

Es ist dem Psychologen bekannt, dass die Wahrnehmung ein sehr kompliziertes Ding und das Resultat der Assoziation vorhergegangener Empfindungen ist. Sie setzt mit absoluter Notwendigkeit Gedächtnis voraus. Und die Tatsachen zwingen uns, auch bei den Insekten, jedenfalls bei den höheren unter ihnen, das Vorhandensein von Wahrnehmung und Gedächtnis zu konstatieren. Diese beiden an sich plastischen Fähigkeiten sind es, welche die „Instinkt-Portionen" dem jeweiligen Zwecke anzupassen und zu diesem Behuf in plastischer Weise zu kombinieren vermögen. Und durch ihr Studium allein können wir zu einer Erkenntnis der Gewohnheiten, d. h. der Produkte der Übung, in jedem einzelnen Falle gelangen.

e) Insekten besitzen einzelne Kategorien von Gefühlen und Affekten, die je nach Art, Gattung und Familie mehr oder weniger stark entwickelt sind. Zorn, Angst, Entmutigung, Eifersucht sind unter den sozialen Hymenopteren sogar sehr ausgesprochen, ebenso Zuneigung und eine auf Erfolg basierende Tollkühnheit (siehe oben). Wenn man die Handlungen der Insekten richtig beurteilen will, muss man diese Affekte notwendig mit in Betracht ziehen. Die Affektzustände der Nervenzentren sind im Tierreich ein sehr wichtiger allgemeiner Faktor und sind mit Gefahr, Erfolg, Niederlage, fruchtlosen Bemühungen, Schmerz, Angriff, Verteidigung verbunden, sowohl beim Individuum als auch bei der Gesamtheit. Ich habe hierfür sowohl in diesen Studien wie in meinen „Fourmis de la Suisse" viele Beispiele aus dem sozialen Leben der Ameisen angeführt. Es ist selbstverständlich, dass wir uns von der speziellen subjektiven Art und Weise, wie Insekten ihre Gefühle empfinden, kein deutliches Bild zu machen vermögen; doch ist die Analogie der betreffenden Zustände und ihrer Ursachen durch das ganze Tierreich hindurch eine so frappante, dass man unsäglich vorurteilsvoll sein müsste, um sie zu leugnen. Ja man muss sagen, dass die ursprünglichen (zugleich die typischsten) Affektzustände so eng mit den Instinkten verwachsen sind, dass sie auch bei uns Menschen einen sehr weit zurückliegenden phylogenetischen Ursprung verraten, und dass daher a priori nichts Erstaunliches dabei ist, wenn wir sie bei den Insekten sogar leichter wiederfinden und erkennen als die intellektuellen Elemente.

f) Nichts ist so gefährlich wie verfrühte Verallgemeinerungen, ausser etwa:

g) unberechtigte Schlüsse, die aus Experimenten gezogen werden, oder, wenn man will, irrige Interpretationen von Experimenten.

Nachdem ich so den Boden einigermassen geebnet habe, möchte ich bemerken, dass die zahlreichen Irrtümer, die Plateau widerfahren sind, grösstenteils ihren Grund darin haben, dass er die Psychologie der Insekten nicht genug berücksichtigt und überhaupt zu häufig in die soeben gekennzeichneten Fehler verfällt. Um die Angelegenheit zu vereinfachen, werden wir bei unserer nun folgenden Kritik ebenso wie auf die Zahlen 1—7 der Werke Plateaus auf die Buchstabenzeichnung a—g der eben angeführten Leitsätze zurückgreifen.

1. Palpen. Plateau behauptet, dass die Palpen (oder Taster) bei Insekten, Krustazeen, Myriapoden und Arachniden Organe seien, die „nutzlos oder nahezu nutzlos geworden sind, und die das betreffende Tier ohne Schädigung entbehren kann". Ich selbst glaubte, diese Organe, indem ich den zweiten Teil der Plateauschen Behauptung

gelten liess, auf Grund mehrerer früher geschilderter Experimente, als blosse Tastorgane betrachten zu sollen. Trotzdem geben seine Experimente Plateau keineswegs das Recht, sie für „nutzlos gewordene Organe" zu erklären. Wie Nagel und Wasmann sehr klar gezeigt haben (s. unten), beweist die Tatsache, dass viele ihrer Palpen beraubten Tiere Geschmack und Geruch zeigten, keineswegs das, was Plateau damit bewiesen zu haben glaubt. Übrigens sagt uns schon der gesunde Menschenverstand das Gegenteil. In der Tat finden wir bei gewissen Insekten die Palpen und ihre zugehörigen Sinnesorgane sehr gut entwickelt, während sie bei ganz nahe verwandten Formen sehr rudimentär sind. Wenn ihre Funktion bei allen Insekten rudimentär wäre, so würde auch das Organ selbst überall rudimentär sein; dies ist ganz klar, doch scheint Plateau es nicht einzusehen. Mit Hilfe sehr bemerkenswerter Experimente hat Nagel nachgewiesen, dass bei verschiedenen Insekten die Palpen einem Nahgeruch oder Kontaktgeruch dienen, der eine gewisse Verwandtschaft mit dem Geschmack zeigt — dies noch ausser ihrer charakteristischsten Haupteigenschaft, dem Tastsinn, dessen Funktionen sie bei allen Insekten dienen. Die Nagelschen Experimente beweisen, dass mir selbst (was zu erwarten war) einiges entgangen ist, und dass Plateau sich ganz im Irrtum befindet.

2. Gesichtssinn bei Arthropoden.

a) Bei Raupen.   Plateau geht in folgendem von einer vorzüglichen Idee aus. Indem er sich den Instinkt der meisten Raupen, von der Erde aus, wo sie sich befinden, irgendeinen aufrechtstehenden Ast oder Stengel zu erklettern, zunutze machte, setzte er sie zunächst auf einen horizontalen Stab, den sie entlang krochen. Sobald die Raupen das Ende des Stabes erreicht hatten, näherte er diesem einen vertikalen, trockenen Zweig von 30 cm Höhe und 5 mm Dicke und beochtete den Moment, in dem die Raupe deutliche und unzweifelhafte Versuche machte, den Ast zu erreichen (wobei von den blinden, direktionslosen Hin- und Herbewegungen dieser Tiere abgesehen wurde). Nachdem Plateau diesen Versuch mit 15 Raupenarten gemacht hat, glaubt er festgestellt zu haben, dass der aufrechte Ast erst aus einer Entfernung von $1/2$—2 cm (je nach der Spezies) wahrgenommen wurde, während sich die Raupen unausgesetzt nach dem Körper des Experimentators und andern sehr grossen Gegenständen wendeten, und zwar schon aus einem Abstand von 40 cm

und mehr (vgl. meine eigenen Beobachtungen an Lasius fuliginosus). Ferner behauptet Plateau, dass die Raupen bewegte Gegenstände aus keiner grösseren Entfernung wahrnahmen als unbewegte
Gegenstände derselben Dimension. Da diese Tiere nur 5—6 sehr
kleine, einfache, primitive Augen auf jeder Seite des Kopfes besitzen,
bestätigt diese Beobachtung die Exnerschen Behauptungen. Ausserdem zeigt Plateau, dass Raupen — besonders vermittelst ihrer Haare —
Tastsinn und auch einen ganz schwachen Geruchssinn besitzen (er prüfte
dies, indem er ihnen frische Stengel von gewissen Pflanzen, die sie
bevorzugen, hinhielt). Wäre Plateau nicht über das, was diese Tatsachen aussagen, hinausgegangen, so würden wir uns in bester Übereinstimmung befinden.

Weil aber gewisse Myriapoden unter denselben Versuchsbedin-
gungen den dargebotenen Zweig nicht bemerkten, schliesst Plateau,
1. dass bei der Raupe ein Netzhautbild und eine wirkliche Gesichtswahrnehmung entsteht, und 2. dass die Wahrnehmung eines sehr
umfangreichen Objektes — wie z. B. seines eignen Körpers — aus
einer Entfernung von 40 cm als etwas ganz Verschiedenes zu betrachten sei und keine eigentliche Gesichtswahrnehmung im gewöhnlichen Sinn darstelle. Er glaubt damit bewiesen zu haben, dass die
Schlussfolgerungen Grenachers falsch seien, und dass die Raupen eine
entwickeltere optische Struktur besitzen, als gewöhnlich angenommen
wird.

Es ist nicht schwer, Plateaus logischen Irrtum (8) aufzudecken.
Geben wir einmal zu, dass seine Experimente an Myriapoden un-
widerlegbar seien, und dass diese Tiere nur hell und dunkel zu unterscheiden wissen. Grenacher hat gezeigt, dass ihre Sehstäbe horizontal sind, und so ist es sehr möglich, dass ihr Gesichtssinn in der
Tat ausserordentlich primitiv ist und stark hinter dem der Raupen
zurücksteht. Daraus geht aber weder hervor, dass die Tatsache, dass
ein Zweig von 5 mm Dicke aus 1 cm Entfernung gesehen wird, einen
ausgebildeten Gesichtssinn voraussetzt, noch dass die andere Tatsache,
dass ein Mensch aus 40 cm Entfernung gesehen wird, kein Beweis
eines solchen ausgebildeten Gesichtssinns sei. Beide Fälle beweisen
nur eine unbestimmte Wahrnehmung von Formen. Plateau hat nur gezeigt, dass die Raupe die Anwesenheit eines Gegenstandes von 5 mm
Grösse auf 1 cm Entfernung bemerkt, nicht aber, dass sie die Kon-
turen dieses Gegenstandes deutlich unterscheidet. Alles in allem
glaube ich, dass Raupen etwas weniger undeutlich aus naher Ent-

fernung als aus weiter sehen, worin sie den andern Arthropoden, besonders denen mit einfachen Augen, gleichen. Von da aber bis zu der Schlussfolgerung Plateaus ist ein weiter Schritt. Spricht er doch weiter unten von der „Distanz des deutlichen Sehens" der behaarten und unbehaarten Raupen! Dass ich Plateau falsch verstanden hätte, ist ausgeschlossen, denn er sagt wörtlich „auf weitere Entfernungen können die Raupen das Vorhandensein grosser Massen wahrnehmen; doch unterscheiden sie deshalb noch nicht deren Wesen („nature"). Dies zeigt deutlich, dass er bewiesen zu haben glaubt, dass die Raupen das „Wesen" eines 5 mm dicken Zweiges auf 1 cm Entfernung erkennen. Ich möchte noch hinzufügen, dass, indem er vom Erkennen des Wesens eines Gegenstandes spricht, Plateau offenbar den Raupen einen Grad von Verstandestätigkeit zuschreibt, den diese wenig entwickelten Insekten sicherlich nicht besitzen (siehe oben c und d).

b) Frontale Ocellen und Facettenaugen; Firnissen der Augen und Durchschneiden der Sehnerven. Plateau wendet zwei Methoden an, das Firnissen und das Durchschneiden der Sehnerven mit einer Starnadel. Anstatt aber einzusehen, warum ich selbst Frankfurter Firnis zum Firnissen der Augen angewendet habe, warum ich diesen schnell in einem Tropfen Chloroform löste, ihn in dem Moment, wo er klebrig wurde, applizierte und ihn in wenigen Sekunden trocknen liess, kehrte er selbst zu der Leinölfarbe Swammerdams zurück. Diese Methode des Experimentierens ist aber äusserst mangelhaft, weil man das Auge auf diese Weise nicht mit einer dicken, gleichmässigen Schict bedecken kann, und weil, während des langsamen Trocknens, das Insekt sich leicht von der Farbe zu befreien vermag, sei es mit Hilfe seiner eigenen Füsse, sei es durch Reiben gegen Wände usw. Ich habe übrigens nie bemerkt, dass meine Insekten im geringsten von den letzten, in dem noch klebrigen Firnis vorhandenen Spuren von Chloroform belästigt worden wären.

Ausserdem ist Plateau „aufs höchste erstaunt", zu sehen, dass die Insekten, deren Facettenaugen beseitigt oder gefirnisst worden waren, sich vertikal oder in Spiralen in die Luft erheben, gleichviel ob ihre Ocellen gefirnisst oder ob diese Organe dienstfähig waren. Er hat nicht beachtet, dass ich selbst bereits die Augen von Insekten ohne Ocellen mit demselben Erfolg gefirnisst hatte, was natürlich auf dasselbe herauskommt! Übrigens habe ich selbst auch die

Ocellen und Facettenaugen gleichzeitig gefirnisst, wodurch sich ebenfalls keine Veränderung in der Wirkung ergab. Diesen Punkt betreffend motiviert Plateau seine Beobachtung, dass die Insekten mit gefirnissten Augen sich zu einer wirklich ausserordentlichen Höhe erheben, durch die Tatsachen, dass er selbst sehr presbyopisch geworden sei. Ich möchte mir aber erlauben, hierzu zu bemerken, dass die Presbyopie (oder Alterssichtigkeit) weder die Schärfe des Sehens erhöht, noch die Entfernung, bis zu der man sehen kann, steigert; sie hindert nur das Sehen aus der Nähe, indem sie die Akkomodationsfähigkeit herabsetzt. Deshalb kann aber ein Presbyopischer noch nicht ein Insekt bis zu einer aussergewöhnlichen Höhe verfolgen. Dieser Möglichkeit steht die Kleinheit des Objekts entgegen.

Im Laufe der von Plateau in einem Zimmer vorgenommenen Experimente wandten sich die Insekten mit den gefirnissten Augen zum grossen Teil nach dem Fenster, was bei den Dipteren mit durchschnittenen Nerven, wie wir sahen, nicht der Fall war. Es kam dies von Plateaus unzulänglicher Methode des Firnissens, eine Methode, die ich selbst, wie bereits erwähnt, längst verlassen habe. Trotzdem ist bemerkenswert, dass fünf E r i s t a l i s t e n a x und mehrere C a l l i p h o r a mit durchschnittenen Sehnerven, nachdem sie bis zur Zimmerdecke hinaufgewirbelt waren, sich an den Wänden niederliessen, während die übrigen zur Erde fielen, wie bei meinen eigenen Experimenten. Dies beweist, dass, ohne zu sehen und trotz des häufigen Anstossens, gewisse blindgemachte Dipteren es doch fertig brachten, sich niederzulassen, das heisst also, sich, ohne herunterzufallen, festzusetzen. Plateau hat seine Experimente, deren Resultate im wesentlichen mit meinen eigenen übereinstimmen, an taglebenden Lepidopteren, Dipteren und Hymenopteren angestellt.

Plateau selbst aber glaubt, einen wesentlichen Unterschied zwischen seinen Resultaten und den meinigen gefunden zu haben, und zwar, wie er sagt, weil ich meine Insekten in die Luft warf, und diese sich dann gegen die Zimmerwände stiessen, während dies bei seinen Experimenten nicht der Fall war. In diesem Fall macht Plateau irrige Verallgemeinerungen. Erstlich habe ich meine blindgemachten Insekten nicht immer „geworfen", sondern liess z. B. die Maikäfer ganz ruhig von meinen Fingerspitzen wegfliegen, während P l u s i a g a m m a sowie meine Hummel ganz selbständig flogen. Auch haben sich meine Insekten nicht durchweg an den Wänden „gestossen", ehe sie in die Höhe flogen. Ausserdem erweisen sich

Plateaus eigene Experimente durch die Mangelhaftigkeit des Augenüberzuges als zu unvollkommen, um zu einem Vergleich herangezogen werden zu können. Und wenn man seine Tabellen studiert, so entdeckt man, wie mehrere seiner Fliegen mit durchschnittenen Augennerven auf den Boden zurückfallen oder sich gegen die Zimmerdecke oder die Wand stossen; wieder andere (im Freien) fliegen im Zickzack. Im ganzen handelt es sich somit um unwichtige, teils zufällige, teils auf das ungenügende Firnissen zurückzuführende Differenzen, bei grundsätzlicher Übereinstimmung der Resultate. Im übrigen wird Plateau bei einem Rückblick auf seine eigenen Experimente, besonders diejenigen an Bombus und Oedipoda, nicht leugnen können, dass die blindgemachten Insekten eine geringere Tendenz zeigten, spontan fortzufliegen als die sehenden, zugleich aber eine stärkere Tendenz, gegen die Gegenstände, die sie nicht mehr sehen konnten, anzustossen. Die betreffenden Tatsachen liegen so klar, dass gar kein Zweifel darüber herrschen kann.

Auf Grund seiner eigenen Experimente konstruiert sich Plateau die folgende Hypothese: Blindgemachte Insekten bewahren noch photodermatische Empfindungen (die seiner Meinung nach bei vielen Insekten auf der Transparenz des Chitins beruhen) und ihre Liebe zum Licht treibt sie dazu, in die Höhe, nach der Sonne hin zu fliegen. Die Tatsache, dass seine Fliegen mit durchschnittenen Augennerven nach der Zimmerdecke und nicht nach dem Fenster flogen, stört ihn keineswegs, denn, so argumentiert er, viele Insekten (dies sind zwar andere, z. B. Libellen und Tagfalter, doch das beirrt ihn nicht im mindesten) fliegen, auch wenn sie sich im Besitz ihrer Augen befinden, nach der Decke. Die Tatsache, dass viele blindgemachte Fliegen im Freien nach der Erde zu oder in horizontaler Richtung fliegen, hat in Plateaus Augen gleichfalls kein Gewicht. Glaubt er doch diesen Umstand aus der durch den Augenfirnis erzeugten Gleichgewichtsstörung erklären zu können. Er bezieht sich hierbei auf die Experimente von Jousset de Bellesme, der beweist, dass die Unmöglichkeit zu fliegen bei ihrer Halteren beraubten Dipteren auf einer Gleichgewichtsstörung beruht, die dadurch wieder eingebracht werden kann, dass man dem Abdomen etwas mehr Gewicht verleiht.

Diese Hypothese ist nun, wie schon Plateaus eigene Tabellen zeigen, eine mehr als gewagte. So z. B. fielen von sechs Exemplaren Calliphora vomitoria, denen der Sehnerv durchschnitten worden war, vier immer wieder auf die Erde zurück. In diesem Fall war es nicht das Gewicht des Firnisses, der ihr Gleichgewicht störte; und meine eigenen Maikäfer mit gefirnissten Augen, die ja viel zu gross waren, als dass eine Störung des Gleichgewichtes überhaupt in Frage gekommen wäre, flogen nicht zum Himmel hinauf, sondern sehr häufig gegen Wände und Bäume, oder sie sanken wieder herab, nachdem sie erst aufwärts geflogen waren. Übrigens ist es a priori ausgeschlossen, dass die photodermatischen Empfindungen Anpassungen des Fluglebens seien. Sie sind erd- oder wasserlebenden Tieren eigen, und zwar zumeist blinden und nichtfliegenden. Ausserdem sind sie von langsamer Beschaffenheit und mehr den undifferenzierten Empfindungen als den Gesichtsempfindungen zuzurechnen.

Auch Tiebe kritisiert Plateaus Ausführungen, indem er ihn darauf aufmerksam macht, dass im Freien das Licht fast niemals vom Zenith ausgeht, sondern bei wolkigem Wetter von überall her und bei klarem von dort, wo die Sonne ist. In letzterem Falle müssten die photodermatischen Empfindungen das Insekt nach der Richtung der Sonne fliegen lassen, was jedoch nicht der Fall ist.

Ich selbst hatte Plateau vorgeschlagen, nachts und an Nachtinsekten zu experimentieren. Er tat dies und glaubt durch seine ungefähr 22 Experimente bewiesen zu haben, dass beinahe alle Lepidopteren mit geblendeten Augen entweder horizontal oder schräg nach der Erde zuflogen. Ich bin dadurch nicht überzeugt worden, denn erstens kann man bei Nacht den Flug der Insekten schwer verfolgen und zweitens wenden sich die geblendeten Insekten häufig zunächst dem Boden zu, ehe sie sich in die Luft erheben. Meine eignen Resultate, die allerdings auf andre Weise gewonnen sind, stimmen mit denen Plateaus kaum überein. Doch sind diese Experimente überhaupt schwieriger Natur, und auch ich vermochte zu keinen positiven Ergebnissen zu gelangen.

Am 21. Oktober 1900 wiederholte ich die Experimente von Plateau, indem ich mittels einer Starnadel die Augen von Schlammfliegen (Eristalis) und von Vespa germanica (Männchen) durchschnitt, teils im Garten, teils in meinem Zimmer. Ich erhielt dieselben Resultate wie Plateau und zugleich die Bestätigung meines früheren Experiments. Nur einige Eristalis landeten an der Wand, nachdem sie sich zur Zimmerdecke emporgehoben hatten, wobei ihr Flug schwerfällig und ungleichmässig war. Sie nahmen ihren Flug immer wieder auf, wobei sie fortwährend an die Zimmerdecke oder die Wand streiften und sich gegen letztere anpressten. Zu dieser Prozedur braucht ein Insekt nicht zu sehen, um so weniger, wenn es die anhaftenden Füsse dieser Spezies besitzt. Es ist auch ganz etwas anderes, als im Freien an Mauern oder Bäumen, die sie nicht sehen, im vollen Fluge anzurennen. Sind doch die Dimensionen eines Zimmers zu gering, um einem Insekt Zeit zu lassen, ein sehr rasches Flugtempo anzunehmen. Noch muss bemerkt werden, dass die Jahreszeit für Eristalis (der Herbst) eine kühle ist und der Flug der Insekten zu solcher Zeit langsamer erfolgt als im Sommer, derjenigen Jahreszeit, in der meine ersten Experimente gemacht wurden. Übrigens flogen die blindgemachten Eristalis ohne Nachhilfe ab.

Die Wespen hingegen fielen, besonders bei ihren ersten Versuchen, regelmässig zur Erde. Und doch hatten sie keinen Firnis auf den Augen, der ihr Gleichgewicht hätte stören können. Übrigens verlieren die Insekten auch ihr Gleichgewicht nicht infolge solcher Kleinigkeit, vielmehr benützen sie beim Fliegen ihr Abdomen zum Balancieren; fliegen sie doch sogar mit dem um ein Drittel gekürzten Flügel (einer Körperseite!), indem sie ihr Abdomen nach der entgegengesetzten Seite krümmen, um das Gleichgewicht herzustellen.

Ich wiederholte nun meine Experimente bei Nacht und stellte dabei das Licht unter den Tisch, um ein Beleuchten der Zimmerdecke zu vermeiden. Die blindgemachten Eristalis flogen trotzdem zum Teil gegen die letztere, ohne sich den beleuchteten Zimmerwänden zuzuwenden, wie es unbedingt der Fall gewesen wäre, wären ihre photodermatischen Empfindungen beteiligt gewesen.

Ferner muss bemerkt werden, dass im Freien und bei Tage geblendete Insekten sich nicht immer vertikal, wie Plateau behauptet, sondern sehr häufig in schräger Richtung erheben.

Ich hatte geschrieben, dass „Insekten mit gefirnissten Augen fliegen, bis sie, da sie ja nichts sehen, sich an irgend einen Gegenstand stossen, was jedoch nicht geschieht, wenn sie hoch fliegen." Plateau bezeichnet dies als meine „Hypothese", der er seine eigne entgegenstellt. Ich habe aber durchaus keine Ansprüche auf eine „Hypothese" erhoben. Ich gebe ohne weiteres zu, dass jene Erklärung keine vollständige ist und gewisse Lücken offen lässt, doch hat sie den Vorzug der Einfachheit und der Anwendbarkeit auf alle diejenigen beglaubigten Fälle, wo Insekten sich anstossen und im Anschluss daran herunterfallen (s. den Versuch mit den Maikäfern). Was die Fälle betrifft, wo der Firnisüberzug unvollkommen war, so muss zugegeben werden, dass das Insekt nach der Seite hinfliegt, wo es mehr Licht durch den Überzug schimmern sieht. Für die andern Fälle aber genügt diese Erklärung nicht.

Nun liegt noch folgende Möglichkeit vor: Unter natürlichen Verhältnissen besteht das Dunkel oder Halbdunkel, in dem sich ein Insekt zuzeiten befindet, darin, dass es sich unter der Erde, im Stamme eines Baumes, in einer Höhle oder in dichtem Unterholz aufhält. Sein kleines Gehirn erlaubt ihm nun nicht, wenn man es blind macht, über die Gründe seines Nichtsehens nachzudenken, der Instinkt aber treibt es dazu, aufwärts zu fliegen, um so den dunkeln Orten, wo es sich zu befinden glaubt, zu entfliehen. Man wird einwenden, dass es dies bei Nacht nicht tut, doch liefern ihm die Sonnenhitze und andere Merkmale Unterscheidungen zwischen Nacht und Tag; auch ist die Nacht selten vollkommen schwarz. Ferner wird man mir den spiralig oder im Zickzack verlaufenden Flug des Tierchens entgegenhalten. Doch wird dieser höchst wahrscheinlich durch den Mangel an Orientierung erzeugt. Immerhin bewegen wir uns hier vielfach in Mutmassungen, und ich halte es für klüger, statt sich in Hypothesen zu ergehen, neue Tatsachen abzuwarten.

Um zu beweisen, dass ich unrecht hatte, wenn ich den Ocellen der Hymenopteren die Aufgabe zuschrieb, Gesichtswahrnehmungen im Dunkeln und aus nächster Nähe zu dienen, liess Plateau einige Eristalis, bei denen er nur die Facettenaugen gefirnisst hatte, im Dunkeln oder doch in verdunkelten Zimmern, die nur eine kleine Lichtquelle an einem Fensterladen besassen, herumfliegen. Da nun die Eristalis, umherschwirrend, mehr nach der Decke hinauf flogen als auf die Lichtöffnung zu, so entschied sich Plateau sofort gegen diese meine Vermutung und erklärte, dass „bei mit Facettenaugen versehenen Taginsekten die Ocellen (oder einfachen Augen) fast nutzlos seien und bestenfalls den Tieren nur sehr schwache Wahrnehmungen (er meint Empfindungen) geben, die sie nicht zu verwerten vermögen", und er nimmt deshalb an, dass „die Ocellen für Insekten mit Facettenaugen alle Bedeutung verloren haben".

Es ist nicht schwer zu zeigen, dass diese Schlussfolgerung notwendigerweise falsch ist. Wenn die Ocellen wirklich alle Bedeutung verloren und die Insekten keine Verwendung für sie hätten, wie könnten diese Organe dann zu jener ungeheuren Entwicklung gelangt sein, die sie bei gewissen Hymenopteren, besonders bei den Männchen der Formiciden, zeigen (man sehe auf Tafel I., Figur 40 dieser Studien, die Frontalocellen des geflügelten Männchens von Eciton coecum, bei welchem Insekt Arbeiter und Weibchen flügellos und nahezu blind sind und wo das Männchen daher höchstwahrscheinlich das

32

Weibchen unter der Erde aufsuchen muss). Eine flüchtige Betrachtung dieser Abbildung oder eines Dorylus-Männchens zeigt
die Unhaltbarkeit der Plateauschen Schlussfolgerung. Um mich
zu widerlegen, sollte er diese Insekten nicht im Fluge in einem geschlossenen Raum, sondern auf dem Erdboden, in ihren Nestern
oder in Erdspalten beobachten, wo allein ein Sehen aus nächster
Nähe ihnen nützlich ist. Ich gestehe, dass dies nicht ganz leicht
ist, so aber, wie es Plateau angefangen hat, wird gar nichts bewiesen.
Seine Versuche scheinen im Gegenteil die Falschheit seiner Hypothese,
dass nämlich die photodermatischen Empfindungen die Ursache des
Luftfluges seien, zu beweisen, denn diese Empfindungen konnten
in dem verdunkelten Zimmer, wo die Schlammfliegen unausgesetzt
nach der Decke emporflogen, keine Rolle spielen. Kurz und gut,
die Ocellen müssen eine Existenzberechtigung haben und ihre Besitzer
müssen sich auf ihre Anwendung verstehen. Freilich fehlt uns bisher der Schlüssel zu ihrer Verwendung. Trotzdem glaube ich, dass
die von Exner festgestellten Tatsachen sowie die Ergebnisse von
Peckham, Plateau und mir selbst an Spinnen, Raupen usw. meine
eigene Mutmassung bestätigen, die übrigens auch von anderen
Autoren ausgesprochen worden ist.

Wie bringt eigentlich Plateau es fertig, den rudimentären Ocellen
der Raupen „deutliches Sehen" zuzuschreiben und den prachtvollen
Ocellen der männlichen geselligen Hymenopteren alle Bedeutung abzusprechen! Ich selbst hatte aus meinen ersten Experimenten den
Schluss gezogen, dass die Ocellen beim Sehen der mit Facettenaugen
versehenen Insekten nur eine untergeordnete Rolle spielen. Ich hätte
sagen sollen: beim Sehen im Fluge. Deshalb habe ich später
meinen Ausspruch korrigiert, eine Korrektur, deren Sinn Plateau
nicht erfasst zu haben scheint.

c) Das Sehen mit Facettenaugen. Hier hat sich Plateau von
den Arbeiten von W. Patten (Eyes of Molluscs and Arthropods,
Mitt. d. zool. Stat. Neapel, Bd. 6, Heft 4, 1886) verführen lassen
und sich in eine Hypothese gestürzt, die jeder Berechtigung ermangelt.
Patten tritt hier nicht nur den Ansichten der besten Histologen entgegen, sondern er befindet sich auch im Widerspruch mit den physiologischen und optischen Befunden, die Exner späterhin so klar
dargelegt hat und auf die ich hier nicht noch einmal zurückkommen
will. Patten leugnet, dass die Kristallkegel lichtbrechende Medien
seien(!), glaubt ein Netz von Nervenfibrillen zwischen ihren Zellen

zu entdecken, dekretiert einerseits die Existenz eines Auges mit nur einer Facette und kommt andrerseits auf die tausend von Gottsche beobachteten Bilder zurück (12—1700 bei den Libellen), die durch das Gehirn des Insekts ebenso vereinigt werden sollen, wie unser menschliches Gehirn die von unsern zwei Augen gebildeten Bilder zu vereinigen vermag (was nicht einmal immer zutrifft, sehen wir doch zuweilen doppelt!). Eine Behauptung darf deswegen, weil sie gedruckt vorliegt, nicht immer geglaubt werden. Es wäre gänzlich müssig, auf Pattens Phantastereien und auf die Schlüsse, die Plateau an dieselben knüpft, weiter einzugehen, besonders nach den oben wiedergegebenen Exnerschen Untersuchungen.

Trotzdem möchte ich zur Klarlegung der ganzen Frage eine Hauptkonfusion Plateaus festnageln. Plateau setzt die Ansicht, dass das Facettenauge aus einer Anhäufung von Ocellen hervorgegangen sei, derjenigen von Patten entgegen, der das Facettenauge aus einem einfachen, erst sekundär in Facetten zerfallenden Auge hervorgehen lässt. Wenn man aber die Tatsachen der Phylogenie, die Exner so durchsichtig darlegt, gebührend berücksichtigt (z. B. das Auge der Trilobiten), so wird man erkennen, dass beide Hypothesen gleich falsch sind, und dass sowohl die Ocelle wie auch das Facettenauge aus dem primitiven Auge hervorgegangen sind, das erstere durch Vermehrung der Elemente eines einzigen solchen Auges, das letztere durch Zusammenballung und durch Umformung ihrer Gruppierung. Es liegen Tatsachen vor, die dies beweisen. Es genügt, die unter der Erde lebenden Ameisen und die Serien ihrer aus ein, zwei, drei, vier, fünf und mehr Facetten bestehenden, noch kaum verschmolzenen Augen zu studieren, um sich von dieser Tatsache zu überzeugen. Auch die Abweichung, die wir am grossen Arbeiter der Gattung Eciton bemerken, der eine mehr oder weniger stark entwickelte Ocelle an der Stelle und Stätte des Facettenauges aufweist (Tafel I., Fig. 5 d), liefert uns dasselbe phylogenetische Ergebnis. Nie sieht man das Auge von Eciton sich in Facetten aufteilen. Und ebensowenig sieht man bei irgendeiner Gattung ein Facettenauge durch Fusion der Facetten in eine Ocelle übergehen. Im Gegenteil: man sieht, wie das rudimentäre Auge der blinden oder halbblinden Ecitonameisen sich bei den mehr lichtliebend gewordenen Arten immer mehr vergrössert, und wie das der andren unterirdisch lebenden Ameisen durch Anhäufung vervielfacht wird, um die beiden Facettenaugen zu bilden, die um so entwickelter sind, je oberirdischer die

Lebensweise der betreffenden Spezies wird und umgekehrt. Hätte Patten recht, so würde man direkte Übergangsformen entdecken zwischen der grossen Ocelle und dem Facettenauge, während man tatsächlich immer und allein den Übergang im primitiven Auge findet. So viel ich weiss, hat noch kein Mensch je solche direkten Übergänge der Ocelle zum Facettenauge beobachtet, ich wenigstens niemals, trotzdem ich zirka 5000 Ameisenformen untersucht habe, und dieser Umstand bildet ein Argument von beträchtlichem Wert, wenn man bedenkt, mit welcher Genauigkeit die Augen der Insekten und die Zahl ihrer Facetten von den Systematikern der Entomologie studiert worden sind, von Grenacher, Exner u. a. nicht zu sprechen. Es würde sich um nichts Geringeres handeln als darum, zu sehen, wie eine grosse Ocelle im Begriff ist, sich in Facetten aufzuteilen, oder ein Facettenauge zu sehen, dessen Facetten Neigung zeigen zu verschmelzen (wohlgemerkt innerlich).

Doch nimmt Plateau von Patten nur dasjenige an, was mit seiner vorgefassten Meinung übereinstimmt, die in einer irrigen, Verwirrung stiftenden Verallgemeinerung gipfelt. Diese heisst: „Insekten sehen keine Formen oder sehen dieselben nur sehr undeutlich." Anstatt das „Sehen der tausend Bilder" von Patten zuzugeben, setzt er nach dem, was er als die histologischen Entdeckungen jenes Autors bezeichnet, eine Zerstörung der Bilder in den Kegeln voraus, und schliesst, ohne Exner richtig verstanden zu haben, infolgedessen auf ein „gänzlich verwischtes Bild". Warum aber, wenn dies richtig wäre, gibt sich die Natur solche Mühe, um einen so wunderbar künstlichen Apparat wie das Facettenauge zu erzeugen? Diese Bemerkung macht Exner sehr mit Recht. Ich aber füge hinzu: Warum gibt sich denn Plateau solche Mühe, um den Beweis zu führen, dass gerade die Ocellen keinen Nutzen haben? Weil er andrerseits selbst bestätigt, dass die Bedeckung oder Entfernung des Facettenauges das Insekt so gut wie blind und der Orientierung unfähig macht. Gut. Wäre Plateau aber konsequent, so müsste er sagen, dass das Facettenauge ebenfalls keinen besonderen Nutzen mehr hat, da es die Formen nicht sieht! Wie kann nun aber ein Insekt im Fluge sich mittels eines „verwischten" Bildes so vorzüglich, sicher und schnell zurechtfinden? Ist es der Geruchssinn, der die Leitung hat, wie Plateau anderwärts annimmt? Aber wie kommt es dann, dass die Beseitigung des „gänzlich verwischten Bildes" das Insekt beim Fluge vollständig hilflos macht, während es ohne Geruchsorgan, also nach Beseitigung der Fühler, sich genau so gut im Fluge orientiert wie mit denselben? Wie kann der Gesichtssinn ihm beim Fliegen helfen, wenn es die Formen undeutlich oder überhaupt nicht sieht?

Sobald sich Plateau aus dem Netzwerk von Widersprüchen, in denen er sich verfangen hat, befreit haben wird, wollen wir seine Schlussfolgerungen annehmen, eher aber nicht. In der Natur existieren diese Widersprüche nicht, sobald man alle äusseren Umstände und alle Tatsachen in Betracht zieht, und besonders sobald festgestellt ist, dass es Insekten mit sehr verschwommenem, solche mit mässig deutlichem und andere mit recht deutlichem Sehvermögen gibt, je nach der Entwicklung und der Art ihrer Augen (s. Exner); dass es ferner solche gibt, die beim Fliegen ihren Geruchssinn bald gar nicht, bald mehr, bald weniger zu Rate ziehen, und schliesslich, dass die Verschiedenheiten ihrer Instinkte und ihrer Gehirnentwicklung auch in der Art und Weise zutage treten, wie sie von ihren Sinneswerkzeugen Gebrauch machen, ganz unabhängig von der eigentlichen Schärfe der letzteren.

Plateau verteidigt sich gegen den ihm von mir gemachten Vorwurf, dass er offene Türen einrenne oder Beweise am unrechten Ort anbringe; wir werden sehen, ob ihm seine Verteidigung gelingt.

Ich habe Plateau vorgeworfen, dass er von Insekten menschliche Urteilskraft verlange, wenn er erwarte, dass sie eine einfache Öffnung im Fensterladen eines verdunkelten Zimmers, die ihnen einen bequemen Durchtritt ins Freie gewähren würde, von einem engen Gitterwerk unterscheiden, dessen minimale Löcher ihrem Körper diesen Durchtritt nicht gestatten, vorausgesetzt, dass die einströmende totale Lichtmenge dieselbe sei. Die Insekten flogen, wie bereits oben berichtet, nämlich unterschiedslos nach beiden Arten von Öffnungen, woraus Plateau den Schluss zog, dass sie keine Formen wahrzunehmen vermögen. Ich aber prophezeite ihm, dass ein Wirbeltier denselben Irrtum begehen würde.

Plateau machte nun infolgedessen wirklich den gleichen Versuch mit Vögeln und diese begingen denselben Irrtum wie die Insekten, ausgenommen einige Tauben, die, gewöhnt in einem Käfig zu leben, bereits die Erfahrung gemacht hatten, dass man durch eng gestellte Stäbe nicht durchpassieren könne. Dieser für die Psychologie der Tiere sehr bezeichnende Versuch hat, wie man sieht, mit dem Seh-

12*

vermögen der Insekten nichts zu tun und bestätigt nur meine Ansicht, was Plateau auch eingestanden hat.

Ich möchte an dieser Stelle auf eine von mir längst gemachte Beobachtung zurückkommen, dass Insekten — und zwar auch solche mit sehr guten Augen — stillstehende Gegenstände viel weniger deutlich sehen als wir selbst (s. oben). Exners Bild aus dem Auge von Lampyris bestätigt dies. Auch hat Exner bereits im Jahre 1875 gezeigt, dass das Facettenauge ausgesprochenermassen speziell an das Sehen von Bewegungen angepasst ist. Unsere Beobachtungen haben dies bestätigt, und Plateau arbeitet nur seinerseits an einer weiteren Bestätigung dieser vorliegenden Tatsache. So weit stimmen alle überein. Doch vergisst Plateau völlig, dass das „Sehen von Bewegungen" nicht identisch ist mit der Bewegung des gesehenen Gegenstandes, sondern dass das Wesentliche bei der Sache die Verschiebung des Bildes auf der Retina ist. Wenn Insekt A neben einem in demselben Tempo ihm parallel fliegenden Insekt B über einem gleichfalls in demselben Tempo fahrenden offenen Wagen hinfliegt, dessen Insassen unbeweglich sitzen, so wird Insekt A weder eine Bewegung von Insekt B, noch des Wagens und seiner Insassen vermittelst seiner Facettenaugen bemerken, da keine Bildverschiebung stattfindet.

Wenn aber im Gegensatz hierzu ein Insekt im Fluge oder im Lauf sich einem unbewegten Gegenstand nähert, so wird in diesem Falle das Bild des betreffenden Gegenstandes auf der Retina verschoben werden, das Insekt wird „eine Bewegung des unbewegten Objektes" sehen, ebenso wie für unser Auge, wenn wir auf der Eisenbahn fahren, die Dinge an der Bahnlinie sich zu bewegen scheinen. Ich bitte den Leser um Verzeihung, dass ich hier solche Binsenwahrheiten verkündige. Doch hat Plateau diese bekannten Erscheinungen nicht in Betracht gezogen. Übrigens wenden wir selbst denjenigen Gegenständen, deren Bild sich auf unserer Retina verschiebt, viel mehr Aufmerksamkeit zu als unbewegten. Ja, mehr als das! Wenn wir und die Objekte unserer Umgebung absolut unverändert blieben, wenn wir weder Augenlider, noch bewegliche Augäpfel besässen, so würden wir überhaupt nach Ablauf einer gewissen Zeit gar nichts mehr sehen!

Ich sage mit Bedacht „unverändert" und nicht „unbewegt", denn die plötzliche Veränderung der Farbe eines Gegenstandes erzeugt, auch ohne dass der letztere sich bewegt, einen ebenso starken Reizwechsel in dem Bild unserer Netzhaut wie die Bewegung des Objekts.

Sowohl die Physiologie wie die Psychologie haben bewiesen, dass, wenn Sinneseindrücke (subjektiv ausgedrückt: Empfindungen) während einer gewissen Zeitdauer unverändert bleiben, sie abgeschwächt werden und schliesslich aufhören, uns zu erregen, d. h. von uns wahrgenommen (unterschieden) zu werden. Mit einem Wort: die Empfindung wird stets nur durch neue qualitative Unterschiede der Reize geweckt, und kann nur durch einen Wechsel jener Reize in Zeit oder Raum aufrecht erhalten werden.

Nun befindet sich ein Insekt, das sich längere Zeit bewegungslos, ohne seine Stellung zu verändern, vor bewegungslosen Gegenständen aufhält, genau in der vorhin erörterten Lage. Verlangen wir von diesem Tierchen nicht mehr, als was wir selber zu leisten vermögen! Man müsste deshalb, um ganz exakt vorzugehen, die Sehtätigkeit eines Insekts beobachten, das, nachdem es sich bewegt hat, einen Augenblick bewegungslos bleibt und aus diesem Zustand heraus andere bewegungslose Körper sieht, respektive nicht sieht. Der Paarungsvorgang der Hausfliege liefert uns hierfür ein gutes, positives Beispiel, denn das Männchen springt hier öfters aus einer Entfernung von mehreren Zentimetern auf eine andere bewegungslose Fliege (Irrtümer bezüglich des Geschlechts sind häufig), und zwar nachdem es selbst zuvor ruhig gesessen hat. Peckham hat an springenden Spinnen analoge Experimente gemacht, die meine eigenen älteren Versuche über diesen Gegenstand korrigieren; nach ihm sehen die Spinnen besser als ich glaubte.

Trotzdem muss man daran festhalten, dass die im Gesichtsfeld stattfindenden Verschiebungen der Objekte in ihrem Raumverhältnis zueinander einen noch viel stärkeren Reiz ausüben, und dass ihre durch Eigenbewegung hervorgerufene Verschiebung die Aufmerksamkeit des Beobachters viel stärker auf sich zieht, als wenn der letztere allein sich bewegt. Was wir hier gesagt haben, wird die Irrtümer in den folgenden Experimenten Plateaus in das schärfste Licht setzen.

Um sich nicht für geschlagen erklären zu lassen, erfand Plateau einen Apparat, den er als Labyrinth bezeichnet, und der aus verschiedenen Serien dünner vertikaler Scheidewände aus Holz oder Pappe von 1—3 cm Höhe besteht, die auf einem einfarbigen Grund in konzentrischer, elliptischer oder polygonaler Anordnung verteilt sind und zwischen sich geräumige, kontinuierlich verlaufende Öffnungen freilassen. Mit einem Wort, gestattet diese Vorrichtung dem Insekt mühelos durchzupassieren, solange es die genannten Scheidewände vermeidet, indem es Kurven beschreibt.

Indem er nun seinen Apparat so aufstellt, dass, um ins Freie oder in gerader Linie ans Licht des Fensters zu gelangen, das Insekt das Labyrinth passieren und sich dabei an die durch die Scheidewand gebildeten Hindernisse stossen musste, wofern es nicht deren Anwesenheit wahrnahm und durch Windungen des Fluges ein Anstossen vermied, erhielt Plateau folgende drei Gruppen von Resultaten:

1. Die Mehrzahl der Insekten (selbst Arten mit guten Augen, wie Lokusten und Cicindelen mit beschnittenen Flügeln) streben geradewegs auf das Licht zu, indem sie sich zunächst gegen die Scheidewände stossen und hierauf, an ihnen entlang gehend, die kontinuierlichen Gänge zu erreichen suchen oder über die trennenden Wände hinwegsteigen.

2. Die sozialen Hymenopteren, besonders die Wespen, begeben sich, sobald sie den von den Scheidewänden geworfenen Schatten erreichen, um die Ecke derselben herum und erreichen so die Verbindungsgänge, deren sie sich beim Weitervordringen bedienen.

3. Wirbeltiere, so z. B. Eidechsen, Schildkröten, Schlangen, Enten, Nagetiere etc., beschritten, ohne anzustossen oder sich von dem Schlagschatten stören zu lassen, den gewundenen Weg der zwischen den Wänden hindurchlaufenden Passagen mit der grössten Sicherheit.

Plateau schliesst aus diesen Versuchen auf die deutlichen Gesichtswahrnehmungen bei Wirbeltieren und das Nichtgewahren der Form bei Insekten. Ich gebe gern zu, dass sein Experiment fein, wohl durchdacht und in jeder Beziehung ernster zu nehmen ist als das mit dem durchlochten Fensterladen. Trotzdem gibt es da einiges zu bedenken. Wie kommt es, dass dieselbe Wespe, die sich aus einem Meter Entfernung in pfeilgeradem Fluge auf einen schwarzen, feststehenden Nagelkopf stürzt, den sie für eine Fliege hält, dass dieselbe Schlammfliege, die geradewegs auf eine kleine Blüte zufliegt, dass die Hummel, die, obwohl des Mundes und der Antennen beraubt, dasselbe tut, dass all diese Insekten eine 1—2 cm vor ihren Augen befindliche vertikale Wand nicht zu erkennen vermögen? Hat Plateau sich, ehe er seine Schlussfolgerungen zog, diese Frage vorgelegt (g)?

Wenn wir den Mangel an plastischer Überlegung beim Insekt in Betracht ziehen, so bekommt die Sache sofort ein anderes Gesicht. Im Naturzustand begegnen diese Insekten, wenn sie sich über der

Erde hinbewegen, fast niemals glatten, vertikalen Wänden. Sie sind gewohnt, über Steine und Dornengestrüppe hinwegzuklettern, ohne sich zu fürchten, mit ihren harten Chitinköpfen an die Hindernisse anzurennen, die sie gewöhlich mit ihren Antennen abtasten, um die chemische Natur derselben mittels ihres Kontaktgeruchs festzustellen. Ferner ist ihr Gehirn zu klein und zu vollgestopft mit Automatismen, um ihnen die Stellung der Frage zu gestatten: „Komme ich an diesem Gegenstand vorbei oder nicht?" Wissen wir doch, wie hartnäckig ein Insekt gegen eine Fensterscheibe anzusurren pflegt, wie es häufig Öffnungen zu passieren sucht, die viel zu eng für seinen Körper sind, und wie es wohl zwanzigmal eine glatte Wand hinaufläuft, um immer wieder herabzupurzeln, ohne sich ein einziges Mal der Unausführbarkeit dieses Unternehmens bewusst zu werden oder eine andere Lösung des Problems zu versuchen, indem es z. B. der betreffenden Wand durch Umgehung beizukommen sucht. Wir haben hier die „Dummheit", die „Begrenztheit", das „gefahrene Geleise" des blinden Instinkts; nicht aber haben wir einen Beweis, dass das Facettenauge die Form des Objektes nicht zu erkennen vermag. Wie kommt es denn, dass die sozialen Hymenopteren findiger sind und einen Umweg um die Schlagschattenpartie des Labyrinths einschlagen? Nur weil sie, und zwar besonders die Wespen, weniger beschränkt sind. Und es ist kein Zufall, dass gerade sie, die wir aus anderen Beobachtungen als intelligentere Tiere erkannt haben, ihren Weg in Plateaus Labyrinth am besten zu finden wussten. Der Schatten hinderte die Wespe nicht stärker am Verfolgen ihres Weges als ein düsterer Himmel es getan hätte, bewog sie aber, das Objekt zu umgehen, das ihn warf. Plateau verlangt von seinen Insekten, dass sie wissen, dass sie die Zwischenwände nicht erklettern können, oder dass sie dies durch sein Experiment lernen. Das ist zu viel verlangt! Er zitiert die Geschichte von Fabres Bembex, die zu der zerstörten Mündung ihres Nestes zurückkam und ihre Larven, jetzt wo sie ausserhalb der Erde waren, nicht wiedererkannte. Statt aber, wie Fabre selbst, hieraus auf die enorme Dummheit (oder anders ausgedrückt auf die zerebrale Unzulänglichkeit) eines Insekts zu schliessen, bei dem der Faden instinktmässigen Geschehens einmal durchschnitten worden ist, schreibt Plateau diesem Insekt schlechte Augen zu! Er bedenkt nicht einmal, dass eine Bembex, die ihre Eier im Dunkeln, unter der Erde gelegt hat, ihre daraus hervorgegangenen Larven niemals gesehen hat, und deshalb auch nicht mit den Augen wiedererkennen kann. Dieselbe grundfalsche Deutung gibt er bezüglich Fabres Chalicodoma.

Allerhöchstens könnte man, nach Plateaus Experimenten, ein schlechtes stereoskopisches Sehen bei Insekten vermuten, d. h. eine Unfähigkeit Entfernungen abzuschätzen. Immerhin wäre auch diese Verallgemeinerung nicht richtig. Denn dieselbe Fliege, dieselbe Libelle, die, von der Durchsichtigkeit einer Fensterscheibe irregeführt, heftig dagegen anprallt, lässt sich mit bewundernswerter Sicherheit und Exaktheit auf der äussersten Spitze eines kleinen, dürren, unbeweglichen Zweigleins, eines noch dazu geruchlosen Gegenstandes nieder. Ohne die Fähigkeit der Abschätzung von Entfernungen wäre dies unmöglich.

Plateau wundert sich, dass ein Pompilus auf nur 5 oder 6 cm Entfernung von seinem Wild, einer Spinne, vorbeigehen konnte, ohne sie zu sehen. Für ihn ist dies abermals ein Beweis, dass das Insekt keine Formen sehen kann. Aber dasselbe begegnet ja uns Menschen auch! Welcher Jäger hätte noch nicht einen Hasen passiert ohne ihn zu sehen? Und weiterhin beschreibt unser Autor selbst, wie eine Hummel seine lebhaft gefärbte blaue Weste umschwirrte, wie Bombus terrestris, „sichtlich angelockt durch das lebhafte Gelbrot der Rhabarbersprossen", sich zu ihnen hinbegibt, wie eine andere Hummel, getäuscht durch die weissen Blüten des Rhabarbers, diese aufsucht anstatt die Jelängerjelieberblüten, nach denen sie eigentlich ausgezogen war, wie schliesslich Pieris, vom schönen Schein betrogen, zu den Callablüten hinfliegt, bei denen sie nichts zu suchen hat usw. Alles dies berichtet er uns, nachdem er zuvor den Insekten jede Wahrnehmung von Farben abgesprochen und sich bemüht hat, nachzuweisen, dass sie niemals von künstlichen Blumen angezogen werden.

Plateau macht richtigerweise darauf aufmerksam, dass es bei vollkommener Regungslosigkeit einem gelingen kann, aufgescheuchte Libellen zu fangen, ja dass es sogar vorkommt, dass diese sich auf dem Rand des von dem Sammler benützten Netzes niederlassen. Dies ist ein Beweis ihrer Gedankenlosigkeit und Dummheit, keineswegs aber der Unvollkommenheit ihres Wahrnehmungsvermögens. Denn wenn sie das Netz nicht sähen, so würden sie sich nicht darauf niederlassen. Sie sind eben einfach leichtsinnig. Ihr Instinkt hat mit Hilfe von Anpassung eine, für gewöhnlich durch die Geschwindigkeit ihres Fluges gerechtfertigte Tollkühnheit in ihnen erzeugt. Sie haben keine Ahnung davon, dass ein Netz einen für sie gefährlichen Gegenstand darstellt, ja vielleicht geht ihre Unachtsamkeit so weit, dass sie das Netz als solches überhaupt nicht wiedererkennen. Immerhin kann man beobachten, dass, sobald sie längere Zeit hindurch verfolgt worden sind, sie vorsichtiger und aufmerksamer werden.

Ich muss an dieser Stelle zugeben, dass der von mir am Anfang dieses Buchs ausgesprochene Satz (man könne beinahe behaupten, dass Libellen die Länge des Netzhalters ihres Verfolgers abzumessen vermöchten) nur als eine unüberlegt hingeworfene Bemerkung anzusehen ist. Plateau bemerkt nicht ohne Grund zu dieser meiner Äusserung, dass ich den Libellen eine logische Kapazität zuschriebe, die sie keineswegs besitzen. Dies war auch durchaus nicht meine Meinung; indessen gebe ich offen zu, dass meine damals gewählte Ausdrucksweise eine viel zu drastische war.

d) Wahrnehmung von Bewegungen. Kehren wir zu dem obigen Gegenstand zurück. Plateau widmet eine ganze Arbeit der Wahrnehmung von Bewegungen (5.). Auch hier schreibt er dem Sehvermögen Dinge zu, die eine Folge des Instinkts und des Mangels an Überlegung sind. Er studiert mit Geduld die folgenden, jedem Menschen bekannten Phänomene: Wenn jemand sich regungslos verhält oder sich sehr langsam bewegt, gelingt es, die Insekten so sorglos zu erhalten, dass sie sich sogar wie auf einem Baumstumpf auf dem betreffenden Menschen niederlassen. Man kann Schmetterlinge usw., ja sogar mitunter Fliegen mit dem Finger berühren, solange man sich ihnen nur von hinten nähert. Alles dies ist zweifellos wahr. Ich aber erwidere darauf: Auch eine Maus (also ein Tier ohne Facettenaugen) wird mir über die Füsse laufen, vorausgesetzt, dass ich mich ganz ruhig verhalte; auch Vögel tun mitunter Ähnliches. Trotzdem zeigt eine eingehende Beobachtung, dass nicht alle Insekten sich so verhalten. Gewisse unter ihnen, deren Gewohnheiten sie gelehrt haben, den Menschen zu fürchten, sind umsichtiger. Andere dagegen kommen trotz der heftigsten Bewegungen, die man macht, trotz der Schläge und Klapse, die man austeilt, immer wieder, und zwar ohne gastronomische Absichten (wie sie bei Mücken oder Bremsen vorliegen), und ohne dass man sich im geringsten stille verhält. Die Libelle, die sich am Rande eines unbeweglich gehaltenen Schmetterlingnetzes niederlässt, hat keinen auf bösen Erfahrungen beruhenden Grund, auf ihrer Hut zu sein, selbst im Fall, dass sie ein oder zwei fruchtlose Versuche, sie einzufangen, erlebt haben sollte. Sie hat im Freileben so selten solche Erlebnisse, dass sie vertrauensvoll und wiederholt sich dem Netze nähert, zumal ihr natürlicher Instinkt sie nicht auf Misstrauen gestellt hat. Sobald man sich aber, wenn auch noch so langsam, mit dem Netze bewegt, verlässt die Libelle umgehend dieses grosse, in Bewegung befindliche Ungetüm und ist dabei wohl imstande, die Dimensionen mit dem Auge abzuschätzen. Es versteht sich dabei von selbst, dass eine Libelle, die der Verfolgung durch grosse Wirbeltiere nicht angepasst ist, diese nur dann fürchtet, wenn sie sich ganz dicht vor ihr bewegen.

Um zu beweisen, dass bei den Insekten alles nur aus einem mechanischen Instinkt heraus entspringt, beruft sich der berühmte Biologe Fabre auf die entsetzliche Dummheit von Bembex, eine Wespe, die absolut unfähig ist, den heimtückischen Parasiten zu erkennen, der ihr heimlich in ihr Nest nachfliegt. Bembex kommt nicht auf die Idee, die Larve dieses Eindringlings zu zerstören, der unter ihren Augen die Vorräte auffrisst, die von der fleissigen Wespe unter grösster Mühe für die eignen Larven zusammengeschleppt worden sind. Fabre meint, dass die Wespe sehen müsse, wie ihr eigener Nachwuchs neben dem des Diebes zugrunde geht. Dabei würde aber ein einziger Biss von Bembex genügen, um den feindlichen Wurm, der weich und waffenlos ist, zu töten. Ich bemerke hierzu: Hat Fabre von den Chimila-Indianern in Kolumbien gehört, die ruhig zusehen, wie die Maden auf ihren Wunden sitzen, ohne sie zu vertreiben, bis sie selbst an dieser Vernachlässigung zugrunde gehen? Hat er über den Europäer nachgedacht, der angesichts seiner Volksgenossen, die sich dauernd betrinken und an Alkoholismus zugrunde gehen, doch nichts Besseres zu tun weiss, als sich immer wieder zu alkoholisieren? Haben wir angesichts solcher Tatsachen das Recht, über die Dummheit einer Wespe, verglichen mit der enormen Weisheit des menschlichen Verstandes, so arg zu staunen? Ist es nicht ebenso widersinnig, wenn der Arbeiter sich plagt und seine paar Groschen am unrechten Ort zusammenspart, bloss um sich in der Kneipe zugrunde zu richten, ohne, ganz ähnlich wie Bembex, den Feind zu erkennen, der sein Familienglück zerstört?

Plateau glaubt bewiesen zu haben, dass Tag-Lepidopteren und Libellen die Bewegungen eines grossen Gegenstandes nur bis zu einer Entfernung von zwei Metern zu sehen vermögen. Ich stimme insofern mit ihm überein, als auch ich glaube, dass diese Insekten

Vorgängen, die sich weiter entfernt abspielen, keine grosse Aufmerksamkeit schenken. Es ist dies nur natürlich, und Exner hat schon in Beziehung auf kleine Wirbeltiere auf diesen Umstand hingewiesen. Immerhin finde ich Plateaus Schlussfolgerungen etwas voreilig. Ich bin vollständig sicher, dass ich häufig aus einer Entfernung von mehreren Metern durch meine Bewegungen die Aufmerksamkeit und die Angst von Schmetterlingen, Libellen, Heuschrecken, Grillen usw. erregt habe. Regelmässig habe ich z. B. die Aufmerksamkeit von Bienen, die bei kaltem Wetter vor ihrer Behausung ruhten, erregt, wenn ich in einer Entfernung von drei Metern ein Taschentuch schwenkte. Es ist wahr, dass gewisse lebhafte und mutige Schmetterlinge sich auf derselben Stelle, wo man sie soeben beinahe gefangen hätte, wieder niederlassen; ganz ebenso häufig aber geschieht es, dass sie misstrauisch werden, so dass es, nachdem sie erst ein paarmal erschreckt worden sind, ganz unmöglich ist, sich ihnen zu nähern.

In Summa: Bezüglich der Frage des Formensehens scheint mir Plateau sich in einen Kampf um Worte zu verlieren. Denn nach vielem Herumtasten ist er genötigt, praktisch, wenn auch nicht formell, zu Schlüssen zu gelangen, die den unsrigen äusserst nahestehen. Er behauptet, dass eine Wespe, die einen schwarzen Nagel für eine Fliege hält, keine Formen zu sehen vermöge. Ich behaupte, dass sie wohl Formen sieht. Ich gebe dabei zu, dass die meisten Insekten sehr kleine Gegenstände nicht wahrnehmen mögen, und dass ihr Gesichtssinn, besonders wenn es sich um grössere Entfernungen handelt, bei weitem nicht so scharf ist wie der unsre. Diejenigen unter ihnen aber, die Augen mit zahlreichen Facetten besitzen, tragen darin ein retinales Bild, das dem von Exners Lampyris sehr ähnlich und meist deutlicher ist als dasjenige, das ich selbst (Taf. I, Fig. 3) wiedergegeben habe. Dieses muss man aber in der Tat als Wahrnehmung von Formen bezeichnen. Plateau hat also durchaus nichts an unsern Resultaten geändert. Nur verlangt er durchaus, dass eine im Fluge befindliche Libelle genau die Spezies des Insekts, das sie verfolgt, erkennen müsse, und wundert sich höchlich, dass ein Insekt eine Blume mit einer andern, oder ein anderes Insekt mit seinem eignen Weibchen verwechseln kann. Er verlangt damit mehr von dem Auge des Insekts als von dem der Mehrzahl der Menschen.

e) Experimente mit dem Netz. Plateau (2). In einer interessanten Notiz erwähnt W. Spence (1834), dass in Italien die Hausfliegen vom Eindringen in die Häuser durch Rahmen abgehalten werden, die mit einem Netzwerk aus Maschen von 25—26 mm Durchmesser bespannt sind und in die Fensteröffnungen eingesetzt werden. Dieses Experiment wurde in England und späterhin von Plateau selbst bestätigt. Letzterer sah, wie es Wespen unmöglich war, durch ein Geflecht mit Maschen von 25 mm Durchmesser zu schlüpfen, obwohl sich hinter demselben Dinge befanden, deren Geruch sie anlockte. Sie summten vergeblich vor dem besagten Geflecht herum, während Sperlinge ohne Zögern im Fluge durch ein Netzwerk von 70 bis 100 mm Maschen-Durchmesser schlüpften.

Plateau erklärt diese Erscheinung mit dem Umstand, dass die Insekten, unfähig, Formen zu sehen, sich vor einem halb-transparenten Hindernis zu befinden wähnen, die einzelnen Öffnungen aber nicht wahrnehmen.

Pissot (Le Naturaliste, 1. August 1889, Nr. 58, S. 170, und 1. Sept. 1889, Nr. 60, S. 202) wiederholt das Experiment an einem Fleischbewahrungsschrank mit Maschen von 28 mm. Während 36 Stunden drang kein einziges Insekt in den Schrank. Darauf ging die in dem Schrank befindliche Konfitüre in Gärung über, und nun schlüpften verschiedene Calliphora (Schmeissfliegen) in den Schrank ein. Die Insekten, die in das Schränkchen eingedrungen waren, verliessen es dann wieder, teils nach mehreren probeweisen Umflügen, teils indem sie die Maschen ganz einfach gehend oder im Fluge passierten.

Darauf setzte Pissot ein 60 cm hohes Netz mit 22 qmm grossen Maschen vor den Eingang eines Wespennestes, den er zunächst nur zur Hälfte mit dem Netze verstellte. Die ankommenden Wespen waren verwundert und untersuchten das Netz. Einige begaben sich zur Erde und passierten die unteren Maschen des Netzes zu Fuss. Andre flogen seitlich um das Netz herum und begaben sich durch den freigelassenen Raum in das Nest hinein. Noch andre entschlossen sich schliesslich, nach einigem Zögern, das Netz im Fluge zu passieren. Nach Verlauf einiger Zeit hatten alle Wespen das Netz passiert, bis auf einige, die aus dem Nest herausgeflogen kamen und die den freien Raum neben dem Netz benützten.

Am nächsten Tage verstellte Pissot den Nesteingang völlig mit seinem Netz. Zunächst stutzten nun die Wespen und kehrten um, besonders diejenigen, die auf dem Ausfluge begriffen waren. Nicht lange jedoch, und sie durchflogen munter die Netzmaschen, nach einer Viertelstunde sogar ohne jedes Zögern. Pissot bemerkt hierzu, dass Wespen misstrauisch sind und dass uns deshalb ihre anfängliche

Untersuchung des Netzes nicht wunder nehmen darf, dass sie aber, nachdem sich als Ergebnis ihrer Prüfung die Harmlosigkeit des Netzes herausgestellt hatte, vertrauensvoll diesen Durchgang benützten.

Plateau wiederholte diese Experimente, indem er einige blühende Skabiosen, die viel von Insekten aufgesucht werden, mit einem Gitterwerke aus Maschen von 26—27 mm Durchmesser umgab. Weder Eristalis, noch irgendwelche Dipteren oder Lepidopteren passierten das Netzwerk, hingegen bewerkstelligten einige Bombus und Hausbienen die Passage durch dasselbe. Doch beobachtete Plateau, dass auch diese Insekten nicht einfach hindurchflogen, sondern dass sie entweder nach einigem Zögern mit jähem Anflug das Hindernis bewältigten, oder dass sie sich unter leichtem Anklammern an die Seiten der Maschen hindurchhalfen. Doch bemerkt Plateau weiter, dass es eigentlich nur die Hummeln (also die grössten der betreffenden Versuchstiere) waren, die einige Schwierigkeit hatten, aus den Maschen herauszukommen und noch einen Augenblick daran festsassen, nachdem sie sich schon auf die andre Seite durchgearbeitet hatten. Bei den Hausbienen hat er dieses Anklammern an die Maschen nicht beobachtet. Wespen und Schmetterlinge, die er selbst in das Netzwerk shineinsetzte, flogen ohne weiteres durch die Maschen durch, was sich seiner Ansicht nach damit erklärt, dass der „Schrecken das Insekt der Himmelsbläue entgegen trieb".

Er verstellte hierauf einige Dolden von Heracleum durch ein Netz mit Maschen von 1 cm Durchmesser für Calliphora vomitoria und konstatierte, dass die Calliphora sich vor Passieren des Netzes auf den Maschen niederliessen. Dieselbe Beobachtung machte er an Bienen, Eristalis etc. mit einem aus Maschen von 1—1½ cm bestehenden Käfig und an Calliphora mit Maschen von 2 cm.

Schliesslich wiederholte Plateau noch das Experiment von Pissot mit dem Wespennest, doch liess er die Maschen seines Netzes nur 1½ cm im Durchmesser gross sein. Die Wespen zögerten, flogen im Kreise herum und passierten schliesslich das Netz nicht im direkten Fluge, sondern indem sie sich mit den Füssen anklammerten und sich so durch die Maschen durcharbeiteten. Direktes Durchfliegen des Netzes war selten (nur 2 mal von 12 mal). Nachdem einige Wespen den Ausweg gefunden hatten, zu Fuss unter dem Rand des Netzes durchzuspazieren, machten andere ihnen dies nach und bald benützten alle diesen Weg.

Plateau kommt nun zu dem Schluss, dass seine Beobachtungen die Pissots nicht bestätigen, dass Wespen keine Formen sehen, und dass für ihre Augen ein Netz wie eine homogene Oberfläche wirkt. Schliesslich allerdings gibt Plateau zu, dass der Unterschied zwischen Maschen von 15 statt 22 mm hinreicht, um bis zu einem gewissen Grade die Verschiedenheiten zwischen den Ergebnissen seiner Netzversuche und denen von Pissot zu erklären. Trotzdem kommt er immer wieder darauf zurück, dass das Insekt die Öffnungen nicht sieht, dass seine Gesichtswahrnehmungen verworren sind usw.

Wir selbst ziehen gänzlich andere Schlüsse aus diesen verschiedenartigen und interessanten Ergebnissen.

Stellen wir zunächst in aller Schärfe folgende Tatsachen fest: Der Arbeiter von Vespa germanica hat eine Länge von 12—13 mm und eine Flügelspannweite von mindestens 22—23 mm. Die Arbeiter von Bombus terrestris variieren stärker, doch sind sie selten weniger als 16—17 mm lang bei einer Spannweite von 32—35 mm. Eristalis tenax nimmt ungefähr die Mitte zwischen diesen beiden Hymenopteren ein. Plateau erwartet demnach, dass Insekten ohne weiteres durch Maschen fliegen, die zu eng sind, ihren ausgespannten Flügeln Durchlass zu gewähren. Er schliesst aus dem Umstand, dass die Tiere sich an den Seiten der Maschen festhalten, während sie durchschlüpfen, auf mangelhafte Wahrnehmung, obwohl dieses Festklammern ein äusserst flüchtiges, ja bei den Wespen z. B. kaum bemerkbar ist! Würden wir selbst uns, gesetzt wir könnten fliegen, geschickter anstellen? Plateau findet es äusserst lehrreich zu beobachten, wie Insekten „vergebliche Versuche machen, eine Öffnung zu erkennen, wo doch hunderte solcher Öffnungen vor ihnen daliegen". Wer sagt ihm denn, ob nicht die Wespen aus ganz anderen Gründen zögern, wie z. B. weil sie überlegen, wie am besten an all diesen Fäden vorbeizukommen, die sich plötzlich vor ihrem Neste hinziehen? Die Resultate von Pissot beweisen, dass die Wespen ganz glatt durchfliegen, sobald man ihnen nur genügenden Raum und Zeit gewährt, die Durchgangspforten zu passieren, resp. zu erkennen.

Doch ist das Experiment in anderer Beziehung instruktiv, in einer Beziehung, über die Plateau kein Wort verliert. Es zeigt von neuem die verhältnismässig bedeutende Intelligenz der Wespen, die, vor einen fremden Gegenstand gestellt, zunächst zögern, sodann prüfen und schliesslich den besten Ausweg finden, sei es nun, indem sie, falls die Grösse der Maschen dies erlaubt, durchfliegen, sei es, falls die Maschenränder ihre Flügel streifen, sich ein wenig festhalten, oder endlich einen ganz anderen Ausweg finden, wie z. B. das Durchkriechen auf der Erde, unter dem Rande des Netzes. Eristalis gelangen aus Mangel an Überlegung und dem nötigen Ausprobieren nicht hindurch, Hummeln sind gewöhnlich etwas weniger dumm, aber plump. Calliphora, die gewöhnt sind, sich auf faulende Nahrung niederzulassen, pflegen sich zunächst auf jedes Hindernis zu setzen. Auch in unserem Fall setzen sie sich auf die Maschen und passieren sie dann kriechend. Wer je gesehen hat, wie sich Calliphora auf eine Fliegenglocke aus Draht mit Maschen von 1—2 mm stürzen, wie sie sich summend und voll Gier nach der darunter befindlichen Speise gegen die Oberfläche der Glocke drängen, der wird den Unterschied wohl gewahr werden. Reibt sich doch dies törichte Insekt geradezu auf, indem es, heftig durch den Geruch angezogen, aber viel zu dumm, einen Ausweg aus der vorliegenden Schwierigkeit zu finden, sich hartnäckig gegen das unüberwindliche Hindernis anpresst, das ihm im Wege steht. In der freien Natur, wo sich Exkremente und faulende Substanzen häufig unter Gras und Büschen befinden, führt ja solche Hartnäckigkeit zuweilen zum Ziel, da es sich häufig um Blätter und andere weiche und leichtbewegliche Hindernisse handelt. Wieder andre Male gelangt Calliphora durch ihre Gewohnheit, sich sofort niederzulassen, zu ihrer Beute, indem sie auf diese Weise leichter in zufällige Öffnungen ihres Operationsgebietes hineindringt. Gänzlich verständnislos, sowohl der Theorie wie auch der äusseren Gestalt der Fliegenglocke gegenüber, beginnt Calliphora wacker dagegen loszustürmen, nachdem das Sichniederlassen auf die Glocke sich als fruchtlos erwiesen hat. Immerhin gelingt es unserer Fliege zuweilen, nach langem Abzappeln unter dem Rand der Glocke durchzuschlüpfen. Der Sperling ist besser daran als das Insekt, vermag er doch während des Fluges die Flügel anzuschmiegen, während ein Insekt nur mit beständig ausgebreiteten Flügeln vorwärts kommt, was verhältnismässig mehr Raum beansprucht.

Was mir viel ausschlaggebender erscheint als Plateaus Experimente, sind die mit dem italienischen Netz (Maschenweite 26—27 mm) angestellten Versuche. Hier verhinderte das Netz das Durchfliegen von Musca domestica, trotzdem diese Fliege kaum mehr als 1 cm Spannweite aufweist. In diesem Falle scheint das unvollkommene Sehen des Insekts sich mit seiner Dummheit zu vermählen, denn nur so kann dieses Resultat, gesetzt, dass es exakt ist, zustande

kommen. Ich bin auf Grund aller meiner zahlreichen Beobachtungen der Überzeugung, dass Wespen und Fliegen die Maschen
des Netzes sehr wohl sehen. Es ist aber anzunehmen, dass sie die
trennenden Fäden undeutlich sehen, d. h. dass ihnen diese vielleicht
breiter und verschwommener erscheinen, als sie in Wirklichkeit sind.
Immerhin möchte ich den Leser bitten, sich Exners Berechnungen
bezüglich des Augenbildes von Lampyris ins Gedächtnis zurückzurufen; die Übereinstimmung wird ihm nicht entgehen. Ein derartiges
Bild vorausgesetzt, ist es kein Wunder, dass der ganze überdies so
neue und befremdliche Eindruck auf die Insekten verwirrend einwirkt. Nur solche, die mit grosser Gewalt durch einen ihrer
Sinne angezogen werden (Calliphora), solche, die äusserst hartnäckig sind, und besonders ferner solche, die intelligent genug
sind, Schwierigkeiten zu überwinden (wie die sozialen Hymenopteren), kommen immer wieder auf das Hindernis zurück und
gelangen schliesslich durch dasselbe hindurch. Besonders die
Wespe, die schon ein wenig aus ihren Erfahrungen Nutzen zu
ziehen versteht, lernt durch die Maschen hindurchzufliegen, sobald sie herausgebracht hat, dass dies nicht unmöglich ist (Experiment von Pissot), was ausserdem beweist, dass sie die Mitte einer
Masche von deren Umkreis zu unterscheiden weiss, sonst würde sie
so und so oft sich an den Fäden stossen und zu Boden fallen. Die
dümmeren Insekten oder die mit einem schlechten Gedächtnis begabten
(wie z. B. die Dipteren) lassen sich immer wieder verblüffen, versuchen auch nicht, auf irgend einem Umweg zum Ziel zu gelangen,
ausser wenn irgendeine sehr heftige Lockung sie veranlasst, sich auf
das Netz niederzulassen und irgendeinen Durchschlupf zu suchen;
dann benehmen sie sich so, wie es Plateau beschrieben hat. Die
Stubenfliege wird aber keineswegs so triebartig zum Eindringen durch
ein Fenster angezogen, wie die Calliphora durch den Geruch des
Fleisches angelockt wird. Es ist also Mangel an Überlegung oder
an Trieb, nicht ungenügendes Sehen, was die Tiere verhindert, sich
der freien Mittelpartie der Maschen zum Durchfliegen zu bedienen.
　　Es gibt ausserdem zahlreiche Dipteren, die, obwohl durch
einen Reiz stark angezogen, doch nicht den Instinkt besitzen, das
trennende Hindernis zu Fuss zu überwinden. So finden wir es z. B.
bei den Stechmücken, die sich auf das Moskitonetz niederlassen,
ohne zu versuchen, durch seine Maschen durchzukriechen. Ich er-
blicke den Grund hierfür in der Tatsache, dass ihre Opfer, die Säuge-

tiere, fast stets unbedeckt sind. Culex pflegt sich z. B. auf das Beinkleid eines Mannes niederzulassen und zu versuchen, seinen Rüssel durch den Stoff hindurchzustecken, als wäre es die Haut; diese Mücke versteht es aber nicht, um den Rand des Kleidungs- stückes herum nach dem Körper hinzuschlüpfen, wie dies nach langem Herumsuchen u. a. die Flöhe tun, sowie auch Wespen und Ameisen, die sich für einen Angriff auf ihre Nester rächen wollen. Die Mücken oder Moskitos hingegen fliegen, von der Ausdünstung des unter dem Moskitonetz ruhenden ¡Schläfers angezogen, sofort direkt nach dem Tüllumhang des Lagers hin und lassen sich friedlich auf demselben nieder, ohne den geringsten Versuch, wandernd eine Eingangsöffnung zu suchen. Infolgedessen genügt es im Urwald der Tropen, die Falten des Moskitonetzes rings um die Hängematte, in der man zwischen zwei Bäumen aufgehängt ruht, herabhängen zu lassen, ohne das Netz unten herum zu ver- sichern, da die Moskitos gar nicht auf den Gedanken kommen, einen Eingang zu suchen. Ich habe indessen nicht ausprobiert, welches die genaue Grösse der Maschen eines Netzes oder Gitterwerkes sein müsste, so dass eine Mücke durchfliegen könnte, ohne an den Rändern anzustossen. Dieses Experiment wäre wert, gemacht zu werden.

f) Anziehung der Insekten durch Blumen. Vorliebe für bestimmte Farben. Plateau (1). Es ist genügend bekannt, welche Wichtigkeit bereits Christian Konrad Sprengel (1793) und später Hermann Müller den Farben der Blumen als eines Anziehungsmittels für die Insekten beigemessen haben. Sie haben behauptet, dass gewisse lebhafte Blumenfarben an sich bestimmte Insekten anziehen, so dass sie lieber nach dieser Blume als nach andern mit weniger auffälliger Farbe hinfliegen, wodurch zugleich die Blume befruchtet und das Insekt genährt wird. Demgemäss bewirke die Zuchtwahl, dass die Blumen immer farbiger und farbiger werden. Lubbock hat Experimente gemacht, denen zufolge es sich ergab, dass Bienen und Hummeln z. B. eine ausgesprochene Vorliebe für Blau haben. Ich möchte hier gleich bemerken, dass diese Frage ausserordentlich kom- pliziert ist, und dass die Ergebnisse vorurteilslos unternommener Be- obachtungen nicht derartige sind, dass wir ohne weiteres darin eine Bestätigung der Müllerschen Versuche erblicken dürfen. Lubbocks Experimente sind ebensowenig ausschlaggebend bezüglich dieses Punktes. Auch mir ist es häufig so vorgekommen, als ob Blau

besonders geeignet sei, Bienen und Hummeln nach einem Ort zu
locken; so finden sie ja auch einen auf blauer Unterlage liegenden
Honigtropfen leichter als einen auf roter Unterlage befindlichen.
Da aber Insekten die Farben auf der ultravioletten Seite des
Spektrums überhaupt besser erkennen als die auf der infraroten,
könnte man ihre Vorliebe schon hieraus erklären. Weiss zieht
sie meiner Meinung nach ebenso an wie Blau, vorausgesetzt, dass
alle übrigen Umstände gleich sind. In dieser Frage darf Unterscheidung von Farben nicht verwechselt werden mit der Vorliebe
für diese oder jene Farbe. Obwohl die Unterscheidung der Farben
für Insekten, die Blumen besuchen, nützlich ist, da sie diese dann
schneller erkennen und finden, kann die Bevorzugung einer bestimmten
Farbe ihrerseits schädlich sein, indem sie das Insekt hindert, Pflanzen
aufzusuchen, die ebenso reich an Nektar und an Blütenstaub, jedoch
abweichend gefärbt sind, oder indem sie das Insekt nach Pflanzen
oder andern Gegenständen hinlockt, die zwar mit der bevorzugten Farbe
versehen sind, ihm aber weder Nektar noch Blütenstaub bieten, oder
die giftige Eigenschaften besitzen. Aus diesen einfachen, für jeden
Entomologen von gesundem Menschenverstand einleuchtenden Gründen habe ich die Theorien von Müller und Lubbock über diesen
Punkt nie teilen können. Die Farbe bildet ein Merkzeichen, aber
keine Anziehung an und für sich für das Insekt.

Ich bin glücklich, mich bezüglich dieser Frage in vollem Einverständ-
nis mit Plateau zu befinden, dessen zahlreiche Experimente (1) alle
dahin zielen, das zu beweisen, was sich erwarten liess, nämlich dass
die Insekten diejenigen Blumen aufsuchen, die ihnen die Nahrung,
die sie brauchen, bieten, und dass sie diese Blüten ebensogut finden,
wenn sie farblos, grün wie ein Blatt, gelb oder rot, als wenn sie
blau sind. Und umgekehrt ignorieren sie die herrlichsten Blumen,
mit den leuchtendsten Farben, sobald diese ihnen nichts zu bieten
haben. Plateau giebt sich m. E. sehr unnötige Mühe, um zu zeigen,
dass es grüne Blumen gibt und dass die Insekten diese ebensoviel
wie andere aufsuchen. Jedermann kennt die erste dieser Tatsachen
und auch die zweite kann keinem Entomologen entgangen sein, aber
meiner Meinung nach dienen Plateaus lange vergleichende Tabellen
doch dazu, Müller zu widerlegen. Existieren nun trotzdem Bevor-
zugungen bestimmter Farben ausserhalb der von uns soeben ausgesprochenen, fundamentalen Tatsachen? Es ist dies eine so schwierige
und komplizierte Frage, dass ich mir kein Urteil darüber erlaube.

Doch hat Plateau über einen andern sehr interessanten Punkt seine alten Experimente vervollständigt. Ich denke an seine Versuche mit künstlichen Blumen. Er hat sich ungeheure Mühe gegeben, sich die besten und künstlichsten Nachahmungen natürlicher Blumen zu verschaffen. Für jemanden, der die modernen Erzeugnisse auf diesem Gebiete kennt, bedeutet dies viel, denn selbst der Mensch muss oft seine volle Aufmerksamkeit anwenden, um diese künstlichen Produkte von echten Blumen zu unterscheiden. Auch hier kann ich im ganzen Plateau auf Grund verschiedener Experimente, die ich selbst gemacht habe, beipflichten. In Fällen, wo wir selbst getäuscht werden, täuschen sich Insekten selten und dann nur für einen Moment. Das Insekt fliegt meistens an künstlichen Blumen vorbei, ohne ihnen irgendwelche Aufmerksamkeit zu schenken, ohne dabei zu verweilen, ja sogar ohne zu zögern und begibt sich direkt zu natürlichen, die daneben stehen und die wir selbst von den andern nicht unterscheiden. Müssen wir daraus den Schluss ziehen, dass die Farben, die wir anwenden, und die nicht chlorophyllhaltig sind, seitens der Insekten von chlorophyllhaltigen unterschieden werden? Dies erscheint nach Plateaus Experimenten sehr wahrscheinlich, und ich werde daran festhalten, bis ich einen Beweis des Gegenteils besitze. Das was unserem Auge als eine vortreffliche Nachahmung der Farbe erscheint, braucht es nicht für das Auge des Insekts zu sein. Diese Tatsache erscheint weniger erstaunlich, wenn wir bedenken, dass selbst unter Menschen einige farbenblind, andere wieder so farbenempfindlich und künstlerisch veranlagt sind, dass sie die Farben in ihren zartesten Abtönungen zu würdigen und wiederzugeben vermögen. Auch dürfen wir nicht vergessen, dass künstliche Blumen mit Hilfe des menschlichen Gesichtssinns und für diesen allein gefertigt werden.

Hier indessen ist die Grenze meiner Übereinstimmung mit Plateau, denn von hier ab zieht er wieder irrige Schlüsse aus seinen Experimenten. Dies hat mich veranlasst, mehrere der Versuche auf eigne Hand nachzuprüfen, und ich will in folgendem meine Resultate über die fraglichen Punkte wiedergeben.

Zuerst meinte Plateau, es sei der Geruch und nicht die Farbe, der die Insekten anzöge. Er hat dabei mein wichtiges, oben angeführtes Versuchsergebnis, dass Hummeln, denen Antennen, Taster, Mund und Pharynx entfernt worden waren, ohne Zögern immer wieder zu ihren Blumen zurückkehrten, gänzlich ausser acht gelassen. Alle seine eigenen Schlussfolgerungen sinken bereits vor diesem Experiment in sich zusammen.

13*

Hier seine Versuche. Plateau benützte dazu kleine Dahlien mit gelber Mitte und verschiedenen Farben, die von zahlreichen Insekten aufgesucht wurden.

1. Er verdeckte die peripheren Teile der Dahlien mit Papieren von verschiedenen Farben. Trotzdem begaben sich die Insekten direkt nach der gelben Mitte der Blumen.

2. Er versteckte die Blume unter Papier. Die Insekten kehrten trotzdem, aber etwas weniger häufig, zu ihr zurück und lüfteten zuweilen das Papier, um die darunter befindliche Blume zu finden.

Plateau schliesst hieraus, dass Form und Farbe der Blume die Insekten nicht angezogen habe. Er vergisst aber gänzlich, dass das Insekt sich die Stelle gemerkt hat, wo zuvor die Blume war!

3. Plateau versteckte seine farbigen Dahlien unter Blättern von wildem Wein, so dass nur die gelbe Mitte zu sehen war. Die Insekten kehrten unentwegt zu dieser zurück.

4. Er versteckte nun die ganze Blume unter zwei grünen Blättern. Die Insekten kehrten zu ihr zurück und benahmen sich wie in Fall 2.

5. Schliesslich bedeckte er sämtliche Blumen mit einem Haufen grüner Blätter. Die Insekten kehrten zu dem Ort zurück, suchten, lüfteten die Blätter und fanden fast jedesmal die Blumen; besonders tat dies Bombus.

Plateau schliesst daraus:

Weder die Form noch die leuchtende Farbe scheinen einen lockenden Einfluss auszuüben. Höchstwahrscheinlich ist der Geruch derjenige Sinn, der die Tiere leitet. Den Einwand, dass das Insekt gewohnheitsmässig nach dem Ort zurückkehre, wo es die Blume zuvor gefunden habe, behandelt er als Scherz.

Durchdrungen von der Hinfälligkeit von Plateaus Schlussfolgerungen, wiederholte ich selbst seine Experimente an einer Menge von roten, violetten, weissen, rosenfarbenen und braunen Dahlien, die ich auf einem Beet vor dem Hause gezogen hatte, und die besonders von zahlreichen Bienen besucht wurden. Ich wählte zu meinen Versuchen den 10. September, 2 Uhr 15 Min. nachm., und brachte dabei einige mir ratsam erscheinende Modifikationen in Anwendung.

a) Ich maskierte zunächst 17, dann 28 Dahlienköpfe mit einem Weinblatt, das ich derartig mit einer Stecknadel zusammenheftete, dass die Blume völlig darin verborgen war.

b) Ich verdeckte bei 4 Dahlien nur die gelbe Mitte.

c) Ich verdeckte die bunten Blumenblätter einer Dahlie in der Weise, dass nur das gelbe Herz durch eine mittlere Öffnung zu erblicken war.

Zunächst blieben 21 Dahlien unbedeckt, dann nur 10, die neben den von mir maskierten standen. Ich muss nochmals bemerken, dass die Zahl der besuchenden Bienen sehr gross war, zuweilen plünderten zwei oder drei auf einmal denselben Blumenkelch. Ausserdem kamen verschiedene Bombus und Megachile.

Ergebnis: Zunächst wurden die völlig maskierten Blumen von den Bienen gänzlich im Stich gelassen. Diese stürzten sich anfangs ausschliesslich auf die unbedeckten Blumenhäupter.

Häufig flogen die Bienen noch nach den Dahlien b, doch liessen sie diese meist sofort wieder stehen. Ganz gelegentlich nur schlüpften sie unter das verdeckende Blatt, dies tat besonders Bombus.

Dahlie c wurde natürlich ebensoviel wie die unbedeckten Dahlien aufgesucht.

Nachdem ich dieses Resultat festgestellt hatte, das so frappant war, dass sich die anwesenden Damen und Kinder mit mir darüber amüsierten (und das, wie der Leser sieht, keineswegs ohne weiteres mit Plateaus Ergebnissen übereinstimmt), entfernte ich ein Weinblatt, das bisher eine dunkelrote Dahlie verdeckt hatte. Sofort fingen die Bienen an, sie wie früher zu besuchen.

Eine der Dahlien a war indessen unvollkommen bedeckt gewesen, so dass ein rosiges Blumenblättchen zu erblicken war. Sofort begaben sich einige der Bienen, die zweifellos dies Stückchen rosa angelockt hatte, zu der Blume hin.

Schliesslich entdeckte eine im suchenden Fluge herumschwirrende Biene einen Spalt in der Umhüllung einer der maskierten Dahlien, und weil sie wohl aus nächster Nähe den Geruch der Blume, der selbst für unsere Nasen sehr ausgesprochen war, verspürte, bewerkstelligte sie den Eintritt in das grüne Gehäuse und fand darin die Blüte. Von da ab kam sie öfters wieder zu derselben Blüte zurück, doch war es stets dieselbe Biene und ohne Begleitung. Alles in allem kann man sagen, dass kaum eine der Bienen sich um die mit Weinblättern maskierten Blumen bekümmerte. Der Gegensatz war um so frappanter, als die übrigen Blumen dauernd von einer Unmenge von Bienen umschwärmt wurden. Dass einige Bienen sich nach der Anzahl von Dahlien, die plötzlich verschwunden schienen, umtaten, ist durchaus nicht erstaunlich, wir haben darin ein ganz gewöhnliches Gedächtnisphänomen zu erblicken.

Später änderte sich die Sachlage einigermassen. Um 5 Uhr 30 Min. nachm. waren mehrere Bienen erfolgreich in ihrem Suchen gewesen, hatten die maskierten Dahlien gefunden und waren unter die Blätter zu ihnen eingedrungen. Nun wurden diese Pioniere bald von anderen nachgeahmt, und binnen kurzer Zeit hatten die maskierten Blumen sich eines lebhaften Besuchs zu erfreuen.

Ich muss hier nochmals bemerken, dass, wenn eine Biene erst einmal den Trick der Maskierung entdeckt hat, sie bei ihren weiteren Beuteflügen nicht lange mehr fackelt, sondern dann direkt auf den einmal entdeckten Spalt im Weinblatt zufliegt. Eine zweite sehr bemerkenswerte Tatsache ist die ungeheure Schnelligkeit, mit der eine Biene Handlungen aufnimmt, die sie von mehreren Gefährten vollführen sieht. Über diese beiden Tatsachen kann man nicht einen Augenblick im Zweifel sein. Solange eine einzelne Biene etwas entdeckt hat, achten die anderen kaum darauf, sobald aber auf einmal vier oder fünf Bienen am Werke sind, vermehrt sich die Menge der Nachahmer rapid.

Am nächsten Tag war ich verhindert, mich um mein Experiment zu bekümmern. Doch sah ich später, dass die Bienen von da ab bis zum 13. September die umhüllten Dahlien genau so stark frequentierten wie die unumhüllten. Mein Betrug hatte jegliche Wirkung verloren.

Aus allem diesem geht hervor, dass Plateaus Beobachtungen ebenso wie seine Schlussfolgerungen hinfällig sind. Erstens waren seine Dahlien unvollkommen bedeckt, indem nur ihre obere Fläche verhüllt war; und den Bienen, die um eine Gruppe von Blumen herumfliegen, konnten ja von der Seite aus die unbedeckten Stellen der Blume gar nicht verborgen bleiben. Dieser Einwand muss jedem aufsteigen, der die Tafeln Plateaus betrachtet, auf denen das flach auf der Blume liegende Weinblatt zu sehen ist. Nun hatten aus diesem Grunde seine Bienen seinen Trick schneller entdeckt als die meinen; ihr Benehmen aber bei Beginn der Experimente scheint er entweder überhaupt nicht beobachtet oder nicht registriert zu haben. Doch ist es ausschliesslich dieses Benehmen, das uns gestattet, Schlüsse über den Gesichtssinn, unabhängig vom Gedächtnis, zu ziehen. Er begann damit, nur die Blumenblätter (nicht das Herz) zu verdecken, was die Bienen am Auffinden nicht hinderte, immerhin

aber eine Änderung für sie bedeutete. Es ist daher nicht zu ver-
wundern, dass sie dann eher als bei meinem Experiment zu den nun
ganz bedeckten Dahlien zurückkehrten. Er hätte, wie ich, gleich
anfangs die ganze Blume bedecken sollen.

Ferner bestätigen meine Resultate den auf grössere Distanzen
so geringen Geruchssinn der Bienen.

Am 13. September. Zehn bis zwanzig Meter von den Dahlien
entfernt befanden sich auf einer Wiese zahlreiche gelbe Hieracium
und eine Menge Petunien. Die Hausbienen pflegten weder die einen
noch die anderen dieser Blumen aufzusuchen. Ich nahm nun drei
Petunienblüten von einer den Dahlien entsprechenden Farbe und
ordnete sie um eine Hieraciumblüte in der Weise herum, dass die
letztere dem gelben Herz der Dahlie, die Petunien aber deren Blüten-
blättern entsprachen, und steckte diese meine Dahlienimitation in die
Mitte der echten Dahlien hinein.

Eine halbe Stunde lang konnte ich nun beobachten, wie eine grosse
Anzahl Bienen sowohl wie Hummeln und einige Fliegen auf die von mir
künstlich zusammengestellte Dahlie zugeflogen kamen, sich auch zuweilen auf dieser niederliessen, aber alsobald wieder hinwegeilten, nachdem sie, sei es durch den Geruch, sei es durch den Geschmack, sich
von ihrem Irrtum überzeugt hatten. Auch hier wieder zeigte es sich,
dass die Bienen aus ihren Erfahrungen Vorteil zu ziehen wissen. Zu
Anfang nämlich flogen beinahe ebenso viele Bienen nach meinem
Kunstwerk wie nach den Dahlien. Am Ende einer halben Stunde
flogen noch immer einige Bienen zu der falschen Dahlie; die Mehrzahl aber, die sich den Ort gemerkt hatte, wo diese stand, erinnerte
sich derselben und mied meine Attrappe. Eine wirkliche Dahlie, deren
gelbes Herz ich entfernt und durch ein Hieracium ersetzt hatte,
wurde genau so behandelt wie die Hieracium-Petunia-Attrappe.

Nun möchte ich noch eine weitere Beobachtung berichten: Seitlich
vom Dahlienbeet stand eine Gruppe gelber und weisser Chrysanthemum (den Leucanthemum nahe verwandt) mit bräunlichen
Herzen. Die Bienen, Hummeln etc. machten sich aus diesen Blumen
offenbar gar nichts, sondern hatten sich angewöhnt, glatt über dieselben hinweg nach den Dahlien hinzufliegen, und zwar in einer
Höhe von 20—30 cm. Ich nahm nun eine weisse Petunie, befestigte
im Zentrum dieser Blume das starkduftende Herz einer schönen
Dahlie und brachte dies mein Erzeugnis an einer auffallenden Stelle
über der Gruppe von Chrysanthemum thronend an. Das Resultat

war, dass binnen der ersten halben Stunde keines der Insekten, die
vorübergeflogen kamen, die neue Blume aufsuchte, alle ignorierten
dieselbe und konnten nicht schnell genug zu dem Dahlienbeet gelangen. Schliesslich, nach Verlauf dieser halben Stunde, kam eine Biene
durch Zufall in die Nähe meines Machwerks geschwirrt, bemerkte
den Geruch des gelben Herzens und liess sich auf demselben nieder.
Dieser schloss sich alsbald eine zweite Biene an, die Numero Eins
bei ihrem Unternehmen beobachtet hatte, und bald wurde das in die
Verbannung versetzte Dahlienherz gleich den wirklichen Dahlien von
einer Menge von Bienen besucht.

Einige wirkliche Kunstblumen, die ich zwischen die Dahliengruppe
hineingesteckt hatte, wurden mit einer Hartnäckigkeit ignoriert, die
Plateau grosse Freude gemacht haben würde. Es kam wohl vor,
dass diese oder jene Biene einen Abstecher nach dieser Richtung
machte — sicherlich nur durch Zufall —, nie jedoch sah ich sie die
künstlichen Blumen umschwirren oder sich auf dieselben niederlassen.

Da es meiner Meinung nach feststeht, dass selbst die am besten
sehenden Insekten die Umrisse der Objekte in einer unvollkommeneren
und summarischeren Art sehen als wir, verfertigte ich, anstatt mich
kunstvoller Nachbildungen wirklicher Blumen zu bedienen (wie Plateau),
selbst einige ganz primitive Blumen aus farbigem Papier, und zwar:

α) eine rote Blume;
β) eine weisse Blume;
γ) eine blaue Blume;
δ) eine blaue Blume mit einem gelben, aus einem trockenen
   Kirschlorbeerblatt verfertigten Herzen;
ε) eine Papierrose mit einem trockenen Dahlienherzen;
ζ) ein grünes Dahlienblatt (ohne Blume).

Ich tropfte nun in die Mitte eines jeden dieser Kunstwerke ein
Spürchen Honig.

Die Beobachtung begann um 9 Uhr vorm.

Während einer Viertelstunde des Beobachtens flogen sehr viele
Bienen in allen möglichen Richtungen an meinen Machwerken vorüber,
und zwar ganz nahe, ohne ihnen die geringste Beachtung zu schenken,
obwohl, wenn Plateau recht hätte, der Honig auf ihr Geruchsvermögen gewirkt haben müsste.

Ich zog mich dann eine ganze Stunde lang zurück. Bei meiner
Rückkehr fand ich Attrappe δ leer, den Honig aufgesogen, ein Zeichen,

dass diese Blume von einer Biene entdeckt worden war. **Die anderen waren sämtlich unberührt geblieben.**

Mit grosser Sorgfalt brachte ich hierauf Attrappe α in nächste Nähe einer Biene, die gerade damit beschäftigt war, eine Dahlie auszubeuten. Ich wiederholte dies Experiment vier- oder fünfmal, ohne dass die Biene den Honig wahrnahm, so stark war ihre Aufmerksamkeit von den Dahlien gefesselt. Endlich gelang es mir, den Honig in direkte Berührung mit dem Rüssel einer Biene zu bringen. Sofort wandte sie sich nun dem Honigtropfen zu und beschäftigte sich unter völliger Vernachlässigung der wirklichen Dahlie nur noch mit der Papierblume. Ich befestigte nun, während die Biene noch im Kelch derselben wühlte, die Papierblume an einem Zweig inmitten der Dahliengruppe und malte den Rücken der Biene blau an.

Ich wiederholte den Versuch mit Attrappe β an einer Biene, die ich mit gelber Farbe bezeichnete, und mit Attrappe ε an einer Biene, die ich weiss markierte.

Die blaue Biene kehrte sehr bald von ihrem nicht weit befindlichen Stock zu Attrappe α zurück, flog emsig, aber ohne sich niederzulassen, um diese herum, erblickte dann Attrappe δ, liess sich auf diese nieder und saugte an dem dort befindlichen Honig. Darauf kehrte sie zu Attrappe α zurück.

Hierauf sah ich, wie die gelbe Biene zu Attrappe β zurückkehrte und dort plünderte, sich dann auch noch zu den Attrappen α und δ begab, aber ebenso wie ihre blaue Gefährtin die wirklichen Dahlien vernachlässigte.

Nun erschien die weisse Biene auf dem Plan, suchte die ihr bekannte Attrappe ε, fand sie nicht sogleich und plünderte darum in zahlreichen Dahlien, als ob die Erinnerung an den Honig sie verfolgte. Dann kehrte sie zu den falschen Blumen zurück, ohne diese jedoch zu erkennen, worunter ich verstehe, dass sie **die Erinnerung an deren Anblick nicht mit dem Geruch und Geschmack des Honigs zu assoziieren vermochte.** Zuletzt flog sie nach der erwähnten Chrysanthemumgruppe und entdeckte dort verschiedene Teilchen des trockenen gelben Dahlienherzens der Attrappe ε, die aus dieser zu Boden gefallen waren. Sie liess sich auf diesen nieder und sog den Honig davon auf. Ich befestigte hierauf diese Blumenteilchen wieder auf Attrappe ε, zu der sie gehörten.

Von da ab kehrten die drei farbig markierten Bienen, und **nur diese drei**, alle Augenblicke nach den Attrappen zurück, um in

ihnen zu saugen, ohne die wirklichen Dahlien überhaupt mehr zu
beachten. Ich muss hier bemerken, dass sie die übrigen Attrappen —
ich selbst hatte ja eine jede der Bienen nur auf je eine bestimmte
Papierblume gesetzt — von selbst entdeckten. So z. B. frequentierte
die blaue Biene δ, β und γ, die gelbe Biene δ, α und γ, die weisse
Biene ϵ, α, β und δ.

Dies ging so etwa eine halbe Stunde weiter. Ich war imstande, die
Bienen an Rumpf, Flügeln und Abdomen anzumalen, ohne sie aus der
Fassung zu bringen, so sehr waren sie in ihre Honigorgie vertieft.
Keine von ihnen entdeckte Attrappe ζ, die tiefer angebracht, etwas
versteckter und ausserdem von stark abweichender Form war und
durch Farbe und Gestalt mit dem übrigen grünen Dahlienlaub verwechselt werden konnte. Die blaue und die gelbe Biene vermochten
ausserdem nicht, Attrappe ϵ aufzufinden, die etwas versteckter und
niedriger am Rande der Blumengruppe angebracht war.

Hier wollen wir einen Augenblick haltmachen. Zweifellos würde
Plateau aus meinen Experimenten herauslesen, dass „Bienen keine
Formen sehen und Farben nicht unterscheiden können". Mich lehren
die Ergebnisse dieser Versuche auf das deutlichste etwas ganz anderes.

Unsere Bienen, an die verschiedenfarbigen Dahlien gewöhnt und
von diesen angezogen, brachten zu Anbeginn allem, das in ihren
Augen diesen Blumen nicht ähnelte, keinerlei Aufmerksamkeit entgegen. Unsere Versuche zeigten, dass es bloss den Petunien mit
den Hieraciumherzen, da dieselben Chlorophyllfarben hatten, gelang,
die Bienen einigermassen irrezuführen. Wenn die vollständige Blüte
der Dahlien ihren Augen entzogen war, gelang es ihnen eine Zeitlang
nicht, diese zu finden; doch genügte schon der Anblick des gelben
Herzens oder eines seitlichen Stückchens des bunten Kelches, um
die Bienen sofort auf die richtige Spur zu bringen. Selbst der Geruch des geliebten Honigs und der des Dahlienherzens vermochte
aus einer Entfernung von mehreren Zentimetern nicht, diese Wirkung zu erzielen.

Sobald es uns aber gelungen ist, die Aufmerksamkeit einer der
Bienen, besonders durch den Geschmack oder den Geruch in nächster
Nähe, auf etwas Honig zu lenken (wo immer man diesen auch anbringen möge, in unserem Falle auf einigen ziemlich rohen Blumen-
nachahmungen aus buntem Papier), wird die Richtung sofort geändert, denn den geliebten Honig ziehen die Bienen selbst dem Nektar
der Dahlien vor. Von diesem Moment ab vernachlässigen sie die

Dahlien und fliegen nach den Attrappen. Trotzdem kann man bei der ersten Wiederkehr eine sehr charakteristische Erscheinung beobachten: die Biene zögert; offenbar ist das Erinnerungsbild des plumpen, den gewohnten Blumenformen so ungleichen Machwerks noch nicht genügend fixiert und mit dem Duft und dem bevorzugten Geschmack des Honigs noch nicht fest genug assoziiert. Dieses Zögern habe ich bei der ersten Wiederkehr zu einem Ort und einem ungewohnten Gegenstand hunderte von Malen sowohl bei Bienen als auch bei Wespen und Hummeln beobachtet. Man kann es bemerken, wenn man etwas Honig oder auch wenn man das Nest des betreffenden Insekts in ein Fenster gestellt hat. Lange Zeit hindurch kann man sehen, wie die Tiere hin- und herfliegen, wie sie an vier oder fünf Fenstern der betreffenden Fassade auf- und absummen, bis sie endlich das gesuchte Objekt gefunden haben. Ich werde nie ein Experiment vergessen, das ich als Knabe machte, indem ich ein Nest von Bombus in mein Fenster setzte und die enorme Schwierigkeit beobachtete, die es den armen Tierchen bereitete, ihr Nest in dieser ungewohnten Umgebung wiederzufinden; einige von ihnen verirrten sich völlig oder kehrten zu dem früheren Standplatz ihres Nestes zurück. Es wäre ein grosser Fehler, dies schlechtem Sehen zuzuschreiben. Sahen wir doch, wie die nämlichen Bombus, trotzdem sie ihrer Antennen und ihres Mundes beraubt waren, beim ersten Versuche und ohne jedes Zögern diejenigen Blumen wiederfanden, in denen sie gewohnt waren Nahrung zu holen. Wir haben es hier mit etwas ganz anderem zu tun, mit einem psychischen Phänomen, einem in die Irre geführten Instinkt. Wir verlangen zuviel von dem armen kleinen Insektenhirn, wenn wir ihm solche Streiche spielen. Wir verlangen zuviel von seinem Gedächtnis und von der Assoziation seiner Gedächtniseindrücke. Meine Hummeln sahen die betreffenden Fenster sehr wohl. Sie sahen den Zigarrenkasten, der in dem einen Fenster stand und der unter einem Glasdeckel ihr Nest enthielt. War aber dieser Gegenstand nun wirklich ihr Nest? Sicherlich waren sie, ehe sie das erste Mal aus dem neuen Standort ihres Nestes fortflogen, im Gefühle der gewaltigen Veränderung, die mit diesem Nest vorgegangen war, vier- oder fünfmal vor dem Fenster hin und her geflogen, um die Stellung des Nestes fest in ihrem Gedächtnis zu fixieren. Dies ist nämlich der Instinkt aller derartiger Insekten, so oft sie einen ihnen ungewohnten Platz verlassen, zu dem sie wiederzukommen beabsichtigen. Nachdem unsere Hummeln

aber erst einmal dies ihr Nest verlassen und in verschiedenen Blumen
umhergewirtschaftet hatten, wussten sie nicht mehr, ob sie zur alten
oder zur neuen Neststätte zurückkehren sollten. Wir können uns
nicht so leicht vorstellen, was im Gehirn einer Hummel vor sich
geht, aber meiner Meinung nach zog es sie zunächst zu ihrem alten
Nest zurück, an das stärkere Erinnerungen sie knüpften. Dort fand
sie nur ruinenhafte Reste, die sie vergebens durchsuchte. Enttäuscht
flog sie von dannen (wenigstens stelle ich es mir so ähnlich vor),
und nun trat eine Assoziation von Erinnerungen ein, die sie veranlasste, die Fassade mit den Fenstern aufzusuchen. Bis dahin waren
ihre neueren, mit dem Zigarrenkasten in der Fensterecke erst unvollkommen assoziierten Erinnerungseindrücke zurückgedrängt gewesen, darum hatte sie soviel Mühe, ihr Nest an dem sonderbaren
neuen Platz zu finden, einem Platz, der so weit verschieden war von
allen Gegenständen, mit denen eine Hummel sonst zu tun hat und
an ·die ihr Instinkt angepasst ist.

Ausserdem wurde das Tierchen noch durch die grosse Anzahl
von Fenstern, die sich so ähnlich sahen, verwirrt, und so untersuchte
es drei oder vier, ehe es das richtige entdeckte.

Und noch etwas: Unsere drei gemalten Bienen kehrten, nachdem
sie ein wenig gezögert hatten, nicht etwa wie Maschinen eine jede
zu derjenigen Blumenattrappe zurück, auf die ich sie gesetzt hatte,
sondern je nachdem zu dieser oder jener der verschiedenfarbigen
Papierblumen, die in demselben Umkreis standen. Plateau würde
sagen, dies komme daher, dass sie die verschiedenen Farben nicht
unterscheiden. Aber sie unterschieden jedenfalls doch wenigstens
Formen, denn es war nicht der Geruch, der sie zunächst angezogen
hatte, und ihre Gefährtinnen wurden ja überhaupt, wie wir sahen,
nicht von demselben angelockt. Ich erkläre mir die Sache so: Die
Bienen waren es vorher schon gewohnt, die vielen, verschieden
gefärbten Dahlien aufzusuchen, von einer roten zu einer rosafarbenen,
violetten, weissen usw. zu fliegen und von jeder derselben den Nektar
zu schlürfen. Nachdem sie nun einmal Honig auf einer der Papierblumen gefunden hatten, warum sollten sie nicht auf einem ganz
ähnlich gestalteten, benachbarten, wenn auch verschieden gefärbten
Gegenstand gleichfalls solchen vermuten? Sie erinnerten sich, Nektar
in verschieden gefärbten Dahlien gefunden zu haben, und dies hatte
sie wahrscheinlich veranlasst, in diesem Fall dem Farbenwechsel
überhaupt keine Beachtung zu schenken. Lubbock, der die Farben-

unterscheidung bei Bienen bewiesen hat, wies darauf hin, wie nötig es sei, eine Biene lange Zeit hindurch auf ein und dieselbe Farbe zu trainieren, ehe man sich Schlussfolgerungen über solche Fragen erlauben könne. Erst dann wird die Biene eben diese und keine andre Farbe bevorzugen und den Honig an keinem andern Orte mehr suchen. An eine Tatsache muss man jedoch immer denken: Bienen, die gewöhnt sind, auf verschiedenfarbigen Blumen zu plündern, wechseln ohne Bedenken von einer Farbe zur andern hinüber. Dies erfordert eine gewisse Assoziation von Erinnerungen, doch keine so schwierige, dass das Insekt sie nicht zu leisten vermöchte; beobachten wir doch bei den sozialen Hymenopteren eine ganze Anzahl anologer Assoziationen. Die Biene unterschied die Nachahmung von der natürlichen Dahlie, das konnte kaum wundernehmen und war ohne weiteres zu sehen. Solange sie nun den Nektar nur auf den Dahlien fand, wandte sie ihre ganze Aufmerksamkeit diesen zu und suchte nur nach dieser bestimmten Blume. Sobald sie aber entdeckte, dass die Nachahmung etwas noch köstlicheres enthielt, verliess sie die Dahlien zugunsten der ersteren.

Kehren wir nun zu unseren drei markierten Bienen zurück, die wir auf ihren künstlichen Blumen verlassen haben. Es kam nun durch Zufall oder vielleicht, weil sie die markierten Bienen hierherfliegen sah, eine neue Biene heran, die sich aus eigner Intiative auf Attrappe δ niederliess und hier Honig naschte. Dieses war gerade diejenige Attrappe, die während meiner Abwesenheit von einer Biene entdeckt worden war (vielleicht von derselben?). Ich markierte die neue Biene mit Karmin. Sie entdeckte nun die Attrappe α, die von der blauen Biene frequentiert wurde, trieb die letztere von dort weg und machte sich über den Honig her, und so fort. Eine kleine Fliege, Syrphus, entdeckte von selbst und zwar als einzige ihrer Gattung die Attrappe ϵ. Später fand mein jüngerer Sohn noch eine Biene auf dieser Attrappe; ich markierte sie scharlachrot. Eine andere Biene kam hierauf spontan zur Attrappe β geflogen; ich markierte sie grün. Sie kehrte auch zurück, diesmal aber zu Attrappe δ. Nun sammelten fünf Bienen gleichzeitig auf meinen Attrappen: die gelbe und die grüne auf δ, die blaue und die weisse auf β, die karminfarbige auf α. Doch wechselten sie alle zwischen den verschiedenen vorhandenen Attrappen.

Jede gezeichnete Biene machte auf diese Weise fünf bis zehn verschiedene Besuche bei meinen Erzeugnissen. Es war nun 12 Uhr

30 Min. nachm. geworden (das Experiment hatte um 9 Uhr vorm. angefangen). Die weisse Biene war die einzige, die bei allen Attrappen, inklusive ϵ, aber immer exklusive ζ gewesen war. Es kam schliesslich noch eine neue Biene, die der weissen nachgeflogen war, sie setzte sich auf Attrappe ϵ und plünderte dort; ich markierte sie braun.

Nun kamen wieder, von den vielen, auf den Attrappen versammelten Genossinnen angelockt, zwei, dann drei neue Bienen herangeflogen, so dass mir die Farben ausgingen und ich nicht mehr imstande war, jeder eine neue Markierung zu verleihen. Es sassen jetzt stets zwei oder drei Bienen gleichzeitig auf derselben Attrappe, so dass ich immerfort Honig nachfüllen musste. Ich ging dann zu Tisch und kehrte erst um 1 Uhr 25 Min. nachm. zu meinen Bienen zurück.

In diesem Augenblick sammelten sieben Bienen auf einmal allein in der Attrappe β, zwei in α, zwei in γ, drei in δ, während in ϵ nur die weisse Biene sass. Mehr als die Hälfte der jetzigen Besucher bestand in neuen, noch nicht markierten Bienen, die den markierten nachgeflogen waren. Und immer grösser wurde der Schwarm von Bienen, der sich jetzt auf meine Kunstblumen niederliess und sie im Handumdrehen des ganzen noch vorhandenen Honigs beraubte. Plötzlich, nach mehr als vier Stunden, entdeckte auch eine Biene trotz des herrschenden Gewimmels die Attrappe ζ, die wegen ihres von den anderen Imitationen abweichenden, mit dem Blattwerk hingegen leicht zu verwechselnden Aussehens bisher unbeachtet geblieben war.

Nun aber benahm sich der Schwarm, der von seinem Stock hergelockt und von den wirklichen Dahlien abgelenkt worden war, wie eine Meute Schakale mit einem abgenagten Gerippe. Umsonst durchwühlten die Bienen jedes Winkelchen der Papierblumen. Nichts mehr zu finden. Es war mittlerweile 1 Uhr 55 Min. nachm. geworden; sie begannen nun sich auszubreiten und die reizlos gewordenen Blumenkopien zu verlassen, um sich wieder den wirklichen Dahlien zuzuwenden. In diesem Augenblick ersetzte ich Attrappe α durch ein ähnliches Stück roten Papiers und Attrappe β ebenfalls durch ein, übrigens ganz formloses Stück weissen Papiers. Diese zwei neuen Machwerke waren nie mit einem Tröpfchen Honig in Berührung gekommen und rochen daher auch nicht nach solchem. Trotzdem wandten sich mehrere Bienen, die noch unter dem Bann der Erinnerung an den Honig der vorigen Attrappen standen, daraufhin um, um die neuen Nachahmungen zu besichtigen. Unter anderem durchforschte die weisse Biene das neue Machwerk β, auf das sie sich niederliess, mindestens drei oder vier Minuten lang.   Bei diesem Vorgang war der Geruch ganz ausgeschaltet, es konnte sich dabei nur um Form, Farbe und Örtlichkeit handeln.

Nun nahm ich alle meine Machwerke an mich, fasste sie mit der linken Hand und war im Begriff sie fortzutragen.   Sofort machten sich zwei oder drei Bienen auf, umschwärmten meine Hand und bemühten sich, auf den Attrappen, die ich trug, Posto zu fassen. Die Örtlichkeit hatte sich jetzt also verändert, und nur Form und Farbe des Gegenstandes konnten es sein, welche die Aufmerksamkeit der Bienen fesselten.   Ist dies nicht sonnenklar, und müsste nicht selbst ein Plateau sich der Beweiskraft dieses Vorganges beugen? Wie will Plateau, wie will Graber sich erklären, dass die Bienen, die nach Ansicht dieser Forscher weder Form noch Farbe, sondern nur Hell und Dunkel unterscheiden, das dunkelrote und ebenso das weisse und blaue Papier in meiner Hand wahrnahmen?   Meiner Meinung nach zeigen übrigens diese Experimente ebenso wie die Lubbocks, dass es mehr der Geschmack als der Geruch ist, der, zusammen mit dem Aussehen dieser Dinge die Bienen zu Honig und Blumen hinlockt.   Der Geruchssinn gewährt nur eine Nachhilfe, indem er auf eine Entfernung von zwei bis drei Zentimetern die Tiere auf den eigentlich wichtigen Fleck hinleitet.   Fassen wir nun unsere Beobachtungen in einige Sätze zusammen:

1. Wenn die Aufmerksamkeit einer Biene erst einmal auf Honig, der sich in noch so plump angefertigten künstlichen Blumen befindet, gelenkt ist, kehrt sie wieder zu demselben zurück.   Sie wird durch ihr Gedächtnis dorthin zurückgeleitet.

2. Bei ihrer ersten Wiederkehr (bei einer weiteren geschieht dies nicht mehr) zögert sie noch ein wenig, weil die Assoziation ihrer optischen und ihrer Geschmackserinnerungen noch keine sehr feste ist, was sich in einer gewissen Unsicherheit ihrer Wirkung äussert.

3. Der Geruchssinn wirkt nur aus nächster Nähe bestimmend auf das Verhalten der Biene ein und auch nur dann, wenn ihre Aufmerksamkeit nicht durch anderes abgelenkt wird; er spielt bei der Biene eine viel geringere Rolle als bei Wespen, Fliegen usw.

4. Der Geschmack ist derjenige Sinn, der die Aufmerksamkeit der Biene am stärksten beherrscht und daher ihren Willen zu der Örtlichkeit zurücklenkt, wo sie Honig gefunden hat.

5. Es ist der Anblick von Formen, Farben, Dimensionen und Entfernungen (auf Grund der gemässigt stereoskopischen Gesichtswahrnehmung des Facettenauges), der die Biene leitet und durch eine Assoziation von optischen Erinnerungen mit solchen des Geschmacks und Geruchs die Richtung ihres Fluges bestimmt.

6. Sobald mehrere Bienen an demselben Ort sammeln, ziehen sie allein hierdurch die Aufmerksamkeit anderer Bienen auf sich, die sich eilends daranmachen, sich den Genossinnen zuzugesellen. Eine einzelne Biene dagegen, besonders wenn sie durch Anwesenheit von Honig sehr weit von dem Stock weggelockt worden ist, wird meistens den Fundort des Honigs von selbst wieder finden, kann aber ihre Genossinnen weder dahin bringen, noch werden diese dazu veranlasst, ihr direkt zu folgen. Ich ziehe diesen Schluss ebenso wie er selbst aus Lubbocks Experimenten, die ich durch die folgenden eigenen Beobachtungen bestätigen konnte.

Um 2 Uhr 20 Min. nachm. kehrten meine markierten Bienen zusammen mit den anderen zu den wirklichen Dahlien zurück.

Wir haben oben (bei der Besprechung der Lubbockschen Arbeit S. 162) gezeigt, wie die Bienen das Blumeninnere mittels ihres durch die Sinnesorgane der Fühler vermittelten Kontaktgeruchsinns prüfen. Die Tages-Lepidopteren, die Megachile, ja sogar ein männlicher Bombus hielten dagegen während des Saugens in den Blumenkelchen ihre Fühler aufrecht und völlig regungslos.

Am 17. September unternahm ich ein Experiment, das, ob an sich auch ein völliges Fiasko, mir äusserst lehrreich erscheint. Eine sehr geschickte Dame bemalte mir einen grossen Streifen weisser Pappe mit einer Reihe von Feldern, die durch alle Schattierungen von Grau hindurch sich vom tiefsten Schwarz bis zum reinsten Weiss abstuften. Meine Idee war nun, von einer Biene ein honigbestrichenes Stück blauen oder roten Papiers auf den verschiedensten Stellen dieser abschattierten Bahn auffinden zu lassen, wodurch ich genauer zu beweisen hoffte, dass nicht Hell oder Dunkel, sondern dass die Farbe es ist, die hauptsächlich auf das Unterscheidungsvermögen der Biene einwirkt. Es war indessen nicht ganz leicht, zwei Fehlerquellen aus diesem Experiment auszuschalten: den von den Papierstückchen geworfenen Schlagschatten und das Glitzern des Honigtropfens. Immerhin ermutigten mich Lubbocks und meine eigenen bisherigen Versuche in der Annahme, dass diese beiden kleinen optischen Unterschiede von den Bienen übersehen werden würden.

Ich beabsichtigte also, eine Biene durch Darreichung von Honig auf blauer Unterlage an diese Farbe zu gewöhnen, sodann das blaue Papierstück durch ein rotes mit Honig zu ersetzen und schiesslich die Biene dahin zu bringen, auch ohne Honig zu dem blauen Papierstück zurückzukehren, das ich auf verschiedene Stellen des in allen Abstufungen von Schwarz zu Weiss bemalten Pappstreifens legen wollte. Fände meine Biene das blaue Papier, wo es auch liegen mochte, so wäre damit erwiesen, dass das Insekt nicht farbenblind ist und eine Farbe sowohl von einem hellen wie von einem dunkeln neutralen Hintergrund zu unterscheiden vermag.

Leider hatte ich jedoch dies Experiment acht Tage nach der Beendigung des vorhergehenden begonnen, ohne mit dem Gedächtnis meiner Bienen zu rechnen! Kaum hatte ich ein oder zwei Bienen auf die blauen Papierstückchen gesetzt und sie markiert, als ein munteres Fliegen und Umherprobieren auf allen nur vorhandenen Papierstückchen, ob rot, schwarz oder weiss, ob mit oder ohne Honig, begann. Alle die Bienen des Dahlienexperimentes der vorigen Woche wurden mobil und besuchten den Pappstreifen und alle meine Papierschnitzel, offenbar in der Meinung, dass hier eine Wiederholung des Honiggelages bereitet sei, das sich ihnen in den falschen Dahlien des verflossenen Experiments geboten hatte. Und recht hatten sie ja! Ich will nicht behaupten, dass sie mich selbst erkannten, denn zweifellos hätten sie sich ebenso irgendeinem anderen Mann oder auch der Dame gegenüber verhalten, die den Pappstreifen gemalt hatte. Doch die Situation als Ganzes erschien ihnen entschieden vertraut, besonders aber die bunten Papierchen. In wenigen Augenblicken war ein förmlicher Schwarm zur Stelle, der von allen Seiten her den Pappstreifen, meine Hände und das Brett, das die Unterlage der ganzen Herrlichkeit bildete, in Angriff nahm. Mit Eifer stürzten sich die Bienen sogar auf die leeren Papierstückchen. Wenn erst einmal zwei oder drei Tiere auf einem derselben sassen, folgte ein Schwarm von anderen nach. Es ist allerdings wahr, dass sie von den leeren Papierstückchen bald wieder wegflogen, während sie sich auf den honigbestrichenen geradezu in Haufen niederliessen. Zuletzt entdeckten sie sogar den Honig auf der Unterseite einiger Papierstücke, die ich zum Scherz umgelegt hatte (mit der bestrichenen Seite nach unten); während sie über die obere Fläche hinliefen, liess sie der Geruch des nahen Honigs stutzen, stillstehn und schliesslich den Rand des Papieres lüften. Und so scharf erwies sich ihr

Sehen der Formen, dass sie, wohl mit Hilfe des schmalen vom
Rande des Papiers gebildeten Schattens (das Experiment ging bei
Sonnenschein vor sich), sogar ein weisses Papier ohne Honig auf
weisser Unterlage und ein schwarzes Papier auf schwarzer Unterlage
— letzteres freilich etwas weniger leicht — unterschieden. Die benützten Papiere bestanden in Quadraten von 4—4 $^1/_2$ cm Seitenlänge.
Ich schnitt nun zwei Bienen, die ich je grün und rot markierte,
die Fühler ab. Diese Bienen kehrten, nachdem sie schon zuvor dort
genascht hatten, zu den blauen Papierstückchen zurück, ja die grüne
Biene suchte sogar das Stück blauer Farbe im Malkasten auf, das
sie bis dahin nicht beachtet hatte (der Kasten stand geöffnet einige
Zentimeter von den übrigen Dingen entfernt im Gras).

Der Leser sieht, dass das Experiment nach der geplanten Richtung
hin ein völlig missglücktes war, doch bewies es aufs klarste, dass
das Gedächtnis der Bienen sich über viele Tage hin erstreckt, so
dass jeder Untersucher, der diesen Umstand nicht in Rechnung zieht,
Trugschlüssen ausgesetzt ist. Immerhin liesse sich das Experiment
mit besserem Erfolg wiederholen, wenn man dazu Bienen wählte,
mit denen vorher noch keine Versuche unternommen wurden, indem
man diese Bienen an einen blauen oder andersfarbigen, weit von
ihrem Nest befindlichen Gegenstand gewöhnte und die Mitwirkung
von Schlagschatten dadurch ausschlösse, dass man das Experiment
entweder bei diffusem Licht unternähme oder die Papierstücke so
eng auf dem Untergrund aufliegen liesse, dass eine Begrenzung durch
einen Schattenstrich vermieden würde. Ich bitte den Leser, das Resultat dieses meines misslungenen Experiments mit dem Experiment
der vorhergehenden Woche (mit den roh imitierten Dahlien) an denselben Bienen zu vergleichen, sowie mit den weiter unten zu er-
wähnenden Versuchen Plateaus mit künstlichen Apfelzweigen. Ich
wüsste nicht, wie man klarer als durch einen Vergleich dieser Experimente beweisen könnte, dass Insekten mit verhältnismässig ent-
wickeltem Gehirn nicht nur schlechthin durch irgendeinen Reiz, der
ihre Sinne trifft, angezogen oder abgestossen werden, sondern dass
sie Erinnerungen an ihre assoziierten Wahrnehmungen besitzen und
diese wieder neu assoziieren, oder anders ausgedrückt, dass sie ausser
ihren direkten Sinnesempfindungen Fähigkeiten besitzen, die in ihren
wesentlichsten Eigenschaften unsern eigenen Fähigkeiten, als da
sind: Aufmerksamkeit, Gedächtnis, Wahrnehmung von Objekten und
Assoziation sinnlicher Vorstellungen, entsprechen.

Kehren wir nunmehr zu Plateau zurück (I., 2. Teil, 1896). Nachdem Darwin zu bemerken geglaubt hatte, dass die blauen Blumenblätter von Lobelia erinus die Bienen anzögen, und diese die Lobelien nicht mehr aufsuchten, wenn man ihnen die Blumenblätter abgeschnitten hätte, prüfte Plateau diesen Versuch mit einer Diptere (Eristalis) nach. Seine Resultate stellen sich dar wie folgt:

	Intakte Lobelien	Verstümmelte Lobelien
Besuche mit Saugen	33	25
Besuche ohne Saugen	29	16

Doch erhalten diese Versuche ein anderes Gesicht, sobald man die Einzelheiten des Experiments ins Auge fasst und mit Überlegung betrachtet:

Erstes Experiment am 14. September, 9 bis 10 Uhr.
Intakte Lobelie 21 Besuche.   Verstümmelte Lobelie 9 Besuche.
Zweites Experiment am 14. September, 2 bis 3 Uhr.
Intakte Lobelie 7 Besuche.   Verstümmelte Lobelie 7 Besuche.
Drittes Experiment am 16. September, 11 bis 12 Uhr 30 Min.
Intakte Lobelie 34 Besuche.   Verstümmelte Lobelie 25 Besuche.

Bei diesem Experiment standen die unversehrten Lobelien in einem Topf, die verstümmelten in einem andern. Fügen wir hinzu, dass Eristalis, Vespa, Syrphus etc., welche die blumenblattlosen Lobelien besuchten, einen sehr guten Geruchssinn besitzen, einen viel besseren als die von Darwin beobachteten Bienen, dass die Verstümmelung der Blüten für Eristalis eine Erleichterung des Saugens bedeutet, und dass, wenn sich auch eine Vanessa und eine Pieris unter den Besuchern befanden, diese nur nachgeahmt haben dürften, was sie die andern Insekten tun sahen. Was aber feststeht, ist, dass bei Beginn des Versuchs, trotz der allgemeinen Ähnlichkeit der beiden Töpfe, die Insekten mehr als doppelt so häufig zu den unversehrten als zu den verstümmelten Lobelien geflogen sind. Nachdem sie aber einmal die List erkannt hatten, handelten sie genau wie meine Bienen mit den maskierten Dahlien und verteilten ihre Besuche ziemlich gleichmässig zwischen den beiden Töpfen. Darwin aber hat höchst wahrscheinlich unter Beobachtung von sorgfältigeren Vorsichtsmassregeln experimentiert, und daraus allein erklärt sich der Unterschied seiner Resultate von denen Plateaus.

Ausserdem hat Plateau noch mit Bienen gearbeitet, die Oenothera biennis, eine Blüte mit wundervollen gelben Blumenblättern, frequen-

14*

tierten. Am 3. September schnitt er die Blumenkronen ab, so dass nur noch die Staubfäden übrig blieben. Hier seine eigenen Worte über das Ergebnis:

Die Bienen, welche die Pflanze besuchten, verteilten sich nach allen Richtungen über dieselbe; manche suchten die welken Blüten, andere die Knospen, wieder andere die zu Boden gefallenen Blumenblätter auf, die sie mit einiger Aufmerksamkeit musterten, indem sie über sie hinwegspazierten; zum Sammeln aber liessen sie sich nur auf den, ihrer Blumenkronen beraubten, verstümmelten Blüten nieder. (Die Hervorhebung dieses Satzes stammt von Plateau!)

Und daraus schliesst Plateau, dass es der Geruch und nicht der Gesichtssinn sei, der die Biene leitet!

Ist es möglich, ein Experiment, das man selbst angestellt hat, verkehrter auszulegen!? Dass Bienen nicht dort sammeln können, wo nichts Geniessbares vorhanden ist, ist selbstverständlich. Doch dass sie die abgeschnittenen Blumen, wo immer sie diese, geleitet durch ihre schöne gelbe Farbe, entdecken konnten, aufsuchten — war Plateau ja doch so vorsorglich gewesen, die abgeschnittenen Blumen vor der Pflanze liegen zu lassen, wie um sich dadurch noch deutlicher ins Unrecht zu setzen — dies und ferner, dass die Tiere sowohl die noch an der Pflanze befindlichen Blumenreste wie die Knospen entdeckten, alles das stimmt so genau zu meinen eigenen Experimenten, dass mir jeder Kommentar überflüssig erscheint. Die Bienen suchten zuerst an den farbigsten Blumenresten und erst als sie dort nichts fanden, wandten sie sich zu den allein an dem Kelch verbliebenen Staubgefässen und wurden belohnt. Plateau erklärte sich das Aufsuchen der zu Boden gefallenen Blumenblätter damit, dass diese noch mit Duft durchtränkt seien. Es ist überflüssig, diese falsche Deutung noch zu widerlegen, nachdem wir doch gesehen haben, wie fühlerlose Bienen das Gleiche tun, und wie unsere Bienen Papierstücke ohne Honig aufsuchten, nachdem sie vorher Honig auf ähnlich aussehenden gefunden hatten.

Bei einem weiteren Versuch fand Plateau jedoch, dass Bombus unterliess, Antirrhinum (Löwenmaul) zu besuchen, nachdem der Forscher die Blumenkronen von diesen Pflanzen entfernt hatte. Er erklärt dies damit, dass die Digitalis ihre Öffnung mehr unten, Antirrhinum diese hingegen oben, aber geschlossen haben, und dass die Hymenopteren diese beiden Blumenarten stets von unten nach oben in Angriff zu nehmen pflegen. Nun ist aber die Blumenkrone des verstümmelten Antirrhinums nach oben gerichtet, und dies nimmt Plateau als den Grund an, weshalb die Bombus ihre Besuche einstellten. Man muss auf einer arg falschen Fährte sein, um für eine so einfache Tatsache eine so unglaublich gesuchte Erklärung zum besten zu geben. In erster Linie glaube ich, dass Plateaus Bombus einfach deswegen nicht mehr zu den Antirrhinum flogen, weil sie diese Pflanzen nicht mehr bemerkten und anderwärts abgelenkt wurden. Nach Plateau aber, der weder an die Wahrnehmung von Formen noch an eine Verstandestätigkeit bei Insekten glaubt, hätte man sich vorzustellen, dass das besagte Insekt aus der Entfernung und im Fluge die Form und Stellung der Öffnung der verletzten Blume erkannt haben und daraus den Schluss gezogen haben müsste, dass es wegen der Lage dieser Öffnung (nämlich indem diese oben und nicht unten gelegen sei) nicht in die Blume hineingelangen könne. Ich gestehe, dass eine solche Erklärung über meine Fassungskraft hinausgeht, um so mehr, als Bombusarten bei einer Menge von Blumen von oben her einzudringen pflegen. Plateau macht aus diesem Insekt geradezu einen Meister der Geometrie, der aus grösster Entfernung subtile Unterschiede der Form zu unterscheiden weiss.

„Um von vornherein alle Erklärungen zu widerlegen, die auf Gewohnheit bei Insekten basieren und diesem Faktor eine hervorragende Rolle zuweisen", machte Plateau am 5. Juni einen Versuch an der Dolde einer seltenen Spezies der Umbellifere Heracleum, von der er ein einziges, aus Samen von einem weit entfernten botanischen Institut gezogenes Exemplar in seinem Garten besass. Er bedeckte die einzelne weit ausgebreitete Dolde mit einem grossen und mehreren kleinen Rhabarberblättern. Binnen 30 Minuten konnte er sieben Besuche von Bienen (drei Exemplare) und anderen Insekten feststellen. Die Bienen liessen sich zunächst auf den Rhabarberblättern nieder, spazierten darauf herum, explorierten nach allen Seiten und gelangten zuweilen bis zu der darunter befindlichen Dolde. Plateau glaubt, dass es der Geruch war, der diese Insekten zu der Dolde hinzog. Er kommt keinen Augenblick auf den Gedanken, dass die Erinnerung an frühere Besuche (vielleicht vom Tage vorher) die Bienen zu ihrer Expedition veranlasst haben könnte. Aus diesem Fehler entspringt nun eine Reihe von falschen Schlüssen. Am 11. Juni wiederholte er sein Experiment an fünf Dolden, die sich seit dem ersten Versuch geöffnet hatten, und konstatiert während 1^1/$_2$ Stunden 45 Besuche von Insekten (Odyneren und Dipteren), die zweifellos

seit dem 5. Juni Gelegenheit genug gehabt hatten, diese Blumen
kennen zu lernen. Er aber zieht aus dem Vorgang wiederum dieselben irrigen Schlussfolgerungen.

Perez (Notes Zoologiques, Act. Soc. Linn. Bordeaux 1894) hatte
in die scharlachroten Blumenkronen von Pelargonium, die im
normalen Zustand nicht von Bienen besucht werden, Honig ge-
träufelt. Nachdem nun die Bienen einmal Honig in den Pelargonien
gefunden hatten, assoziierte sich diese Tatsache so gründlich mit der
roten Farbe der Blumen, dass die Tiere später eine Menge von Pelargonien ohne Honig aufsuchten und davon erst abliessen, nachdem
sie sich wiederholt überzeugt hatten, dass hier nichts zu suchen sei.

Um nun Perez zu widerlegen, der, wie man sieht, sich in Übereinstimmung mit mir befindet, wiederholte Plateau (I, Teil 3, 1897)
dessen Experiment, und zwar an einem streifenförmigen Beet von
roten Pelargonien. Er brachte den Honig an einigen Pelargonien
an einem Ende der Reihe an und erklärt bündig, dass diese Pelargonien die einzigen waren, die dann von den Insekten besucht wurden;
die übrigen 25 Pflanzen, so bekennt er selbst, wurden zwar aufgesucht, jedoch nur in explorativer Absicht, sonst aber von den
Bienen vernachlässigt. Warum arbeitete Plateau mit einem ganzen
Beet, warum nahm er nicht eine einzelne Pflanze, von der er einzelne
Blüten beträufelte, andre aber nicht? Da nun das Beet obendrein
reihenförmig geordnet war, so erscheint es nur natürlich, dass die
Bienen nicht an den Teilen der Reihe, wo sie nie etwas gefunden,
weitersuchen würden, sondern dass sie sich an den Platz hielten,
wo sie bereits Honig in Menge erbeutet hatten.

Plateau hat also Perez keineswegs widerlegt. Übrigens zeigen die
explorativen Besuche der leeren Pelargonien, dass einige Bienen doch
darin suchten — aber eben nichts fanden.

Plateau veranlasste Insekten dazu, den Besuch gewisser Blumen
einzustellen, indem er diese ihrer nektarhaltigen Teile beraubte, und
wieder zu denselben zurückzukehren, indem er Honig in die Blumenkronen träufelte. In diesem Faktum ist durchaus nichts Erstaunliches zu erblicken, es deckt sich völlig mit meinen eigenen Erfahrungen an meinen papiernen Attrappen.

Es hat keinen Sinn, unserem Autor in das Detail von seinen
weiteren Versuchen zu folgen, die aus den soeben bereits dargelegten
Gründen ebenfalls ganz unbeweisend und vieldeutig sind. Plateau gibt
sich, wie bereits gesagt, eine Menge nutzloser Mühe, um zu zeigen, dass

Insekten grüne Blüten ebensogut wie andersfarbige, dass sie nektarlose Blumen (auch im Gegensatz zu den entomophilen, d. h. durch Insekten befruchteten, anemophile, d. h. vom Wind befruchtete genannt) ebenfalls besuchen, sobald man Honig in denselben angebracht hat. Künstliche Blumen. Plateau kehrte im Jahre 1897 zu Versuchen mit solchen zurück und machte mit ihnen ein Experiment, das meiner Meinung nach die ganze Frage, zugleich aber auch Plateaus fundamentalen Irrtum ins hellste Licht setzt. C. E. Bedford (The Entomologist, XXX. Nr. 410, S. 197, Juli 1897) hatte gesehen, wie ein weisser Schmetterling (Pieris brassicae) sich auf einen Strauss künstlicher Maiblumen auf dem Hut einer Dame niederliess. Plateau behauptet nun, dass Pieris dies aus mimetischen Gründen getan habe, also einfach, um sich auf einer weissen Fläche niederzulassen. Er gibt damit aber zu, dass Pieris den Strauss weiss sah. Ganz richtig bemerkt er weiter, dass, vorausgesetzt dass künstliche Blumen die Insekten anzögen, die Hüte unserer in den Anlagen wandelnden Schönen stets von Schwärmen von Schmetterlingen belagert sein müssten. Damit, dass dies keineswegs der Fall ist, scheint bewiesen, dass die Schmetterlinge diese wandelnden Blumenbeete nicht für wirkliche Blumen halten und folglich auch wissen, dass, wenn sie sich ja einmal auf diese schönen Bildungen niederlassen, es dort nichts für sie zu holen gibt.

Nun tropfte Plateau etwas Honig auf ein künstliches Vergissmeinnicht und beobachtete, dass die Bienen dieses Blümchen nicht mehr aufsuchten als seine honiglosen Nachbarn. Am 30. April befestigte er an einigen der auffälligsten Zweige eines blühenden Apfelbaumes mehrere besonders täuschend nachgeahmte Zweige mit künstlichen Apfelblüten, deren Blütenkronen er mit Honig beträufelt hatte. Er beobachtete den Baum 1½ Stunden lang. Währenddessen wurde dieser von zahlreichen Bienen, Dipteren, sowie einigen jedoch nicht allzuvielen Wespen und Hummeln besucht. „Während dieser ganzen Zeit schenkten die Bienen den künstlichen Blüten trotz des Honigs keinerlei Beachtung; diese erhielten nur einen kurzen Besuch von einer Wespe und einen etwas längeren von zwei Fliegen". Um sich von der Güte seines Honigs zu vergewissern, tropfte Plateau solchen auf eine natürliche Apfelblüte und fand, dass er dort gierig von den Bienen verspeist wurde. Am 1. Mai wiederholte Plateau dieses Experiment mit demselben Erfolg. Immerhin bemerkte er hie und da einige kurze Explorationsflüge nach den künstlichen Blüten, sowohl den honighaltigen wie den honiglosen, und zwar von seiten der Bienen wie auch von seiten der Lepidopteren usw. Doch liessen sich diese Insekten nicht auf den Blüten nieder.

Er schliesst daraus mit Recht, dass das Insekt die künstlichen von den natürlichen Blumen unterscheidet, mit Unrecht aber, dass die künstliche Blüte es „zurückstösst". Habe ich selbst doch durch mein oben beschriebenes Experiment das Gegenteil bewiesen.

Was Plateau aber entging, ist, dass die Bienen bei ihrem raschen Vorbeiflug den Honig in den künstlichen Blumen nicht gerochen haben, während die eine Wespe und die beiden Fliegen ihn witterten und erkannten. Diese Tatsache ist die absolute Bestätigung meiner eignen Experimente. Hätte Plateau, so wie ich selbst dies tat, erst einmal eine oder zwei Bienen auf die honighaltigen Kunstblumen gesetzt, so hätte er dieselben Resultate erhalten wie ich selbst, statt sich noch tiefer in Irrtümer zu verbohren. Auch übergeht er bei dieser Gelegenheit sowohl meine wie Lubbocks Experimente über das Farbensehen völlig mit Stillschweigen.

Er setzte nun seine Versuche mit künstlichem, honigbestrichenem Fingerhut (Digitalis purpurea) fort. Keine Hymenoptere kümmerte sich um diese Blumen, doch wurden sie von Dipteren sehr eifrig besucht und geplündert. Immerhin schweiften einige Hummeln nach diesen Nachahmungen hin, besahen sie von allen Seiten, liessen sich aber nicht darauf nieder. Plateau kommt es eben nicht in den Sinn, den Unterschied zwischen dem guten Geruchssinn der Dipteren und dem geringen Geruchssinn der Bienen und ihrer Verwandten zu beachten. Nach Plateau üben künstliche, aus grünen Blättern zusammengestellte und mit Honig versehene Blumen gerade auf die Hymenopteren Anziehungskraft aus. Meine oben beschriebenen Versuche aber liefern eine ausserordentlich einfache Erklärung aller vorliegenden Tatsachen, und ich hoffe den Leser dadurch genügend überzeugt zu haben, so dass ich nunmehr den Rest von Plateaus unzähligen Experimenten mit Stillschweigen übergehen kann. Neues würden wir in ihnen nicht finden.

Aus denselben Gründen werde ich bei den wahrhaft haarspalterischen Untersuchungen über die Möglichkeit der Bevorzugung bestimmter Farben durch Insekten nicht verweilen, wie solche von Herm. Müller, Bennet, Bonnier, Gratacap, Christy, Bulman, Scott Elliot, Delpino, Kuntze, Knuth und Plateau (6) angestellt worden sind. Ich stimme in dieser Frage, wie schon gesagt, mit Plateau (und Bulman) überein. Es ist geradezu erstaunlich, wie so viele Autoren eine Menge von Tinte zur Bestätigung so ausserordentlich klarliegender Tatsachen verschwenden können, Tatsachen, die von Bulman in einem einfachen Satze zusammengefasst werden, wenn er sagt: „Es ist absolut gleichgültig, ob eine Blume blau, rot, rosa, gelb, weiss oder grün aussieht: wenn sie nur Honig enthält". (Nat. Science, XIV. No. 84. Febr. 1899.) Zu diesem wichtigen Erfahrungssatz füge ich noch den nicht minder wichtigen logischen Satz: Die Tatsache, dass keine bestimmte Farbe an und für sich vom Insekt bevorzugt wird, bedeutet noch nicht, dass es die Farben nicht zu unterscheiden vermöge.

Die letzten Schlussfolgerungen von Plateau (6, 1899) sind ziemlich eigenartige. Er beginnt mit der Behauptung, dass er nie gesagt habe, dass die Insekten die Farbe der Blumen nicht sähen, eine solche Annahme, sagt er, wäre ja in hohem Grade töricht. (Trotzdem finden wir bei Plateau, I., erster Teil, S. 472 den Titel: „Über die sogenannte Farbenunterscheidung bei Insekten".)

Er fügt dem hinzu, dass die Unterschiede in der Menge reflektierten Lichts oder in der Brechbarkeit der Lichtstrahlen, die durch die transparenten Medien übertragen oder reflektiert werden, sehr wohl die bisher beobachteten Resultate veranlasst haben könnten.

Und schliesslich stellt er als die zu lösende Hauptfrage folgendes auf: Lassen sich die blumenbesuchenden Insekten bei ihrer Wahl der Blumen von den Farben leiten, die die Blumen dem menschlichen Auge darbieten?

Hierauf antworte ich: Nach den vorhergehenden Werken von Plateau und nach seiner Stellung zu den Graberschen Theorien über die Phänomene der Photophilie und Photophobie musste man annehmen, dass er die Insekten für völlig farbenblind jeder Farbe gegenüber hielt, d. h. für fähig, die Intensität des Lichts, nicht aber die spezifische Differenz der Wellenlänge der Strahlen zu erkennen. Aber gerade diese letzteren Unterschiede sind es, die uns zur Unterscheidung der Farben verhelfen, ausgenommen des Ultravioletts, demgegenüber der Mensch farbenblind ist. Soret hat uns hierfür den Grund gegeben.

Ich protestiere also gegen die Art, wie Plateau jetzt die Frage formuliert. Ich glaube ebensowenig wie er, dass Insekten die Farben subjektiv so sehen wie wir selbst, und ferner, dass auch objektive

Unterschiede in der Art vorhanden sind, wie ihre Augen und unsre
durch die verschiedenen Lichtarten, d. h. also durch die Farben und
ihre Schattierungen gereizt werden.

Trotzdem zeigen die Experimente von Lubbock, Peckham, mir
selbst und einigen andern Forschern, dass gewisse Insekten nicht
nur Blumen, sondern auch andere farbige Gegenstände eben nach
deren Farbe zu unterscheiden vermögen, d. h. nach der Wellenlänge der Lichtstrahlen, die von den betreffenden Gegenständen
reflektiert oder durchgelassen werden, und ferner, dass jene Insekten die Gegenstände an eben dieser Eigenschaft auch dann
erkennen, wenn die andern Sinne ausgeschaltet sind, sowie auch
wenn die Gegenstände sich inmitten einer Umgebung von gleicher
Lichtstärke befinden. Dies alles kann nun ein farbenblinder Mensch
nicht. Ich habe zwei farbenblinde Menschen gekannt, die nicht imstande waren, auf die Entfernung von nur einem Schritt die scharlachroten Blüten einer Cydonia japonica zu erkennen, eines Strauchs
mit leuchtend grünem Laub, während andere Leute diese Blüten
aus einer Entfernung von 59 m leicht zu unterscheiden vermochten.
Dies als Widerlegung von Plateau, der behauptet, es sei äusserst
schwierig, zwei verschiedene Farben von annähernd derselben Licht-
intensität zu finden.

Wenn wir sagen, dass Bienen Farben sehen, so meinen wir damit
durchaus nicht, dass sie die Farben genau so sehen wie der Mensch,
und dies um so weniger, als, wie bereits gesagt, auch die Menschen sie
nicht alle gleich sehen. Ich kann mich daher der letzten Version
Plateaus über diese Angelegenheit anschliessen; habe ich doch auch
selbst die Tatsache bestätigt, dass Insekten in Fällen, wo uns das nicht
möglich ist, künstliche Nachahmungen von den wirklichen Blumen
unterscheiden.

Schliesslich also gelangt Plateau (6) zu denselben Schlüssen wie
Bulman und wie ich selbst, doch schiebt er Exner eine Ansicht zu,
die dieser nie so ausgesprochen hat, dass nämlich aus einer Entfernung von mehreren Metern die Blumen von den Insekten
nicht anders denn als absolut verschwommene Flecken gesehen
würden (Fehler f). Wenn wir statt dessen setzen: je nach der Grösse
der Blume, der Entfernung, der Zahl der Facetten des Insektenauges
in einer mehr oder weniger deutlichen Art — dann entspricht das
dem, was Exner behauptet und worin ich mich ihm völlig anschliesse.

Das Sehen aus der Ferne. Funktionelle Blindheit durch absolute Enthaltung vom Sehen.

Da Plateau bei jeder möglichen Gelegenheit betont, dass Insekten nur Wolken, Nebel, Flecken zu sehen vermögen (er fügt zuweilen hinzu „farbige", obwohl er an anderer Stelle seine Zweifel über die Farbenunterscheidung ausspricht), so ist es wünschenswert, die Frage des Fernsehens einmal etwas näher ins Auge zu fassen.

Gehen wir von unserm menschlichen Sehvermögen, wie es sich uns rein subjektiv darstellt, aus, so lässt sich zunächst einmal feststellen, dass die Tatsache, dass ein normalsichtiges Auge aus einer Entfernung von 4 km nicht mehr die einzelnen Blätter eines Baumes, von 25 km nicht mehr die einzelnen Fenster eines Gebäudes unterscheiden könne, noch nicht bedingt, dass wir bei klarem Wetter den besagten Baum oder das besagte Gebäude als formlosen Fleck sehen.

Durchaus objektiv zeigt uns das von Exner photographierte Augenbild des Glühwurms (Lampyris) die 2,25 m entfernt befindlichen, 4,9 cm breiten Grundstriche eines R und die 135 Schritt entfernt befindliche Kirche mit ihrem Turm. Exner weist sehr mit Recht darauf hin, dass die photographische Wiedergabe sowie die Reproduktion derselben die Deutlichkeit des Bildes beeinträchtigt haben. Es ist ja wahr, dass die Kirche verschwommen erscheint, doch ist die allgemeine Form des Kirchturms sowie das Dach des Hauptgebäudes noch sehr gut zu erkennen. Die Fenster sind kaum wahrnehmbar, doch kann man die Wand des Gebäudes noch ein wenig besser als das Dach erkennen. Für den winzigen Lampyris und für eine Entfernung von 135 Schritt ist das Resultat gar nicht übel, jedenfalls reicht der Grad der Deutlichkeit vollkommen hin, um uns zu erklären, wonach die Insekten ihren Flug in der Luft dirigieren, besonders wenn sie noch bessere Augen als Lampyris haben und die Farben unterscheiden. Um noch deutlicher zu erkennen, braucht das Insekt seinen Flug nur noch näher heranzulenken und sich dann noch eventuell vermittelst des Geruchssinns weiter zu orientieren. Es genügen aber die Gestalten der Dinge, besonders der bunten, um Gedächtnisbilder im Hirn des Insekts zu fixieren und ihm seinen Weg durch die Luft zu zeigen; denn auf einem Wege von 135 Schritt lösen zahlreiche Bilder von Gegenständen einander ab, werden beim Herannahen deutlicher, treten beim Weiterfliegen zurück und dienen durch die Assoziation ihrer Reihenfolge im Raum zu einer Orientierung des Insekts.

Es erscheint zweifellos, dass die geselligen, geflügelten Hymenopteren sich auf die genannte Weise orientieren. Fabres Chalicodoma, die, mit Farbe markiert, drei Kilometer weit von ihrem Nest fortgetragen und dann freigelassen wurden, die sich hierauf zu einer gewissen Höhe emporhoben, dort zögernd Umschau hielten, darauf aber in der Richtung ihres Nestes abflogen, das sie dann binnen 20 Minuten erreichten, liefern uns einen weiteren klaren Beweis für unsere obigen Behauptungen.

Meine Bienen und Hummeln, denen ich die Fühler, ja zuweilen auch Mund und Pharynx herausgeschnitten hatte, und die doch zurückkehrten, um in den Blumen zu fouragieren oder den ausgesetzten Honig zu holen, ferner die fühlerberaubten Bienen, die nach jedesmaligem Abladen des Honigs im Nest doch immer wieder zurückkamen, beweisen uns weiter, wie die Orientierung allein der Tätigkeit der Facettenaugen und der Assoziation der Gesichtseindrücke zu verdanken ist. Ja wir haben sogar gezeigt, dass die Anwesenheit oder Abwesenheit der Ocellen für die Orientierung im Fluge keinen Unterschied bedeutet.

Wenn daher grössere Gegenstände, die man in einer gewissen Entfernung vom Insekt bewegt, dieses in keiner bemerkbaren Weise zu erregen, es weder anzuziehen noch zu erschrecken scheinen, dürfen wir daraus doch nicht den Schluss ziehen, dass sie nicht gesehen worden sind. Dagegen müssen wir folgenden anderen Schluss ziehen: Das Sehen von Bewegungen, das einem Insekt gestattet, ein viel kleineres Tierchen im Fluge zu verfolgen und zu erhaschen, setzt mit absoluter Notwendigkeit eine Schätzung der Dimensionen, somit auch der Form des verfolgten Tierchens voraus.

Schliesslich haben wir gesehen, dass ein absolutes Aufhören jeder Verschiebung in der Stellung des Auges, das sieht, zu dem Objekt, das gesehen wird, nach Ablauf einer gewissen Zeit das Aufhören jeder Empfindung zur Folge hat. Dieser Zustand tritt bei unbeweglich dasitzenden Insekten zweifellos häufig während längerer Zeiträume ein und erklärt ihre scheinbare Apathie, aus der sie erst durch eine Bewegung der in ihr Gesichtsfeld fallenden Gegenstände erwachen.

Ich glaube mich hier auf der Spur eines sehr wichtigen Faktors in der vergleichenden Psychologie, besonders in der der Insekten.

Da ihr winziges Gehirn einer grösseren inneren Gedankenarbeit, wie sie z. B. das Auslösen von Gedanken auf dem Wege komplizierter innerer Assoziationen mit anderen Gedanken beansprucht, [nicht gewachsen ist, so muss seine Tätigkeit immerfort durch diejenige der Sinne oder der Bewegungen des eigenen Körpers (bzw. durch die Beobachtung der Bewegung fremder Objekte) wach gehalten werden, damit sie vor gänzlichem Einschlafen bewahrt bleibt. Wenn also ein Insekt mit zusammengelegten Fühlern regungslos dasitzt, so dürfen wir es uns in einer Art von Schlummerzustand vorstellen, bis ein Schütteln, ein starker Geruch seine Tast- oder Geruchsnerven, vor allem aber eine Bewegung der umgebenden Gegenstände (besonders lebender Wesen) seine Netzhaut reizt und seinen Torpor unterbricht. Die Beobachtung der Insekten, ihres Lebens und ihrer Handlungen scheint mir diese Tatsache ihrer Psychophysiologie voll zu bestätigen. Die Abwesenheit von Augenlidern, Akkomodation und Beweglichkeit der Augen unterstützen ihrerseits diesen Zustand von Apathie der Augen, den wir als funktionelle Blindheit bezeichnen können.

Bei uns Menschen ist dieses Phänomen der funktionellen Blindheit, dank der Bewegung der Augen, der Augenlider und der Akkomodation ausgeschlossen, solange wir die Augen geöffnet halten. Bei einer Betrachtung der Gesichtsverhältnisse der Insekten aber dürfen wir diesen Punkt, der meiner Meinung nach schon viel zu lange vernachlässigt worden ist, nicht ausser acht lassen.

Zusammenfassender Rückblick.

Ich möchte diesen Teil meiner Studien mit einer Entschuldigung meiner langen Kritik und der langen Reihe meiner Kontrollexperimente schliessen, einer Entschuldigung sowohl gegenüber dem Leser wie gegenüber Plateau selbst. Indem ich die Experimente dieses Forschers beleuchtete, lag mir daran, einesteils auf die irrtümlichen Schlussfolgerungen, die Plateau selbst daraus zieht, hinzuweisen, zugleich aber seiner wissenschaftlichen Ehrlichkeit meine aufrichtige Bewunderung darzubringen. Und gerade diese Ehrlichkeit ist es, die uns in den Stand setzt, dem Forscher Schritt für Schritt nachzuzugehen und, seinem gewissenhaften Bericht der beobachteten Tatsachen folgend, den roten Faden ihrer wirklichen Zusammenhänge aufzufinden und die Gesetzmässigkeit zu erkennen, die ihnen zu Grunde liegt. Dank diesem Umstand ist die vorliegende Studie viel mehr geworden als eine gewöhnliche sterile Polemik, indem sie uns tiefere und klarere Einblicke in das uns beschäftigende, hochinteressante, vergleichend psychologische Problem gebracht hat.

Wenn wir auf das vorhandene Tatsachenmaterial zurückblicken, so sehen wir, wie äusserst kompliziert diese Dinge liegen, und wie gut wir daran tun, uns allgemeiner Schlussfolgerungen über „Insekten" und ihr Sehen oder Nichtsehen von „Formen und Farben" zu enthalten, da eine solche Verallgemeinerung nur zu Irrtümern und Fehlschlüssen führen kann. Wenn man wünscht, diese Fragen zu verstehen, so darf man die Mühe nicht scheuen, ihnen bis in die kleinsten Einzelheiten nachzugehen.

Schliesslich sehe ich mich veranlasst, nochmals darauf hinzuweisen, dass Plateaus Erläuterung seiner Auffassung des sogenannten „Nicht-sehens der Form" bei Insekten nach all den Einschränkungen, die er selber nach und nach zu machen gezwungen war, sich sehr beträcht-lich der Auffassung Exners zu nähern beginnt, mit der ich selbst mich stets einverstanden erklärt habe. Der grösste sachliche Irrtum, dem Plateau anheimfällt, ist der, dass er manche Erscheinung, die bei den Insekten (besonders den Bienen) dem Gesichtssinn zuzuschreiben ist, auf den Geruchssinn zurückführt. Doch beschreibt Plateau in seinem Werk Nr. 5 (5. Teil, S. 62) die Manier, wie die Insekten ihren Flug lenken, in einer Art und Weise, die in allem Wesentlichen den wirklichen Tatsachen entspricht.[1]

---

[1] In einem späteren Werk (Der Gesichtssinn bei Anthidium manicatum, Ann. de la Soc. ent. de Belgique, XLIII, 1899) stellt Plateau folgende Tat-sachen fest:

1. Das Männchen von Anthidium fliegt horizontal zwischen den eng gedrängten Stengeln von Salvia horminum umher, ohne je anzustossen. Plateau erklärt diese Tatsache aus der Bewegungsart des Insekts, denkt aber nicht daran, dass er damit seinen früheren Schlussfolgerungen über ähnliche Fälle widerspricht, man denke an den Versuch mit dem Netz und auch mit dem Labyrinth, wo sich das Insekt doch gleichfalls, wenn auch langsamer, bewegte.

2. Das besagte Männchen jagt die andern Männchen seiner Spezies von der Gruppe Salvien weg. Daher muss es sie sehen und erkennen (Plateau sagt „an ihren Bewegungen").

3. Häufig macht es Fehler und stürzt sich, wenn es sich paaren will, auf Megachile, Antophora, Apis mellifica, selbst auf Ichneumon (natürlich ohne Erfolg). Plateau schliesst hieraus, dass sein Gesichtssinn schlecht sei, ohne den Widerspruch zu 2. zu bemerken. Übrigens weiss man ja schon lange zur Genüge, dass dergleichen, durch die Aufregung der Brunst hervorgerufene

Wie wir schon sahen, liegen die Gründe der irrigen Ansichten, durch die Plateau diese Fragen so verwirrt hat, einmal in seinen unzulässigen und immer wiederkehrenden Verallgemeinerungen, ausserdem aber in seiner fast völligen Ignorierung der psychischen Fähigkeiten der Insekten, ihres Gedächtnisses und ihres Assoziationsvermögens.

Irrtümer sogar bei Wirbeltieren vorkommen. Plateau hebt hervor, dass Anthidium diesen Missgriff nicht mit Lepidopteren begeht.

4. Plateau bemerkt ferner, dass um die erste Blütezeit von Salvia horminum die Hymenopteren geradewegs zu den seitlich vom Stengel angewachsenen Blüten und nie zu dem, noch lebhafter blau oder rosa gefärbten Büschel von Blättern oder Bracteen zu fliegen pflegen, die dem oberen Teil des Stengels aufsitzen. Er zieht hieraus den Schluss, dass nicht die Farbe, sondern der Geruch die Insekten anzieht. Ich hingegen ziehe daraus d e n Schluss, dass die Tiere wohl durch den Anblick zu unterscheiden wissen, welches ein Büschel gefärbter Blätter und welches die Blüte ist, die ihre Nahrung enthält.

Anhang zur 9. Studie: Kritische Besprechung der wichtigsten einschlägigen, seit 1900 erschienenen Arbeiten.

Miss Adele Fielde. Seit einer Reihe von Jahren hat Miss Adele Fielde[1] in New York einige Versuche an Ameisen unternommen, von denen ich mir schöne Resultate verspreche, die aber einen grossen Aufwand an Zeit beanspruchen, so dass ich selbst sie noch nie systematisch nachzuprüfen vermochte. Es handelt sich hierbei nicht nur darum, wie Huber, Lubbock, Janet, ich selbst und andere es getan haben, eine Ameisenkolonie in einem künstlichen Nest Tag für Tag zu beobachten, sondern darum, das individuelle Benehmen einzelner Ameisen einer dauernden Beobachtung zu unterziehen.

Miss Fielde hat für ihre Versuche sehr sinnreiche, einfache, leicht zu reinigende Glasnester angewendet und besonders eine Spezies bevorzugt, Aphaenogaster (Stenamma) fulva Roger, var. picea. Ich will hier nur einige ihrer, mir von hoher Wichtigkeit erscheinenden Resultate anführen:

1. Miss Fielde placierte während der Dauer eines Jahres zwei Kolonien (C und G) von Aphaenogaster fulva dicht nebeneinander; sie reinigte dieselben jede Woche eigenhändig. Trotz der Übereinstimmung des Geruchs, die, wie man denken sollte, bei der Nähe der beiden Kolonien bestanden haben muss, war nach Verlauf des Jahres die Feindschaft zwischen den beiden Kolonien noch genau so gross wie zu Anfang des Experiments.

---

[1] Adele M. Fielde, A Study on an Ant, Proc. Acad. Nat. Sc. Philadelphia 1901 nebst anschliessenden Artikeln ebenda 1902—1904 und in Biol. Bull. 1903, 1904.

2. Zwei jungfräuliche geflügelte Weibchen, am 5. August ausgeschlüpft, wurden am 22. August (also im Alter von 17 Tagen) durch
zwei Männchen derselben Kolonie, die vor wenigen Tagen ausgeschlüpft
waren, befruchtet. Die beiden Weibchen, die sofort isoliert wurden,
warfen nach wenigen Tagen die Flügel ab.

3. Ein jungfräuliches Weibchen kann ein ganzes Jahr lang leben,
ohne sich zu paaren, und behält in diesem Fall seine Flügel. Wenn
es sich dann mit einem, seit kurzem ausgeschlüpften (also um ein
Jahr jüngeren) Männchen vermählt, verliert das Weibchen seine Flügel
und begibt sich ans Eierlegen.

Miss Fielde beschreibt aufs genaueste zwei Fälle dieser Art. Licht
und Wärme reizen sowohl die männlichen wie die weiblichen Ameisen
zur Paarung. Findet das Ausschlüpfen spät im Sommer statt, so
überwintern die Weibchen und Männchen, ohne sich zu paaren und
warten, selbst wenn sie beisammen bleiben, mit der Paarung bis zum
nächsten Sommer. — Es geht aus den zahlreichen Untersuchungen
Miss Fieldes deutlich hervor, dass, wie bereits Huber als erster festgestellt hat, die Ameisenweibchen die Flügel verlieren, sobald sie
befruchtet, sie aber unbegrenzt behalten, solange sie jungfräulich sind.
Folglich schliesst Miss Fielde mit Recht, dass in den Fällen, in denen
die Weibchen trotz langen Zusammenlebens mit den Männchen im
Besitz ihrer Flügel blieben, keine Befruchtung stattgefunden hat.

Es ist äusserst wichtig, dass hierdurch klar konstatiert worden ist,
dass ein jungfräuliches Ameisenweibchen (das wir an dem Vorhandensein
der Flügel als solches erkennen), nicht etwa parthenogenetische Eier
legt, sondern dass es sich erst nach der Paarung, dann aber auch
unmittelbar ans Legen begibt. Dies führt zu der Vermutung, dass
die Männchen, wie auch ich schon gezeigt hatte, häufig, wenn nicht
stets, den parthenogenetischen Bruten der Arbeiterinnen entstammen.

4. Gedächtnis. Am 22. August 1901 entnahm Miss Fielde einige
Puppen aus der Kolonie C und hielt dann die zwischen 4. und 10. September aus diesen ausgeschlüpften Ameisen ganz isoliert. Diese
Ameisen wurden mit keinen andern in Berührung gebracht, doch
gab ihnen Miss Fielde eine Puppe von Formica subsericea, welche
von den Aphaenogaster wie die eignen gepflegt wurden. Am 26. September schlüpfte die Formica aus der Puppe und wurde nun weiter
sorgfältig gepflegt. Am 6. Oktober, als die Aphaenogaster einen
Monat und die Formica zehn Tage alt war, trennte Miss Fielde
diese letztere von ihren Pflegemüttern, setzte sie in eine andre, saubere

Zelle und verfuhr ebenso mit den Aphaenogaster. Ich muss hier bemerken, dass Miss Fielde die Zellen ihrer Ameisen mit heissem Wasser und Seife zu reinigen und sofort mit laufendem Wasser nachzuspülen pflegte.

Am 24. November, nach 50 Tagen der Trennung, tat sie die Aphaenogaster von neuem in eine saubere Zelle und setzte die Formica mit zu ihnen hinein. Diese letztere wurde von einer tollen Panik ergriffen, suchte zu fliehen und biss heftig zu, als sie sich angegriffen wähnte. Die Aphaenogaster dagegen blieben völlig friedlich. Nach und nach beruhigte sich auch die Formica, und nach Ablauf von etwa 14 Tagen war die alte Freundschaft wieder hergestellt, wie aus dem gegenseitigen Streicheln mit den Antennen zu erkennen war.

Nun setzte Miss Fielde zwei fremde Aphaenogaster (aus einer andern Kolonie) in eine saubere Zelle und tat die Formica zu ihnen. Sofort stürzten sich die Aphaenogaster auf die unglückliche Formica, die sie ohne das Dazwischentreten von Miss Fielde getötet haben würden.

Nach Beendigung dieses Gegenexperimentes setzte Miss Fielde die Formica wieder eine Woche lang zu ihren alten Pflegemüttern. Darauf trennte sie sie wieder von ihnen, isolierte sie und wusch jede Woche sorgfältig die beiderseitigen Zellen aus.

Am 5. Februar 1902, das heisst also nach wiederum einer Trennung von 50 Tagen, vereinigte Miss Fielde die Formica wieder mit ihren früheren Pflegerinnen. Dieses Mal gab es nicht den leisesten Streit, sondern es herrschte vom ersten Augenblick an vollkommene Freundschaft, die durch keinerlei Zeichen von Furcht, Abneigung oder Widerwillen getrübt wurde.

Miss Fielde schloss hieraus sehr scharfsinnig, dass sich das Gedächtnis der Ameisen offenbar mit dem Alter kräftigt, wofern es nicht der zweite längere Aufenthalt der Formica bei den Aphaenogaster war, der die freundschaftliche Reaktion beim dritten Aufenthalt zur Folge hatte, während das zweite Beisammensein mit einer so feindseligen Haltung von Formica eröffnet wurde.

Um ferner festzustellen, dass die freundschaftliche Reaktion der Aphaenogaster bei beiden Wiedervereinigungen nicht etwa einer allgemeinen Gleichgültigkeit entsprungen sei, setzte Miss Fielde ein fremdes Aphaenogaster-Individuum in ihre Zelle; dieses wurde sofort angegriffen. Auch fielen die Aphaenogaster am 11. Juni 1902 voller Wut über eine fremde Formica subsericea her (die einer andern Kolonie als der ihrer Pflegetochter entstammte). Dieses Begebnis ist gleichfalls von höchstem Interesse. Es bestätigt vollkommen jene Experimente, die ich selbst (in weniger vollkommener Weise allerdings) gemacht und in meinen „Fourmis de la Suisse" beschrieben habe, sowie auch v. Buttel-Reepens Erfahrungen über das Gedächtnis der Bienen. Ich empfehle die obigen Notizen der ganz besonderen Beachtung Bethes. Übrigens hat Miss Fielde noch mehrere Beobachtungen derselben Art gemacht und beschrieben.

5. Aus andern Erfahrungen, deren Wiedergabe an dieser Stelle uns zu weit führen würde, hat Miss Fielde geschlossen, dass der Geruch des Vaters sich den Nachkommen nicht mitteilt, sondern allein der der Mutter. Ihre zahlreichen Versuche auf diesem Gebiet sind äusserst bemerkenswert und werfen ein ganz neues Licht auf die Frage des Familiengeruchs. Sie bestätigen auch die Annahme, dass das Alter der Ameisen ihren Eigengeruch herabsetzt, dagegen aber ihr Gedächtnis kräftigt. Die alten Ameisen werden nicht so leicht wie die jungen in die Gemeinschaft einer fremden Kolonie aufgenommen. Diese Tatsache erklärt wahrscheinlich die von mir beobachteten und in den „Fourmis de la Suisse" niedergelegten Beispiele von Bündnissen zwischen verschiedenen, vorerst feindlichen Ameisenkolonien. Ich hatte dort erwähnt, dass nach vollendetem Bündnis und Amalgamierung zweier Kolonien einzelne Ameisenarbeiter ganz individuell auf gewisse Individuen der andern Kolonie böse bleiben und sie sogar noch misshandeln und verstümmeln.

Miss Fielde kommt also zu dem Schluss, dass die spontane Feindschaft zwischen Ameisen verschiedener Kolonien hauptsächlich zwei Gründen entstammt, die sich in allen möglichen Abstufungen vorfinden: a) dem Unterschied zwischen den Vorfahren in der mütterlichen Linie; b) dem Unterschied des Alters der Individuen und vor allem der weiblichen Koloniegründerinnen.

Übrigens ist keiner dieser Gründe absolut ausschlaggebend, da man Verbindungen zwischen Arten, ja selbst Unterfamilien in den verschiedensten Altersstufen beobachten kann; es handelt sich hier nur um gradweise Abstufungen. Andrerseits kommt es vor, dass Ameisen, die genealogisch derselben mütterlichen Linie entstammen, zu Feinden werden, wenn einige von ihnen, von den übrigen getrennt (besonders wo es sich um die Mutter oder Mütter einer Kolonie handelt), durch Alter ihren Geruch geändert und den Nestgeruch

15*

angenommen, bezw. auch einem neuen, von ihnen gegründeten Nest ihren eigenen Geruch gegeben haben. Diese primären Gründe der Feindschaft oder Freundschaft komplizieren sich aber häufig durch andere Momente, die teils auf dem Gebiet der Gewohnheiten, teils auf dem der Erfahrungen dieser Tiere zu suchen sind.

Um bezüglich des Alters ihrer Ameisen mit voller Sicherheit vorzugehen, markierte Miss Fielde dieselben mit Farbe und trennte sie sorgfältig von allen Larven und Puppen.

6. Miss Fielde hat schliesslich Lubbocks Experimente und die meinen über die Wirkung der Farben auf Ameisen nachgeprüft. Sie fand, dass Strahlen von grösserer Wellenlänge als die des Violett die Ameisen nicht beeinflussen, und dass diese überhaupt nur zwei optische Wirkungen zu unterscheiden scheinen: eine, die für ihre Empfindung der Dunkelheit gleichkommt und die sich von Rot bis Grün erstreckt, und eine, die für sie das Licht (das sie meiden!) darstellt und vor allem das Violett und Ultraviolett umschliesst. Im ganzen genommen bestätigt Miss Fielde durchaus unsere eigenen Resultate auf diesem Gebiet. Auch zeigt sie, wie man Ameisen allmählich mit dem Licht vertraut machen und sie ihrer Photophobie entwöhnen kann.

Seitdem hat Miss Fielde weitere Beobachtungen publiziert, nach welchen sie glaubt, die verschiedenen Varianten des Geruchsvermögens der Ameisen (Nestgeruch, Familiengeruch etc.) in den verschiedenen Fühlergliedern lokalisieren zu können. Es ist mir unmöglich, über die Richtigkeit dieser Angaben zu urteilen, und meine Zeit hat mir bisher nicht erlaubt, Kontrollexperimente anzustellen. Es kommt mir aber vor, als ob die Autorin in ihren späteren Arbeiten zu stark schematisiert hat. Die morphologischen Tatsachen scheinen mir dafür zu sprechen, dass die verschiedenen Varianten des topochemischen Geruchsvermögens viel eher nach der Art der Sinnesendigungen als nach den Fühlergliedern differenziert sind. Man vergleiche nur die Abbildungen der Sinnesorgane der Insekten auf Tafel I, S. 44. Ich möchte hier also so lange ein Fragezeichen setzen, bis diese Angaben mit hinreichender Genauigkeit nachgeprüft worden sind.

Im übrigen können die Experimente von Miss Fielde als Vorbilder der Sorgfalt, der Genauigkeit, der Ausdauer und der umsichtigen und scharfsinnigen Beurteilung hingestellt werden.

L. Kathriner (Biologisches Zentralblatt 15. IX. 1903, S. 646: Versuche über die Art der Orientierung bei der Honigbiene) kommt, ohne meine Arbeiten zu kennen, zu den gleichen Resultaten wie ich bei den Bienen. Er widerlegt Bethe in ganz ähnlicher Weise wie v. Buttel und ich und weist treffend die Widersprüche dieses Autors nach. Zuerst glaubt Bethe an eine „unbekannte Kraft", die die Bienen (die nach seiner Meinung das Innere der Stadt so wenig kannten wie den Meeresstrand) aus dem Stadtinnern zum Stock hinzog; als er nun am Golf von Neapel den Versuch von Romanes am Meeresstrand wiederholte, fanden die Bienen den Rückweg zum 1700—2000 m entfernten Stock nicht. Dies hat schon Romanes durchaus richtig dadurch erklärt, dass die Bienen sich bei ihrem Flug über das Wasser nicht durch den Anblick ihnen bekannter Vegetationsbilder orientieren konnten, durch den sie sich auf dem Lande zurechtfinden. Bethe, den seine „unbekannte Kraft" hier völlig im Stich lässt, findet es am wahrscheinlichsten, dass die Bienen auf ihrem Weg in der Luft eine chemische Spur zurücklassen, eine Annahme, die er früher mit Recht selber als „absurd" bezeichnet hatte. Jetzt aber will er damit erklären, warum Bienen aus Gegenden, die weit von den Stellen des gewöhnlichen Fluges entfernt sind, schlecht oder nicht heimfinden. Und nun schreibt Kathriner:

„Aus der Stadt also finden sie heim, trotzdem sie nach Bethes Meinung noch nicht dort gewesen waren; von der See finden sie nicht heim, weil sie noch nicht dort gewesen sind! Das mutet einem auch ‚wie ein Versteckspielen mit den Tatsachen' an".

Kathriner ist Bienenzüchter. Seine Beobachtungen und Experimente führe ich hier nicht näher an, weil sie sich mit dem bereits Geschilderten völlig decken. Wie ich, sah er Bienen, die Honig in einem Zimmer gesammelt hatten, mehrere Tage lang wieder in dieses Zimmer eindringen und suchen, obwohl gar kein Honig mehr darin war (Gedächtnis).

Eug. Andreae (Beihefte zum Botanischen Zentralblatt, Bd. XV., Heft 3 1903, S. 427: Inwiefern werden Insekten durch Farbe und Duft der Blumen angezogen?) hat Kontrollversuche angestellt, um Plateaus Angaben nachzuprüfen. Ich kann mich kurz fassen, denn die Versuche Andreaes liefern im wesentlichen nur eine erfreuliche Bestätigung der meinigen.

Bei den zahlreichen, sorgfältigen Versuchen Andreaes, bei welchen er vielfach die Blumen, den Honig etc. mit Glasglocken bedeckte, ist es sehr auffällig, wie häufig die Bienen etc. an die künstlichen Blumen flogen und diese sogar untersuchten. Dieses steht in geradem Widerspruch zu Plateaus Versuchen, und auch ich konnte dies nicht in gleichem Masse beobachten. Ich werde bei Plateau darauf

zurückkommen. Wie ich, wendet sich Andreae gegen Plateaus Verallgemeinerungen und weist die Verschiedenheit des Verhaltens bei
verschiedenen Insekten nach. Während zum z. B. Bienen nur an die
Farbenwürfel der Aussenwand eines Kastens flogen, flogen Prosopis
direkt zu den duftenden Lindenblüten, die im Kasten waren. Andreae
weist nach, wie die Aufmerksamkeit der blumenbefruchtenden Insekten
durch die Farben angezogen wird.

Joséphine Wéry (Bulletin de l'Acad. royale de Belgique, Décembre
1904, S. 1211: Quelques expériences sur l'attraction des abeilles par
les fleurs) hat ebenfalls sehr sorgfältig experimentiert, um Plateau zu
kontrollieren. Sie bestätigt im wesentlichen meine Resultate. Bezüglich
der künstlichen Blumen, die sie neben unter Glasglocken befindlichen,
entsprechenden natürlichen Blumen den Bienen vorlegt, kommt sie zu
gleichen Ergebnissen wie Andreae. Die künstlichen Blumen werden
von den Bienen hier sogar ebenso oft wie die natürlichen beflogen, ja
stärker als natürliche ohne Blumenblätter. Honig wird nicht beachtet. Frl. Wéry erwähnt auch interessante neue, privatim ihr mit-
geteilte Beobachtungen Erreras.

J. Perez (Mém. soc. des Sc. phys. et nat. Bordeaux 1903) und
E. Giltay (Jahrb. f. wiss. Bot. Bd. XL Heft 3, S. 368, 1904) haben
die Frage ebenfalls experimentell wieder aufgenommen und bestätigen
unsere Ansicht Plateau gegenüber. Ebenso Schröder (Allgemeine
Zeitschrift für Entomologie B. VI. Juni 1901).

A. Piéron (Comptes rendus des séances de la société de biologie,
Nov. 1906 et Févr. 1907) macht Experimente über Ameisen und ignoriert so ziemlich konsequent die unsrigen. Er behauptet, „mit Bethe
sei erst die Frage auf den Boden des Experiments gelangt" (!), und zwar
wegen der Ameisenbouillon-Versuche Bethes, deren Unrichtigkeit und
deren falsche Folgerungen Wasmann bereits erwiesen hat. Sonderbar
nimmt sich folgende Behauptung aus: „Les observations qui ont été
faites jusqu'ici sur l'orientation chez les fourmis ont toujours été don-
nées par les auteurs comme universellement valables" (ich habe
hier unterstrichen). — Und daraufhin zeigte er dasselbe, was ich seit
langen Jahren (bereits 1874 in meinen „Ameisen der Schweiz") stets und
ausdrücklich betont habe, nämlich, dass die Entwicklung der Sinne und
das Orientierungsvermögen je nach den Ameisenarten und -Gattungen
ungemein variiert. Neues bringt Piéron nicht vor. Was er liefert,
sind Experimente und Ergebnisse, die schon lange vorher von anderen
und speziell von mir selbst zutage gefördert worden sind.

Felix Plateau (Les fleurs artificielles et les insectes, Mém. sc. Acad
royale de Belgique, Bd. I. 1906; Note sur l'emploi de récipients en
verre dans l'étude des rapports des insectes avec les fleurs, Ibidem
Déc. 1906; Le macroglosse, Mém. soc. ent. belg. 1906; Les insectes et
la couleur des fleurs, Année psychologique de Binet 1907; Les insectes ont-ils la mémoire des faits. Année physiologique 1909).
Langsam aber sicher zieht sich Plateau allmählich zurück, verteidigt
jedoch dabei jeden Fussbreit seines Standpunktes. Zunächst gibt er
endlich das Vorhandensein des Ortsgedächtnisses bei Bienen etc. zu;
dies ist festzunageln.

Ferner suchte er den schroffen Gegensatz seiner Resultate mit denjenigen Andreaes und Frl. Wérys bezüglich der künstlichen Blumen
zu erklären und fand heraus, dass die gekauften künstlichen Blumen
oft mit dem getrockneten Receptaculum natürlicher Blumen und dass
sie teilweise auch mit Stärkepasten imprägniert werden, welche den
Insekten Nahrungsstoff liefern. Sodann prüfte er die von Frl.
Wéry benutzten künstlichen Blumen und fand dieselben mit Stärke
sowohl als mit einem Glucosid und einem Riechstoff imprägniert.
Man könnte nun meinen, er würde mit diesen Blumen und mit
stärke- und riechstoff-freien Blumen vergleichende Versuche anstellen.
Doch nein. Er wiederholt nur seine alten Versuche mit seinen selbst-
gemachten künstlichen Blumen, allerdings mit grosser Geduld (70 Versuche), und will seine früheren Angaben bestätigen. Er wirft noch
Andreae und Frl. Wéry vor, dass sie ihre Artefakte (auch in den
Glasglocken) zu nahe an den Platz stellten, wo die Bienen zu fliegen
gewohnt waren, so dass sie aus Gedächtnis hinfuhren und aus Versehen, wie sonst im Gebüsch, dahin flogen. Er selbst aber stellt
seine künstlichen Blumen an Stellen, wo die Bienen deshalb, weil
sie anderswo Futter finden, nur vorbeifliegen. Deshalb beachten
sie auch Plateaus Blumen viel weniger, was nach meinen Erfahrungen vorauszusehen war. Doch ist jetzt der Hauptdenkfehler Plateaus folgender: Er findet, dass viele Insekten einen Augenblick um
die künstlichen Blumen herum- und dann wieder fortfliegen. Dieses Resultat ist für ihn negativ; diese Tiere seien nicht „angezogen". In Wirklichkeit aber beweist dieses, dass die betreffenden Insekten die Artefakte beachten, in ihrer nächsten Nähe jedoch keinen Nahrungsstoff riechen oder schmecken und daher wieder fortfliegen. Und das
ist es eben, was wir andere alle sagen.

Der Unterschied der Ergebnisse Plateaus und derjenigen Andreaes und Frl. Wérys beruht nicht darauf, dass letztere schlechte Methoden anwendeten, wie Plateau behauptet, sondern darauf:

1. dass Plateau seine Resultate (teilweise) anders deutet;
2. dass Plateau alles tat, um die Aufmerksamkeit der Insekten von den Artefakten abzulenken, während die anderen umgekehrt verfuhren;
3. vielleicht auch noch zum Teil darauf, dass die künstlichen Blumen anders beschaffen waren; aber hier ist Plateau den Beweis schuldig geblieben, indem er nur mit der einen Sorte künstlicher Blumen operierte. Ich glaube kaum, dass dieses eine wesentliche Rolle spielt, sonst hätten Andreae und Frl. Wéry direkt die Bienen an ihren künstlichen Blumen lecken oder essen sehen müssen, wovon beide nichts berichten.

Da wo Plateau die künstlichen Blumen (z. B. in dreifacher Zahl) mitten unter die natürlichen (Dahlia) stellte, findet er doch selbst in $1^1/_4$ Stunde 12 kurze Besuche bei den künstlichen Blumen gegenüber 28 bei den natürlichen. Bedenkt man, dass die einmal enttäuschten Insekten nicht mehr zu den leeren Artefakten zurückkehren, so muss man sagen, dass dieser Versuch Plateaus gegen seine eigene Theorie spricht.

Zum Schluss sagt Plateau, dass die grellen, nicht aus Chlorophyll bestehenden Farben die Insekten nicht „anziehen". Das ist eben das alte zweideutige Wort. Dieser Satz sagt, wie wir oben gesehen haben, gar nichts aus. Es genügt, dass die Insekten Farben sehen, damit sie mit Hilfe derselben auf eine Nahrungsquelle, die ihnen sonst entgangen wäre, hingelenkt werden und sie dann aus der Nähe mit Hilfe des Geruchssinns völlig aufspüren.

Plateau hat in der Tat das Wort „Scherz" bezüglich der Angewöhnung eines Insekts, an den Futterplatz zurückzukehren, nicht für Hymenopteren sondern für Tagfalter gebraucht. Aber auch hier ist es kein Scherz. Die Tagfalter fliegen ebenfalls zu den ihnen bekannten Blumenbeeten zurück. Beim Dahliaexperiment habe ich Plateau vorgeworfen, die Bienen nicht im Beginn des Experiments besonders beachtet zu haben. Er verwahrt sich dagegen, wohl weil mein Einwand nicht deutlich genug formuliert war. Ich wollte sagen, dass Plateau darauf hätte achten sollen, ob die Bienen nicht nur deshalb zu den mit Blättern bedeckten Dahlienköpfen zurückkehrten, weil sie schon früher die gleichen Köpfe mit Erfolg besucht hatten, und dass man ihr Benehmen beim ersten Besuch hätte beobachten sollen. Plateau schloss damals (1895) aus seiner Beobachtung, dass es der Geruch wäre, der die Bienen zu den maskierten Dahlien hinzog. Er irrte sich und jetzt gibt er zu, es sei dies dem Ortsgedächtnis zuzuschreiben. Hätte er aber diese Dahlien maskiert, bevor die Bienen überhaupt ihre Bekanntschaft gemacht hatten, so wären die Insekten nie hingeflogen. Das wollte ich ihm einwenden, indem ich sagte, dass allein auf diese Weise der Gesichtssinn unabhängig vom Gedächtnis geprüft werden könne. Plateau hat somit meine Kritik missverstanden.

Nun versucht jetzt Plateau, meine Experimente über das Zeitgedächtnis bei Bienen anzugreifen. Er fängt damit an, eine schroffe Antithese zwischen Instinkt und Intelligenz aufzustellen. Dieses leere Stroh dresche ich nicht mit. Dann räumt er das Ortsgedächtnis ein, spricht aber bei Bienen von einem etwas verschiedenen Rückweg, dessen Richtung jedoch „immuable" (unabänderlich) sei, was einseitig und übertrieben ist. Richtig ist, dass Bienen, Wespen, Ameisen etc. oft beim Rückweg den gleichen Umweg wie beim Hinweg machen, durchaus aber nicht immer. Sehr oft lernen sie, sich zu korrigieren.

Dann behauptet Plateau, das, was ich Zeitgedächtnis nenne, sei nur die Erinnerung an eine Assoziation zwischen gefundenem Futter und dem Grad der Sonnenwärme oder der Beleuchtung. Das ist aber ein Irrtum, denn meine Bienen kamen zur Essenszeit in der Frühe, um 12 Uhr und abends 4 Uhr zum Esstisch unter einer grossen Platane, ganz gleichgültig, ob es wärmer oder kälter, heller oder dunkler war. Wirklich naiv belehrt uns Plateau darüber, dass bei einer Biene der Zeitbegriff nicht wie beim Menschen nach Stunden und Minuten reguliert wird. Ich kann ihn versichern, dass auch ich weiss, dass die Insekten keine Uhren in der Tasche tragen und dass ihre Zeitmessung keine konventionelle sein kann. Was aber Plateau übersieht, ist, dass dieses auch bei wilden Menschen der Fall ist, und dass diese noch besser als wir das sogenannte „Zeitgefühl" besitzen, das instinktiv, auf Grund der unterbewussten Reihenfolge der Empfindungen und Bewegungen unsres Körpers, uns Kenntnis der Zeit gibt. So sagt man mit Recht: „Mein Magen schlägt 12 Uhr" (d. h. Esszeit); so wacht man täglich oft ganz präzis zur gleichen oder zur vorgehabten Stunde auf und dgl. mehr. Kurze Zeiträume von einigen Stunden schätzen wir auf diese Weise ganz richtig ohne Uhr und Beleuchtung. Ein solches Zeitgefühl hat zweifellos auch die Biene und assoziiert es mit der Erinnerung an das an einem gewissen

Orte gefundene Futter (Honig). Ich glaubte, dies sei selbstverständlich aus meinen Experimenten zu entnehmen gewesen; ich habe mich, wie es scheint, darin geirrt, wenigstens wenn ich nach Plateau urteilen soll. Dann aber stellt Plateau einen neuen Begriff: „das Tatsachengedächtnis" auf, das er dem Orts- und Zeitgedächtnis entgegensetzt. Als solches wäre z. B. die Erinnerung an die Durchschneidung der Fühler oder des Vorderkopfes zu betrachten. Das Wiederfinden eines Weges, einer Blume etc. wäre dagegen kein Tatsachengedächtnis. Plateau scheint nicht zu wissen, dass alle sogenannten Tatsachen auf Assoziationen von Raum, Zeit und Qualitätenempfindungen beruhen. Tatsachen wären also nach ihm nur die empfundenen Verletzungen am eigenen Körper oder die Gefahren, welchen man ausgesetzt war. Weil nun Hummeln und Bienen, welchen man Fühler etc. abschneidet, dieses oft kaum zu beachten scheinen und gleich nachher wieder zu den Blumen fliegen, um Honig zu saugen, sollen sie kein „Tatsachengedächtnis" haben. Er glaubt offenbar daraus schliessen zu dürfen, dass sie diese Verletzungen vergessen haben. Weil eine in ein Spinngewebe geratene Hummel, die sich mit Mühe losgemacht hatte, sofort nachher zu den ganz nahe gelegenen Blumen zurückflog, glaubt er, sie habe diese, an jener Stelle ausgestandene Gefahr „vergessen". Der Denkfehler liegt hier auf der Hand. Erstens empfinden offenbar die Insekten sehr wenig Schmerz bei Gliederdurchschneidungen. Die Spinnen amputieren sich selbst, wenn man sie am Bein hält, und Bienen fressen oft weiter, während man ihnen die Fühler abschneidet. Plateau verswechselt diese Gefühlsstumpfheit mit Gedächtnisschwäche. Er denkt nicht daran, dass es auch verwegene oder gleichgültige Menschen gibt, die sofort nach überstandener Gefahr sich wieder der Gefahr aussetzen (haben nicht die Einwohner Messinas und San Franciscos gleich nach dem Erdbeben wieder ihre Häuser gebaut!); dass schwerverwundete Soldaten trotzdem weiter kämpfen, und vor allem, dass gerade bei sozialen Hymenopteren das Individuum für das Wohl des Stocks, der Gemeinschaft, viel besorgter ist als für sein eigenes Leben. Alle diese Dinge erklären mehr als hinlänglich das Benehmen der betreffenden Hummeln, Bienen usw. und haben mit einem Mangel an „Tatsachengedächtnis" nicht das geringste zu tun. Die Tiere merken wohl manchmal, dass sie verletzt worden, erinnern sich vielleicht auch, dass sie einer Gefahr eben entronnen sind, aber sie beachten beides viel weniger als die Notwendigkeit, Futter für den Stock zu holen.

Plateau wirft mir Irrtümer vor, die nur in seiner Einbildung bestehen. Er behauptet, ich hätte bei meinem Bienenexperiment stets mit Honig bestrichenes Papier benutzt. Das ist ganz irrtümlich. Ich habe ausdrücklich betont, dass die Bienen auch zu unbestrichenen, völlig honigfreien Papieren, und zwar sogar acht Tage nach den ersten Experimenten hinflogen, weil sie acht Tage früher auf ähnlichem Papier Honig gefunden hatten. Das ist Gedächtnis und Vorstellungsassoziation. Das Gleiche hat Kathriner (s. oben) gezeigt. Und v. Buttel hat gezeigt, dass die Bienen sich noch viel länger erinnern können. Mit einer direkten „Anziehung" durch den Honig (im gleichen Moment) hat es nichts zu tun.

Ich musste leider mich wieder so lange mit Plateau auseinandersetzen, aber es war unerlässlich, damit die ganze Frage geklärt und nicht verwirrt werde. Die Redlichkeit seiner Experimente macht zum Glück diese Klärung möglich. Gut ist es, dass Plateau endlich wenigstens die Trainierung der Insekten durch Angewöhnung anerkennt.

Von Buttel-Reepen (Bienen-Wirtsch. Zentralblatt, Hannover, No. 3, 1909; Stimmen der Wissenschaft) ist noch nicht überzeugt, dass die Bienen mangelhaft riechen, und glaubt meine diesbezüglichen Versuche durch ihre beengte Aufmerksamkeit, durch ihre Zwangsvorstellung erklären zu können, welche sie den Honig an einem ungewohnten Platz übersehen liessen. Ich habe ja selbst auf diese Art Zwangsvorstellung einer mit anderem beschäftigten Biene hingewiesen, aber hier genügt sie durchaus nicht, um alles zu erklären. Die Wespen sind ebenso geschäftig auf ihr Ziel konzentriert wie die Bienen. Warum merken sie aber trotzdem aus der Ferne den Honig, den die Bienen so konsequent aus nächster Nähe übersehen? Warum verlässt andrerseits eine auf Dahlien durchaus trainierte Biene dieselben sofort, wenn man ihr Honig auf grünen Blättern oder Papierstücken dicht am Rüssel darbietet, um ohne Zaudern zu diesen ungewohnten Objekten zu fliegen? Die Trainierung allein würde sie zu den Dahlien zurückführen. Von Buttel findet mein Experiment mit dem Drahtgitter nicht beweisend, weil die Bienen sich da gefangen fühlten. Warum aber naschten die gefangenen Bienen sofort am Honig, den sie berühren konnten, sobald das Gitter entfernt war? Das alles reimt sich absolut nicht mit gutem Riechvermögen zusammen. Von Buttel meint, wenn Bienen in einem ungewohnten Raum Honig entdecken und dann plündern, müsse doch zuerst eine Biene ihn mit dem Geruch aufgespürt haben. Warum entdecken aber die Wespen überall und sofort von weitem Obst, Honig, Zucker etc., wo immer er versteckt sei, während dies bei Bienen nur sehr selten und zufällig der Fall ist? Von Buttel weiss ja, dass, wenn eine oder zwei Bienen die Quelle entdeckt haben, die anderen bald folgen. Nun gebe ich sehr gern zu, dass, wenn in einem Zimmer eine grössere Quantität Honig lange Zeit liegt, derselbe so stark duften mag, dass die Fühler einer am Fenster vorbeifliegenden Biene ihn vielleicht einmal aufspüren. Das ist aber noch lange kein gutes Geruchsvermögen. Letzteres muss, den vielen negativen Beweisen gegenüber, in noch sehr viel präziserer Weise festgestellt werden, bis ich daran glauben kann. Ein solcher Nachweis ist für die Wespen leicht möglich, eben deshalb, weil diese gut und aus ziemlicher Entfernung riechen.

Ich frage noch, warum die Bienen, trotz ihrer „Zwangsvorstellung" ihr bisheriges Futterziel verlassen, sobald sie sechs oder sieben Gefährtinnen irgendwo hinfliegen sehen. Es ist nicht der Geruch daran schuld, sonst würde eine einzige Biene, die mit Honig heimkehrt, dazu genügen, was für gewöhnlich nicht der Fall ist (s. Lubbocks und meine Versuche).

Ich schlage nun folgendes Experiment vor: Man umgibt eine kleine Schale, die etwas Honig enthält, mit einem Drahtgitter und stellt sie in die Nähe eines freien Bienenstocks. Hier wird von Buttel zugeben müssen, dass nicht zu jeder Zeit und nicht alle Bienen auf bestimmte auswärtige Ziele trainiert sein können. Demnach, wenn die Bienen den Honig mit dem Geruch wittern können, müssen sie sich auf dem Drahtgitter sammeln und versuchen, den Honig zu erreichen (was sie natürlich dann nicht können). Man mache dann das gleiche Experiment mit Wespen. In beiden Fällen darf das Gitter selbst mit keiner Spur Honig beschmiert sein, denn sonst kann zu leicht eine Biene zufällig damit in Berührung kommen, und sobald ihre Aufmerksamkeit durch den direkten Kontakt mit dem Honig geweckt ist, werden ihr andre aus dem Stock folgen.

Anton Hermann Krause (Die antennalen Sinnesorgane der Ameisen, Inaug.-Dissert. bei Prof. Dr. H. E. Ziegler, Jena 1907) gibt eine Zusammenstellung der antennalen Sinnesorgane, die er genau nach Fühlergliedern und Geschlechtern bei einigen Arten zählt.

Er nennt die Tasthaare Sensilla trichodea, die Porenplatten Sensilla trichodea curvata, die Riechkolben Sensilla basiconica, die Champagnerpfropforgane Sensilla coelocona und die Flaschenorgane Sensilla ampullacea.

Beim Lasius fuliginosus und Formica rufa findet er nun:

	Las. fuliginosus Tasthaare			Las. fuliginosus Riechkolben			Formica rufa Porenplatten			Las. fuliginosus Champagner- pfropforgane			Las. fu Flasch
	Ar- beiter	Weib- chen	Männ- chen	Ar- beiter	Weib- chen	Männ- chen	Ar- beiter	Weib- chen	Männ- chen	Ar- beiter	Weib- chen	Männ- chen	Ar- beiter	Weib
rschaft	492—543	473—521	420—461	0	0	0	0	0	0	0	0	0	0	
sselglied	138—203	177—238	98—200	158	161	131—149	65	57—67	67	2. Gl. 1	2. Gl. 0—1	2. Gl. 1—2	2. Gl. 1—3	2. 1
(Keulen-) led	302—412	332—421	170—250	359	362	302—365	85	79—87	81	7—10	6—7	3—6	7—10	10

Die Porenplatten hat Krause nur bei F. rufa gezählt. Die Champagnerpfropf- und Flaschenorgane kommen im ersten Geisselglied nicht, im zweiten nicht immer vor. Interessant sind die individuellen Variationen sowie diejenigen nach den Geschlechtern. Am Fühlerschaft kommen nur Tasthaare vor. Krause hält wie ich die Tasthaare für Tastorgane, die Riechkolben und die Porenplatten für Geruchsorgane und meint, auch die Riechkolben dürften besonders dem Kontaktgeruch dienen. Champagnerpfropf- und Flaschenorgane hält er für Organe des Geruchs aus nächster Nähe, was ich nicht glauben kann.

Ein Männchen von Lasius fuliginosus zeigte 1853 Tasthaare, ein Weibchen 2178, ein Arbeiter 2076 an einem ganzen Fühlhorn.

Ein Männchen von Formica rufa zeigte 813 Porenplatten, ein Weibchen 735, ein Arbeiter 770 an einem ganzen Fühlhorn.

Ein Männchen von Lasius fuliginosus zeigte 2103 Riechkolben, ein Weibchen 2063, ein Arbeiter 2023 an einem ganzen Fühlhorn.

Ein Männchen von Lasius fuliginosus zeigte 21 Champagnerpfropforgane, ein Weibchen 18, ein Arbeiter 21 an einem ganzen Fühlhorn.

Ein Männchen von Lasius fuliginosus zeigte 13 Flaschenorgane, ein Weibchen 23, ein Arbeiter 15 an einem ganzen Fühlhorn.

Diese Zahlen geben einen guten Überblick über die Zahl der Nervenendorgane in den Fühlern einiger Ameisen. Ich habe sie selbst aus Krauses Detailzahlen addiert, sowie auch aus seinen einzelnen Tabellen die obige zusammenfassende konstruiert.

Zehnte Studie.

Die Orientierung im Raum.

A. Bewegungs-, Drehungs- und Gleichgewichtssinn. Sensomotilität.

Unter dieser Überschrift gedenke ich eine ziemlich komplizierte Frage zu besprechen, die zu verschiedenen Hypothesen und zu sonderbaren Missverständnissen Anlass gegeben hat. Es gibt hier zwei grundverschiedene Gruppen von Tatsachen zu unterscheiden.

Wenn wir uns im Raum bewegen, so haben wir, ebenso wie die Tiere, die Fähigkeit, unsre Stellung darin zu erkennen und uns zu orientieren. Was uns selbst betrifft, so wissen wir, dass diese Fähigkeit aus den vereinigten Empfindungen oder Wahrnehmungen des Tast- und Gesichtssinns hervorgeht, die, vereint mit unsern Erinnerungen, die Orientierung ergeben. Betreten wir z. B. bei dunkler Nacht unser Schlafzimmer, so finden wir uns dort sofort zurecht, greifen mit unsern Händen nach den Gegenständen, deren Stellung uns bekannt ist, und zwar nicht direkt vom Gesichts- oder Tastsinn, sondern von den Erinnerungen an die Raumverhältnisse des betreffenden Zimmers geleitet, Erinnerungen, die unsre früheren Gesichtseindrücke hinterlassen haben.

Wir besitzen keinen speziellen Orientierungssinn; Gesichtsund Tastsinn, besonders der erstere, und die in das Gebiet dieser beiden Sinne fallenden Gedächtniseindrücke orientieren uns im Raum; auch sind wir uns dieser Tatsache voll bewusst. Das Gehör spielt dabei eine geringe, Geschmack und Geruch so gut wie gar keine Rolle. So liegt der Fall beim Menschen, und es dürfte darüber kaum eine Meinungsverschiedenheit herrschen. Die Blinden lernen durch Übung, sich mittels Tast- und Gehörssinn allein zu orientieren, während den Normalen sein Gesichtssinn schneller und aus weit grösserer Entfernung orientiert.

Inzwischen haben wir bereits bei der Diskussion von Lubbocks Plateaus und meinen eignen Experimenten gesehen, dass es bei den Insekten ähnlich ist wie bei den höheren Tieren, obwohl sie in ihrem topochemischen antennalen Geruch noch einen besonderen Orientierungssinn besitzen, auf den wir später näher eingehen werden. Im Prinzip aber ist auch er nur ein Sinn, dessen Anordnung das Tier befähigt, sein Gehirn mit Vorstellungen über die verschiedenen Teile des Raums und ihre Beziehungen zueinander zu versehen. Diese Raumvorstellungen werden im Gehirn als Erinnerungsbilder (Engramme) fixiert, die dann als Erinnerungen für die Orientierung des Tiers bei seinen Bewegungen verwertet werden.

Ich hoffe zu beweisen, dass irgendeine andre geheimnisvolle Hypothese betreffend einen sechsten Sinn, einen sogenannten Orientierungs-Magnetismus oder dergleichen ebenso falsch wie überflüssig ist, und zwar gilt dies für das gesamte Tierreich. Die uns bekannten Sinne in ihrer vielseitigen Ausbildung sowie die durch sie erzeugten Gedächtnisbilder genügen, um alle bisher erforschten Tatsachen zu erklären.

Mach-Breuer.

Die Lösung der Frage des Sinnes für die Bewegungsempfindung haben wir vor allem E. Mach (1: Sitz.-Ber. der Wiener Akademie, 6. November 1873; 2: Mach, Grundlinien der Lehre von den Bewegungsempfindungen, Leipzig 1875; 3: Mach, Über Orientierungsempfindungen, Vortrag, Wien 1897 bei Braumüller) und Breuer (Anzeig. d. k. k. Gesellschaft der Ärzte, Nr. 7, 14. November 1873 etc.) zu danken. Es sind bei dieser Frage verschiedene Punkte zu unterscheiden.

a) Jede Muskelkontraktion, jede relative Verschiebung, jeder Druck auf irgendeinen Teil des Körpers reizt die Tastnerven, die sodann das Gehirn von dem lokalen Sitz der Verschiebung in Kenntnis setzen. Das ist nichts andres als eine Erscheinung auf dem Gebiet des Tastsinns.

b) Wir sind uns der Anstrengung, die mit jeder motorischen Innervation verbunden ist, bewusst. Doch haben Stricker sowohl als das sogenannte Gedankenlesen Cumberlands erwiesen, dass jede Willensanstrengung, selbst wenn sie keine Massenbewewegung auslöst, von wahrnehmbaren Muskelinnervationen begleitet ist, die stark genug sind, die Endigungen der Tastnerven zu reizen. Somit kann also b auf a, das heisst auf den Tastsinn zurückgeführt werden.

c) Vom Trägheitsgesetz ausgehend hat Mach andrerseits gezeigt, dass eine kontinuierliche Bewegung keine Empfindung bei uns auslöst, dass es vielmehr die Beschleunigungen, Verlangsamungen, Richtungsänderungen, die unser Körper erfährt, sind, welche Empfindungen in uns auslösen, und zwar ganz einfach durch die Tatsache, dass solcher Wechsel den Druck der einzelnen Körperteile gegeneinander sowie den Druck des Körpers auf die Gegenstände, die er berührt oder die ihn stützen, verändert. Auch hier dienen die Nerven des Tast- und Gesichtssinns (durch Verschiebung des Netzhautbildes) dazu, uns von den stattgefundenen Veränderungen zu unterrichten.

Nun haben aber Mach und Breuer durch geistvolle Experimente bewiesen, dass wir Beschleunigungen, Verzögerungen, Drehungen usw. unabhängig von Tast- und Gesichtssinn spüren. Sie haben gezeigt, dass der Sitz dieser Empfindung im Kopf zu suchen ist, und dass alles dahinzielt, sie im Vestibularapparat des Ohrlabyrinths zu lokalisieren. Die Erscheinungen der Seekrankheit (und umgekehrt der Landkrankheit nach der Ausschiffung), des Höhen-, des Dreh-Schwindels und des Gleichgewichts hängen mit dieser Empfindung zusammen.

Jede Beschleunigung der Bewegung erregt, je nach ihrer Richtung, einen Teil des Endapparats des Vestibulums (Vorhofs), indem die Gehörsteinchen („Otolithen", von Mach als — „Statolithen" bezeichnet) bezw. die Flüssigkeit der Bogengänge infolge des Trägheitsgesetzes zurückbleiben und so den Nerven erschüttern.[1] Die Anordnung der drei Kanäle entsprechend den drei Dimensionen des Raumes dient weiter dazu, die Winkel der Bewegungsänderungen räumlich anzuzeigen, d. h. also die totalen oder partiellen Drehungen in den drei Dimensionen. Mach ist der Meinung, dass das Vestibulum selbst dazu dient, uns Verzögerungen und Beschleunigungen in der gradlinigen Fortbewegung des Körpers zur Kenntnis zu bringen.

Ich verweise den Leser auf die Originalwerke von Mach und Breuer, aus denen aufs klarste hervorgeht, dass der Vestibularapparat unsern Kopf und somit auch unsern gesamten Körper in allen Fragen

---

[1] Yves Delage erhebt freilich dagegen Widerspruch, indem er die Ansicht verficht, dass sich kapillare Röhren, wie die Bogengänge es sind, in solchen Fällen wie solide Körper verhalten.

der Veränderung unserer Stellung im Raum und ihrer Schnelligkeit orientiert. Tatsächlich wird jede Bewegung durch eine Empfindung der Drehung oder der geradlinigen Fortbewegung angezeigt, welche Empfindung jedoch aufhört, sobald der Inhalt des Vestibularapparats selbst die Geschwindigkeit und Richtung des Körpers durch die Fortsetzung der Bewegung angenommen hat.

Indessen haben verschiedene andre Autoren die Bedeutung dieser Tatsachen insofern übertrieben, als sie dieselben auch zur Erklärung der Orientierung ausserhalb des Körpers herangezogen haben. Der Vestibularapparat stellt aber lediglich einen statischen, einen Gleichgewichtssinn dar und darf durchaus nicht als Sitz des Orientierungssinns im äusseren Raum aufgefasst werden. Schon seine innere Lage verhindert ihn daran, uns mit dem Aussenraum bekannt zu machen. Ja, er ist nicht einmal als absolut unentbehrlicher Faktor aufzufassen, da ja viele Taubstumme ihr Gleichgewicht auch ohne ihn zu bewahren wissen und es [nur unter Wasser verlieren, wo der Tastsinn infolge des Unmerklichwerdens des Drucks, den die einzelnen Teile des Körpers auf einander ausüben, seine Leistungsfähigkeit einbüsst.

Mach ist der Ansicht, dass das eigentliche Gehörorgan (die Schnecke) eine für die Wahrnehmung von Tönen bestimmte phyletische Spezialisierung des Vestibularapparats ist. Er glaubt, dass bei den niederen Tieren eigentliches Gehör noch nicht vorhanden ist, dass diese aber vermittelst der Otolithen eine Empfindung der Vibration haben, und dass hieraus das Organ des Gehörs hervorgegangen sei. Diese Theorie stimmt mit der Hypothese von Dugès überein, welch letzterer das Gehör bei Insekten als ein unechtes Hören, d. h. eine auf der Wahrnehmung von Vibrationen basierende Empfindung darstellt, eine Meinung, der ich selber beizupflichten geneigt bin.

Auf den Einwand Hensens, der dahin geht, dass es Tiere ohne Labyrinth gebe, und dass deshalb das Labyrinth kein Orientierungsorgan sein könne, antwortet Mach ironisch: „Schlangen haben keine Beine und bewegen sich trotzdem vorwärts; darf man daraus folgern, dass unsere Beine nicht Fortbewegungsorgane sind?"

Der Hensensche Einwand richtet sich indessen mit Recht gegen die einseitige Auffassung — die übrigens von Mach selbst durchaus nicht vertreten wird —, dass ohne den Vestibularapparat eine räumliche Orientierung überhaupt nicht möglich ist. Dieser Anschauung gegenüber ist zu konstatieren, dass die Gleichgewichtshaltung eines

Forel, Das Sinnesleben der Insekten   16

Tiers und seine Empfindung von Beschleunigung und Verlangsamung möglich sind auch ohne Vestibularapparat, und zwar auch bei Wesen, die normalerweise einen solchen besitzen, z. B. bei denjenigen Taubstummen, bei denen dieser Apparat verkümmert ist.

Soviel ist ferner sicher, dass bei Tieren wie den Insekten, die kein Labyrinth besitzen, seine Funktion durch die der andern Sinne vollständig ersetzt werden kann. Dies ist um so verständlicher, als es sich dabei um kleine Tiere handelt, deren ganzer Körper — wir haben auf diesen Umstand bereits hingewiesen — durch den leisesten Hauch erschüttert wird.

Eine fernere Schwierigkeit liegt darin, dass wir überhaupt unfähig sind, uns das Detail unsrer Bewegungsinnervationen bewusst vorzustellen oder bewusst zu empfinden. Wir haben nur ein unbestimmtes Gefühl davon, während wir uns des Details unsrer Sinnesempfindungen klar und deutlich bewusst sind; dennoch ist dieses motorische Detail wunderbar genau in unserm Gehirn registriert, sonst wäre ein Klavierspieler, überhaupt jede technische Fertigkeit undenkbar. Dieses Unterbewusstbleiben der motorischen Innervationen erschwert uns sehr das Verständnis der ganzen Frage; wir wissen bei uns selbst nicht viel mehr davon als das, was wir bei andren und bei Tieren beobachten. Und das gleiche gilt vom Gleichgewicht, vom Drehungsgefühl etc.

Aus diesen Gründen halte ich es auch nicht für zweckmässig, von einem besonderen Sinn des Gleichgewichts und der Beschleunigung zu sprechen. Mach vertritt die der ernsten Beachtung werte Ansicht, dass der Vestibularteil des Labyrinths ein spezielles Organ der Bewegungsempfindung sei, namentlich dass die sechs Ampullen der Bogengänge den sechs paarweise entgegengesetzten Grundempfindungen der Drehung entsprechen. Die Ampullennerven würden dieser Auffassung zufolge die spezifische Energie haben, auf jeden Reiz mit einer Drehempfindung zu antworten. Mit dieser Hypothese lässt sich arbeiten. Man muss aber alsdann diesen „Sinn" sowohl von der übrigen Sensomotilität, als auch von der Orientierung im Aussenraum streng unterscheiden.

Cyons vermeintlicher Raumsinn.

Wie man weiss, erhielt der Physiologe Flourens bei Tauben durch Durchschneidung der Bogengänge, die die Nervenendigungen des

Vestibulums enthalten, stets eine Gleichgewichtsstörung in den Bewegungen des Versuchstiers. Die drei Kanäle sind nach den drei Dimensionen des Raums angeordnet und die einzelne Durchschneidung jedes Kanals erzeugt eine Gleichgewichtsstörung und schwindelnde Bewegungen in der Richtung desselben. Diese Tatsachen sind absolut klar und verbürgt und ich selbst habe sie mehrere Wochen hindurch an von Cyon operierten Tauben bestätigt gefunden. Auch sind bei den Tauben diese Kanäle so weit vom Hirn entfernt, so gross und der Oberfläche des Schädels so nahe, dass der Einwand einer eventuellen zerebralen Läsion nur von Leuten gemacht werden kann, denen diese Verhältnisse unbekannt sind.

Vor nicht allzulanger Zeit hat Cyon (Pflügers Archiv für die gesamte Physiologie, Bd. 79, Heft 5, S. 211, 1900. „Ohrlabyrinth, Raumsinn und Orientierung") den Gegenstand wieder aufgenommen und seine Theorie durch neue Tatsachen zu stützen gesucht.

Cyon behauptet, dass das Flussneunauge Petromyzon fluviatilis, nur zwei Bogengänge statt drei besitze und sich nur in deren Richtung bewege, ferner, dass die sogenannte japanische Tanzmaus nur einen Bogengang besitze, nur nachts tanze, am Tag auf einer schiefen Ebene von 45⁰ nicht klettern könne und dergleichen mehr. Er will seine Beobachtungen mit den abnormen Verhältnissen 'der Bogengänge und mit seiner weiter unten zu besprechenden Theorie in Verbindung bringen, doch sind seine Angaben seither von durchaus zuverlässiger Seite widerlegt worden.

Unter anderm zeigt Mac Leod Yearsley, dass die Tanzmaus ganz wie die gewöhnliche Maus drei Bogengänge besitzt und dass Cyon offenbar schlecht präpariert hat. Wir können übrigens den Angaben Cyons um so weniger trauen, als er sich schon anderweitig öfter als unzuverlässig erwiesen hat. Immerhin möchte ich seine Theorie, die ursprünglich auf die Folgen der Durchschneidung der Bogengänge bei Tauben fusste, hier kurz skizzieren:

Er behauptet, dass die Schwindelbewegungen dieser Tauben entspringen aus:

1. einem Sehschwindel, hervorgebracht durch den Kontrast zwischen der Raumvorstellung, die von den operierten Tieren aus ihren Gesichtsempfindungen gezogen, und derjenigen, die von ihnen nach Durchschneidung der Bogengänge ideal gefühlt wird;

2. aus der aus obigem Umstand hervorgehenden falschen Vorstellung von der Stellung der Körper im Raum;

16*

3. aus Störungen in der Verteilung der Muskelinnervation, Störungen, die gleichfalls den obengenannten Umständen zuzuschreiben sind.

Es ist nur der dritte Punkt, d. h. der Wegfall der hemmenden Einflüsse auf die Innervation, der uns zu erklären vermag, weshalb die Tanzmaus das Gleichgewicht nach Verschliessung der Augen, nicht aber des Nachts, verliert.

Cyon schliesst aus diesen Tatsachen, dass der Ersatz der Bogengänge durch die Augen wahrscheinlich nicht auf bewusste Gesichtseindrücke, sondern auf andersartige, von den Augen ausgehende Reize zurückzuführen ist, die für gewöhnlich durch die Bogengänge ausgelöst werden. Schon im Jahre 1877 hat Cyon sich dahin geäussert, dass die Bogengänge durch Hemmung die Verteilung und Stärke der dem Körper zugesandten motorischen Innervation regeln. Chevreul behauptet, dass ihr Wegfall und nicht ihr Vorhandensein die von Flourens entdeckten planlosen Bewegungen bei Schwindel veranlasse.

Ohne hier auf weitere Einzelheiten der Experimente an Haifischen usw. einzugehen, will ich nur die Schlussfolgerungen Cyons wiedergeben.

a) Falls einer oder der andre Bogengang kongenital abwesend ist, kann der Gesichtssinn zum Teil dessen hemmende Wirkungen ersetzen, jedoch nur in bezug auf Gleichgewichtserhaltung bei verschiedenen Körperstellungen und auf den Übergang von einer Stellung in die andre, nicht aber in bezug auf Orientierung im inneren Körperraum.

b) Die Bogengänge sind die einzigen peripheren Organe des Raumsinns. Die von ihnen ausgehenden Empfindungen sind für die Vorstellung des Raums (in bezug auf die Stellung des eignen Körpers in demselben) unentbehrlich.

c) Die Fähigkeit, mittels derer sich das Tier in den verschiedenen Dimensionen des Raums bewegt, d. h. also sich orientiert, beruht auf dem im Vorhof (Vestibulum) lokalisierten Raumsinn. Empfindungen des Gesichts- und des Tastsinns können jene Fähigkeit nicht ersetzen. Ich lasse hier wörtlich Cyons Theorie über den Raumsinn folgen.

A. Die eigentliche Orientierung in den drei Ebenen des Raums, d. h. die Wahl der Richtungen des Raums, in denen die Bewegungen stattfinden sollen und die Koordination der für das Einschlagen und Einhalten dieser Richtungen notwendigen Innervationszentren ist die ausschliessliche Funktion des Bogengangapparats.

B. Die dabei erforderliche Regulierung der Innervationsstärken sowohl für diese Zentren als für diejenigen, welche die Erhaltung des Gleichgewichts und die sonstigen zweckmässigen Bewegungen beherrschen, geschieht vorzugsweise mit Hilfe des Ohrlabyrinths. Diese Regulierung wird aber gleichzeitig von andern Sinnesorganen (Augen, Tastorganen usw.) unterstützt. Beim Ausfall des Ohrlabyrinths kann eine solche Regelung in mehr oder weniger vollkommener Weise durch diese Organe ersetzt werden.

C. Die durch die Erregung der Bogengänge erzeugten Empfindungen sind Richtungs- und Raumempfindungen. Sie gelangen zu bewusster Wahrnehmung nur bei auf sie gerichteter Aufmerksamkeit. Diese Empfindungen dienen dem Menschen zur Bildung der Vorstellung von einem dreidimensionalen Raume, auf den er seinen Seh- und Tastraum projiziert.

D. Tiere mit nur zwei Bogengangpaaren (z. B. Petromyzon fluviatilis) erhalten Empfindungen von nur zwei Richtungen und vermögen sich nur in diesen zu orientieren; Tiere mit einem Bogengangpaar (Myxine und japanische Tanzmäuse) nur Empfindungen von einer Richtung und orientieren sich nur in dieser einen.

Cyon nimmt an, dass die Otolithen der Wirbellosen dieselbe Rolle spielen; Yves Delage hat dies bei Mollusken festgestellt.[1]

Hensen hat dieselben Einwände gegen Cyon wie gegen Mach erhoben.

Cyons Theorie ist weder klar noch beweisend. Selbst wenn die von ihm angeführten Tatsachen zuverlässig wären, was, wie wir sahen, nicht der Fall ist, so scheint mir doch seine Deutung derselben den Bogengängen eine viel zu grosse Bedeutung beizumessen. Die ganze Frage scheint mir noch keineswegs genügend klargelegt, und es bedarf meiner Meinung nach eines bedeutend grösseren Tatsachenmaterials, ehe man zur Bildung einer brauchbaren Theorie schreiten kann.

---

[1] Auch bei einigen Krustazeen. Siehe dieses Autors Arbeit „Sur une fonction nouvelle des Otocystes comme organes d'orientation locomotrices“ Arch. de Zoologie, 2. Serie, Bd. 5, 1887. Bezüglich Coelenteraten, s. Brooks, The Sensory Clubs or Cordyli of Laodice, Journal of Morphology, X, 1895, S. 287; und Hurst, 1. Supposed auditory Organs, Natural Science, Bd. 2, 1893, S. 350; 2. Suggestions as to the true functions of „Tentaculocysts“, „Otocysts“ and „Auditory Sacks“, ebenda, S. 421.

Ich möchte hier auf meine eignen Experimente über den Gehör-
nerv des Kaninchens hinweisen (Neurologisches Zentralblatt, 1885,
Nr. 5 und 9; Archiv für Psychiatrie, Bd. 18, Heft 1, Januar 1887; ferner
Onufrowicz Br., Experim. Beitr. z. Kenntn. des zentr. Ursprungs.
des Nervus acusticus, Archiv für Psychiatrie 1885, Bd. 16, Heft 3).
In diesen durch mich oder unter meiner Leitung unternommenen
Arbeiten, bei denen ich das Forschungsgebiet auch auf das Cere-
bellum ausdehnte, kam ich zu Resultaten, die ich in folgenden
Sätzen zusammenfassen kann:

1. Die durch die Zerstörung der Bogengänge hervorgebrachten
Bewegungen wiederholen sich bei jeder neuen Verletzung des Nervus
vestibuli, mag man auch bei diesen Verletzungen bis zum Kern
des Nerven hinaufsteigen, welch ersterer von Bechterew entdeckt
worden ist und sich beiderseits oberhalb des vierten Ventrikels unter-
dem Kleinhirnwurm befindet. Dieser Kern, der aus kleinen poly-
gonalen Zellen besteht, scheint den Charakter der motorischen und
nicht der sensiblen Kerne zu besitzen. In der Tat sind es diese Zellen,
die zum Teil atrophieren, wenn es gelingt, eine hinreichend bedeutende
partielle Läsion des Nerven zu erzielen und dabei doch das Tier am
Leben zu erhalten. Seine totale Durchschneidung erzeugt nämlich einen
bis zum Tode anhaltenden totalen Drehschwindel des ganzen Körpers.
Ich habe dieses Experiment zur Genüge wiederholt. Nun besitzt
der Vestibularnerv nicht ein eigenes Ganglion, wie der Schneckennerv
(Nervus cochleae) und die übrigen sensiblen Nerven es besitzen. Seine
Fasern scheinen zumeist in freien Verästelungen im Vestibularapparat
zu endigen. Dieser Nerv scheint also zum Teil eher den Charakter
eines motorischen als eines sensiblen Nerven zu besitzen. Wie ein
motorischer Nerv begibt er sich, wenigstens zum grossen Teil, direkt
von seinen Ursprungszellen an den Punkt seines Austritts aus dem
Gehirn, ohne eine Längsrichtung anzunehmen.[1]

---

[1] G. Alexander, „Zur Anatomie des Ganglion vestibulare der Säugetiere"
(Sitz.-Ber. d. k. k. Akad. d. Wiss. Wien, Math.-naturw. Kl., Bd. 108, Abt. 3,
Nov. 1899), hat die gangliösen Anschwellungen des in das Felsenbein ein-
geschlossenen Teiles des Vestibularnerven untersucht und schreibt ihnen alle
Neurone des erwähnten Nerven zu. Ich bin nicht in der Lage, diese Tatsache
nachzuprüfen. Trifft sie genau zu, so erwächst daraus die Verpflichtung, das
Experiment zu wiederholen, das zu der (allerdings nur partiellen) Atrophie der
Zellen des Bechterewschen Kerns an der Basis des Kleinhirns geführt hat. Auf
ieden Fall würde sie, falls ganz zutreffend, den Vergleich, den ich zwischen dem
Vestibularnerven und den motorischen Nerven gezogen habe, ausschliessen.

2. Der Schneckennerv (Hörnerv) hat einen ganz anderen Ursprung, ähnlich wie die sensiblen Nerven. Die Zellen seiner Neurone befinden sich teils in der Schnecke, teils im Ganglion acusticum, das ich beschrieben habe (Onufrowicz). Seine Verletzung und seine Totalexstirpation ziehen keine Bewegungsstörung irgendwelcher Art nach sich, wohl aber eine konsekutive Atrophie seiner Ursprungszentren (Ganglion acusticum, Tuberculum acusticum).

3. Die Totalexstirpation der Kleinhirnhemisphere des Kaninchens zieht keinerlei Bewegungsstörungen nach sich.

4. Auch die oberflächlichen Verletzungen des Kleinhirnwurms haben nicht derartige Folgen; nur die tiefen Läsionen desselben, die bis in die Region des Kerns des Vestibularnerven reichen, rufen Gleichgewichtsstörungen hervor.

Diese Resultate stimmen, wie man sieht, im allgemeinen ziemlich mit der Theorie von Mach überein und deshalb schien es mir angebracht, sie hier zu zitieren.[1] Auch v. Gudden und Schiff haben, schon vor mir selbst, soweit das Cerebellum in Frage kommt, dieselben Resultate erzielt, Wlassak hat das Cerebellum von Fröschen entfernt, ohne Gleichgewichtsstörungen dadurch hervorzurufen.

Indessen — und dieser Punkt ist hier von besonderem Interesse — scheinen Insekten kein Organ zu besitzen, dessen Läsion ähnliche Erscheinungen hervorruft wie die Läsion des Vestibularapparats der

---

Die verwickelten Beziehungen des N. vestibuli zu den Ganglienzellen — als seine Neurone — sind wie mir scheint, heute noch nicht genügend sichergestellt, so dass die Frage noch in suspenso gelassen werden muss.

[1] Cyon glaubt indessen beweisen zu können, dass eine Reizung des Gehörnerven (des Nerven der Schnecke) die Bogengänge erregt und die Empfindung des Raums erzeugt. Hierauf antworte ich, dass die Exstirpation des Schneckennerven kein Schwindelgefühl erzeugt, und dass uns Geräusche die schlechtesten Merkzeichen bezüglich des Raumes liefern. Man denke an eine gute Bauchredner-Aufführung, bei der allein die Stimmkontraste, die die Bauchredekunst ausmachen, genügen, unser Urteil bezüglich der Richtung, aus welcher die Geräusche kommen, völlig irrezuführen. Aus diesen Erfahrungen sieht man, wie wenig Aufklärung uns das Gehör über den Raum zu geben vermag. Ich selbst habe erlebt, wie ein Bauchredner zu wiederholten Malen eine Meute Jagdhunde irreführte, indem er fernes Bellen imitierte. Er liess durch seine Kunst die Meute nach jedweder Richtung, die er markierte, aufbrechen. Die Lokalisation von Gehörshalluzinationen seitens der Geisteskranken zeigt uns auch die ganze Willkür, mit der die Geräusche im Raum eingeordnet werden. Auch unter normalen Verhältnissen lokalisieren wir die Geräusche vorwiegend mit Hilfe der Zeugnisse, die von unsern andern Sinnen geliefert werden.

höheren Tiere. Lubbock hat die flaschenförmigen und champagner-pfropfförmigen Organe, die Hicks und ich selbst an den Fühlern von Ameisen und Bienen beschrieben haben, als mikroskopische Stethoskope hingestellt; Graber in den Fühlern von Fliegen vermeintliche Otolithen gefunden und die tympaniformen Sinnesapparate der Grillen und Feld-heuschrecken meisterhaft beschrieben. Alle diese Organe können indessen entfernt werden, ohne das Gleichgewicht des Insekts im mindesten zu stören. Die Halteren (Schwingkölbchen) der Dipteren enthalten allerdings ein Sinnesorgan und ihre Durchschneidung ver-hindert den Flug des Tiers; doch erzeugen sie keinerlei regellose Bewegungen (ich habe sie wiederholt entfernt), und für die Hinderung des Flugs liegen hier andre mechanische Ursachen vor. Die einzigen Verletzungen, die meiner Erfahrung nach Krampf- oder Schwindel-bewegungen bei Insekten auslösen, sind einseitige Verletzungen des Gehirns (oberes Schlund-Ganglion) und ebenso der Ganglien und Nervenstränge des Bauchmarks, und zwar waren es Manègebewe-gungen, die dadurch hervorgerufen wurden. Ferner werden noch all-gemeine Krämpfe durch Morphiumvergiftung hervorgerufen. Der spiralige Höhenflug von geblendeten Insekten (s. oben) gehört nicht hierher, denn auf dem Boden bewahrten dieselben die volle Koordination ihrer Bewegungen.

Die Verletzung der nervösen Zentren scheint lediglich auf der ver-letzten Seite eine Lähmung der zerebralen Innervation zu erzeugen (und zwar der willkürlichen, die dem Pyramidenstrang der Wirbeltiere entspricht). Indem diese Läsion die reflektorische Tätigkeit der ver-letzten Seite verstärkt, verleiht sie den Bewegungen notwendigerweise einen „Manège"-Charakter, da nur die Bewegungen der nicht-lädierten Seite durch den Willen gehemmt werden können, und infolgedessen die drei Füsse der (nicht-gehemmten) lädierten Seite die Oberhand über die entsprechenden (gehemmten) Füsse der andern Seite gewinnen.

Diese Versuche sind in einer ausgezeichneten systematischen Weise von Alexander Yersin an Grillen angestellt worden (Recherches sur les fonctions du système nerveux dans les animaux articulés; Bull. de la Société Vaudoise des Sciences Naturelles, Bd. I., Nr. 39—41, 1857 oder 58) und ich kann meinen Lesern nur aufs angelegentlichste das Studium dieser älteren Arbeit empfehlen. Yersin hat stets beobachtet, wie das Insekt sich nach der, der Ver-letzung entgegengesetzten Seite drehte, ob die Verletzung nun das obere Schlund-Ganglion oder eine der tiefer gelegenen Kommissuren betraf. Er hat die verhältnismässige Unabhängigkeit der nervösen Zentren u. a. durch die Tatsache bewiesen, dass nach Durchschneidung eines Verbindungsstrangs der Kopf der Grille, welcher bei einem Krümchen Brot, das zum Pressen reizte, oder gegenüber seinem Weibchen stehen zu bleiben wünschte, durch die Füsse daran gehindert wurde, indem diese letzteren im Weitervorwärtsschreiten beharrten. Wenn dann der Kopf sich mittels seiner Kiefer anklammerte, kam es auf diese Weise zu einem Purzelbaum. Trotzdem hat Yersin aber auch das Vorhandensein gekreuzter Reflexe nachweisen können.

Von einem besonderen Sinn für das Gleichgewicht oder für die Beschleunigung (von Cyons vermeintlichem „Raumsinn" ganz zu schweigen) finden wir indessen bei Insekten keine Spur. Vielleicht werden diese besonderen Spezifikationen bei den Insekten einfach ersetzt durch die gewöhnliche Sensomotilität, die durch den Tastsinn usw. vermittelt wird. Ist dies vielleicht so, weil die Insekten taub oder weil sie sehr klein und leicht sind? Ich will in dieser Richtung keine weiteren Hypothesen aufstellen, sondern die Frage auf diesem Punkte ruhen lassen. Spätere Forschungen werden darüber Klarheit bringen.

Dieselben Erwägungen und Tatsachen dienen auch dazu, Loebs Theorien bezüglich eines hypothetischen, geotropischen Sinnes, der unter der Herrschaft der Otolithen steht, zu widerlegen. Obwohl die Insekten einen solchen Sinn nicht besitzen, spazieren sie ebensowenig wie wir auf dem Rücken oder auf dem Kopf.

B. Fähigkeit der Orientierung ausserhalb des Körpers und vermeintlicher Richtungssinn.

Gehen wir nunmehr zur Orientierung im Raum ausserhalb des Körpers über, wie wir selbst sie vermittelst Tast- und Gesichtssinns fortwährend bewusst ausüben.

Ich will nicht noch einmal auf das zurückkommen, was ich anschliessend an meine Experimente über die Art und Weise gesagt habe, wie sich die Insekten nicht nur mit Hilfe ihrer Augen (dies besonders beim Fluge) und ihrer Fühler (dies besonders auf dem Boden), sondern auch durch Kombinierung der Wahrnehmungen verschiedener

Sinne und durch die Erinnerungen an ihre sinnlichen Wahrnehmungen orientieren.

Ich möchte hier bemerken, dass ich den Ausdruck Wahrnehmung für ein zusammengesetztes psychisches Phänomen assoziierter Empfindungen brauche, die normalerweise durch sinnliche Originalreize, verknüpft mit Erinnerungseindrücken früherer Reize, erregt werden. Eine Wahrnehmung ist somit nie primitiv oder primordial. Sie enthält immer Schlüsse aus früheren Erinnerungen.[1] Halluzination nennt man eine illusorische Wahrnehmung, die nur durch innere Reize auf Grund von Erinnerungen früherer sinnlicher Erregungen erzeugt wird.

J. H. Fabre (Souvenirs Entomologiques, 1879) hat einige sehr interessante Versuche bezüglich dessen gemacht, was er als Richtungsinstinkt („instinct de direction") bezeichnet. Nachdem er einige Chalicodoma (Mauerbienen, ca. $2^1/2$ cm lang) und andre gesellige Hymenopteren gezeichnet hatte, verschloss er sie in eine Schachtel und trug sie auf verschiedenen Umwegen in eine Entfernung von drei bis vier Kilometern; dort gab er sie frei. Trotz der Entfernung flogen die Insekten, nachdem sie sich zu einer gewissen Höhe emporgehoben hatten, zum grössten Teil direkt nach ihrem Neste zurück, wo eine ad hoc dort von ihm postierte Vertrauensperson sie nach Verlauf einer Viertel- bis zu einer ganzen Stunde wieder eintreffen sah. Eine gewisse Anzahl von den Tierchen blieb indessen aus. Wie mir scheint, hat Fabre die Wichtigkeit dieses letzteren Umstandes unterschätzt. Anstatt diese Tatsachen einem Richtungsinstinkt zuzuschreiben, ziehe ich selbst meine Schlüsse aus den Ergebnissen der ersten Kapitel dieses Buches und erkläre sie mir folgendermassen: Luftinsekten (ja Lufttiere im allgemeinen), die hoch über der Erde und den Gegenständen der Erde schweben, müssen eine ganz anders geartete Kenntnis der Örtlichkeiten haben als flügellose Tiere, eine gleichzeitig viel kompendiösere und viel umfassendere. Erdlebende Geschöpfe sehen den Horizont stets durch Hindernisse verstellt; dies erschwert ihre Orientierung durch den Gesichtssinn sehr wesentlich. Wenn wir uns

---

[1] Siehe R. Semon: Die mnemischen Empfindungen (Leipzig 1909, W. Engelmann), der diese ganze Frage in meisterhafter Weise analysiert hat. Einfache Empfindungen kommen überhaupt nicht vor, sondern nur Empfindungskomplexe. Diese hinterlassen Engrammkomplexe (Erinnerungsbilder), die dann durch die teilweise Wiederkehr des Reizkomplexes ekphoriert (erinnert) werden. Die Wahrnehmung besteht in einem „homophonen" Zusammenklingen des aktuellen Originalreizkomplexes mit den früheren ähnlichen „mnemischen", d. h. als Engramme aufbewahrten Komplexen (Forel 1909).

das geographische Bild vergegenwärtigen, das wir „aus der Vogel-
schau" vom Gipfel eines Berges geniessen, so erhalten wir eine ganz
schwache Vorstellung von demjenigen, was den Gesichtskreis eines
luftlebenden Geschöpfes ausmacht, nur dass das letztere seinen
Horizont von Augenblick zu Augenblick verschiebt und verändert, was
uns selbst bei unseren schwerfälligen Bewegungen unmöglich ist.[1] In
zwanzig Minuten hatten die Chalicodoma von Fabre eine Strecke
von mehr als drei Kilometern zurückgelegt! Sein Experiment
beweist mir somit nur die sehr lehrreiche und interessante Tatsache, dass seine Chalicodoma die Gegend zum mindesten in
einem Umkreis von zirka einer Meile kannten. Diejenigen, die
ihren Weg nicht fanden, waren höchstwahrscheinlich erst vor kurzem
ausgeschlüpft und hatten noch keine Gelegenheit gehabt, ihre Re-
kognoszierungsreisen so weit auszudehnen. Was mich in dieser
Überzeugung bestärkt, ist die Tatsache, dass die Arbeiterameisen,
obwohl flügellos, gleichfalls die Örtlichkeiten und die Richtungen in
einem Umkreis von mehreren Metern um ihr Nest herum kennen.
Eine Meile bedeutet aber für ein grosses Fluginsekt wie Chalicodoma
gewiss nicht mehr als sechs Meter für ein armes flügelloses Ameischen.
Ein Beweis hierfür ist, dass Chalicodoma in zwanzig Minuten seine
drei Kilometer überquerte, während die Ameise, falls isoliert, dieselbe Zeit benötigt, um einen Raum von wenigen Metern zurück-
zulegen.

Hieran anknüpfend möchte ich meine eignen Worte aus „Revue
de l'Hypnotisme", Juni 1893, S. 34, Vue et sens de la direction,
mit Bezug auf die Brieftauben in Erinnerung bringen. Ich sage dort:
„Professor Caustier (Revue de l'Hypnotisme, No. 1, S. 10, Juli
1892) beeilt sich zu sehr, die Frage des Gesichtssinns mit Hilfe der
Erdrundung in negativem Sinn zu erledigen. Er vergisst, dass Tauben,
noch mehr als Chalicodoma, in ihrem Hirn optische Erinnerungsbilder an Orte aufspeichern, über die sie in ihren freien Flügen
hingewandert sind. Warum erheben sich Tauben zunächst zu beträchtlicher Höhe, warum wenden sie dabei ihren Kopf nach verschiedenen Seiten? Warum suchen sie über den Nebel empor-
zusteigen, ehe sie eine bestimmte Richtung einschlagen? Warum ver-

---

[1] Freilich beginnt die Luftschiffahrt hierin Wandel zu schaffen. Man kann
aber bereits aus den Angaben der Luftschiffer ersehen, welchen ungeheuren
geographischen Überblick sie gewinnen, was meine diesbezügliche frühere Ansicht
nur bestätigt. (Forel 1909.)

liert eine gewisse Anzahl von Tauben den Weg? Warum besteht eine Maximaldistanz (250 bis 300 km), über die hinaus Tauben ihren Weg meist nicht zu finden vermögen? Warum ist es vorteilhaft, Probereisen nach derselben Richtung häufig zu wiederholen und dabei die Entfernung ganz allmählich zu steigern? Sprechen nicht schon alle diese Dinge sonnenklar für eine Orientierung durch das Auge? Wenn man aber die Rundung der Erde in die Diskussion ziehen will, darf man ihre Unebenheiten, die Berge, nicht vergessen. Der Montblanc ist aus der Ebene von einer Entfernung von mehr als 200 km sichtbar. Ist nun ein Individuum im Fliegen zu einer Höhe von 300 m gelangt, so erweitert sich sein Gesichtskreis ausserordentlich, und auch weniger hohe Berge werden von ihm aus grösserer Entfernung wahrgenommen. Caustier geht bei seinen Betrachtungen offenbar von der, in meinen Augen gänzlich irrigen Idee aus, dass eine Taube nur dann ihren Weg zu finden vermag, wenn sie von der Stelle aus, wo sie aufgelassen wird, die Lokalität ihres Taubenschlages direkt zu sehen vermag. Ich hingegen nehme an, dass es genügt, dass sie höchstens irgendwelches landschaftliche Merkzeichen, das zwischen Ausgang und Endpunkt ihres Fluges gelegen ist, erkennt.

Diese Tatsachen vermindern schon die Distanz, die wir von der direkten Gesichtswahrnehmung verlangen müssen, um mehr als die Hälfte. Wer sagt uns aber, dass die Tauben, die Vögel überhaupt, nicht auch instinktmässig die Sonne und die übrigen Gestirne zur Orientierung beim Fluge heranziehen?

Ferner muss noch eine weitere unbestreitbare Tatsache erwähnt werden, die Caustier ebenfalls bei der Annahme des berühmten Orientierungssinns ausser acht lässt; dies ist die Verkümmerung der Orientierungsfähigkeit beim zivilisierten Menschen.

Diese Verkümmerung ist in der Tat ungeheuer, verglichen mit der Orientierungsfähigkeit z. B. des Indianers von Nordamerika, und ist vergleichbar der Verkümmerung unseres Sehvermögens gegen das der Vögel. Der Indianer hat nicht nur ein viel schärferes Auge, sondern er versteht es auch unendlich viel besser, sich in der Wildnis zu orientieren. Dies ist die Folge der Übung, die wir selbst, dank dem Kompass, dem Stadtleben, den Strassen, den Eisenbahnen etc. so stark eingebüsst haben. Beim Vogel dagegen ist nicht nur das Auge viel besser entwickelt, sondern, wie wir oben sahen, geben ihm seine Aufenthalte in den hohen Regionen der Luft und seine rasche

Fortbewegung eine Orientierung über die Gegend, wie wir sie uns gar nicht vorzustellen vermögen und wie sie bei uns selbst nur ganz schattenhaft vorhanden ist. Was eine Meile für Chalicodoma (das Luftinsekt) bedeutet, entspricht 6 m für die Ameise (das Erdinsekt), und 250 km für die Taube entsprechen wohl 10 km für den Menschen; durch diese Gegenüberstellung erscheint unsere Frage völlig gelöst.

Man mache zur weiteren Sicherheit folgenden Versuch: Man schalte durch künstlichen Liderschluss (Ankyloblepharon) die Augen einer Taube oder einer Katze aus; dann wird man ohne weiteres sehen, dass der Richtungsinstinkt verschwunden ist, und dass diese Tiere ebenso unfähig sein werden, ihren Weg zu finden, sei es im Flug oder an der Erde, wie die Fliegen, Hummeln und Maikäfer, deren Augen ich gefirnisst hatte und die nur aufflogen, um überall gegen Erde und Wände anzustossen.[1] Wenn Bienen es nicht fertig bringen, ihren vom alten Ort entfernten Bienenkorb zu finden, so ist daran ihr schwacher Verstand schuld; ihr Auge führt sie immer wieder zu der alten Örtlichkeit zurück.

Um uns die Orientierungsfähigkeit der Vögel zu erklären, bedürfen wir daher weder eines sechsten Sinns, noch der Elektrizität, noch atmosphärischer Einflüsse, wie das von Viguier (Erdmagnetismus)

---

[1] Wie wir sehen werden, machte Cyon dieses Experiment, und zwar mit dem Erfolge, den ich vorausgesehen hatte.

Romanes (Nature, 29. Okt. 1886) transportierte einen Bienenkorb in ein nahe vom Meer und mehrere hundert Meter abseits von andern Wohnstätten gelegenes Haus, das von Blumengärten und Rasenflächen umgeben war. Er öffnete das Fenster sowie den Bienenkorb, um den Bienen Gelegenheit zu geben, die unmittelbare Umgebung auszukundschaften. Am Abend nahm er die Bienen, die von ihrem Orientierungsflug zurückkehrten, und setzte sie in eine Schachtel. Am nächsten Tag liess er den Bienenkorb geschlossen, nahm aber die Schachtel an das Meeresufer und liess dort, höchstens 250 m vom Bienenkorb entfernt, die Bienen heraus. Keine einzige fand von hier den Weg zu dem Bienenkorb, keine einzige kehrte heim. Er wartete mehrere Tage, um sicher zu gehn, dass die Bienen wirklich verloren seien, und wiederholte hierauf das Experiment noch verschiedentlich, stets mit demselben Erfolg. Als er jedoch später das Experiment dahin abänderte, dass er die Bienen nur bis zum Ende des Gartens auf beiden Seiten des Hauses trug, fand er, dass sie häufig noch vor ihm bei ihrem geschlossenen Bienenkorb in seinem Zimmer angelangt waren. Romanes schloss aus diesem wohlgelungenen Experiment, dass es die Kenntnis der Örtlichkeiten und kein besonderer Richtungssinn ist, der die Bienen leitet. Der Leser sieht hieraus, wie Romanes und ich selbst im Jahre 1886 unabhängig voneinander zu denselben Resultaten gelangt sind.

oder Bonnet (automatisch arbeitendes kartographisches Institut in den Bogengängen) angenommen worden ist. Ich muss gestehen, dass ich eine gewisse Befriedigung fühle, wenn ich bemerke, wie sehr Exners und Cyons Versuche meine schon 1886 und 1892 ausgesprochenen Ansichten, von denen jene Forscher keine Kenntnis gehabt zu haben scheinen, bestätigen.

Cyon machte seine Experimente in Spa (Belgien). Er stellte die ausserordentliche Entwicklung des Hinterkopfes sowie der Bögengänge bei den Brieftauben fest, er schrieb aber, und zweifellos mit Recht, diese Entwicklung ihrem ungewöhnlich kräftigen Muskelsystem und der enormen Stärke ihrer Innervation für den Flug zu.

Zunächst verklebte er nun die Augenlider verschiedener Tauben mit Kollodium. Diese Tiere fanden nicht einmal aus einer Entfernung von vier Schritt zu ihrem Schlage zurück.

Dann nahm er einige andere Tauben, von denen er einer die Nase, einer andern die Ohren mit Kollodium und einem Pfröpfchen kokainisierter Baumwolle verstopfte. Er transportierte sie 70 km weit vom Taubenschlag weg und liess sie am Ende einer Talmulde fliegen.

Die Taube mit verstopften Ohren kehrte zuerst, ja sogar früher als die normalen Tauben zum Schlage zurück.

Die Taube mit verstopfter Nase kehrte erst nach vier Tagen, und zwar nach Verlust ihres Kollodiums zurück.

Meiner Meinung nach legt Cyon diesem letzten Experiment allzugrosse Wichtigkeit bei, indem er daraus Schlüsse auf eine Orientierung mittels des Geruchssinns zieht. Ist es doch nur ein einzelner Fall, dem man weitere, mit grösserer Vorsicht eingeleitete Versuche zur Seite stellen müsste. Immerhin schreibt Cyon einen Hauptanteil bei der Orientierung dieser Vögel dem Auge zu.

Cyon räumt aber den Tauben auch intellektuelle Fähigkeiten ein und lenkt unsre Aufmerksamkeit diesbezüglich auf folgende Tatsachen: Eine Taube, die auf einem Umweg (c, d, e) von a nach b getragen wurde, kehrt gewöhnlich auf demselben Umwege zurück. Wenn es ihr jedoch, bei d, 100 km von a, angelangt, vermittelst kreisenden Fliegens gelingt, die Richtung, wo a liegt, zu erspähen, so fliegt sie in gerader Linie d—a dorthin zurück.

Häufig sieht man belgische Tauben, die nach Bordeaux transportiert worden waren, längs dem Meeresufer zurückfliegen statt längs der Bahnlinie, um sich die Orientierung nach dem Norden zu erleichtern. Reynaud glaubte ein Gesetz der „Rückrichtungsspur" („loi du contre pied") aus der Orientierung der Tauben beim Zurückfliegen herauskonstruieren zu können. Ich glaube, dass die angeführten Tatsachen diese Hypothese genügend entkräften.

Nimmt man Tauben aus demselben Taubenschlag und lässt sie, nachdem man sie in gehörige Entfernung transportiert hat, einzeln und unter Beobachtung grösster Vorsicht (dass nämlich keine von ihnen ihren Vorläufer sieht) fliegen, so sieht man, dass sie alle zunächst etwas verschiedene Richtungen einschlagen.

Cyon weist ferner auf die Erziehung der Brieftauben durch allmähliche Dressur hin und zieht hieraus, ebenso wie ich selbst, den Schluss, dass sie vermittelst Augen und Gedächtnis ihren Weg kennen lernen, so dass sie sich schliesslich auf eine Entfernung von 5—600 km hin zu orientieren wissen. Nur schreibt er ihrer Nase und deren Empfindlichkeit gegen Luftströmungen einen Teil der Orientierung zu und glaubt, dass die bekannte Schwierigkeit, die für Brieftauben mit dem Überfliegen der Alpen verbunden ist, mit den häufigen kalten Winden dieser Regionen zusammenhänge. Er sagt, die Taube liebt es, gegen den Wind zu fliegen, da dieser ihr Düfte entgegenträgt. Dabei aber rechnet er mit der Möglichkeit eines vom Geruchssinn unabhängigen nasalen Sinns (Spürsinn). Wir wollen ihm indes nicht weiter in diese Hypothese hinein, der jede feste Grundlage fehlt, folgen.

Dagegen möchte ich hier die Anschauung von Toussenel (aus dessen „Esprit des Bêtes"), einem Beobachter von grosser Erfahrung, nach Fabre (Souvenirs entomologiques, 1882) zitieren: „Der Vogel Frankreichs", so heisst es dort, „weiss aus Erfahrung, dass Kälte aus Norden, Hitze aus Süden, Trockenheit aus Osten, Nässe aus Westen zu kommen pflegt. In dieser Kenntnis steckt genügendes meteorologisches Material, um den Vogel mit allen Hauptrichtungen, deren er bei seinem Fluge bedarf, zu versehen. Die in einem verdeckten Korbe von Brüssel nach Toulouse transportierte Taube besitzt selbstverständlich nicht die Möglichkeit, mit dem Auge den Plan ihrer Reise zu übersehen; niemand jedoch kann sie verhindern, dass sie, dank den auf sie einwirkenden Wärmeeindrücken, bemerkt, dass sie in südlicher Richtung bewegt wird. In Toulouse frei gelassen, weiss sie daher sofort, dass der Weg, der sie von hier nach dem heimatlichen Schlage zurückbringt, nach Norden führt. Daher setzt ihr Flug geradenwegs in nördlicher Richtung ein und hält erst in denjenigen Breiten an, deren mittlere Temperatur der Zone, in der die Taube heimisch ist, zu entsprechen scheint. Findet sie ihre Heimat nicht aufs erste Mal, so ist der Grund der, dass sie sich zu weit nach rechts oder links gewandt hat. Stets aber bedarf sie nur weniger Stunden des Hin- und Herfliegens in westöstlicher Richtung, um ihren Irrtum gutzumachen.

Ich selbst kannte die Anschauung Toussenels, die mit meiner eignen übereinstimmt, bisher nicht. Fabre sucht sie durch seine Katzen- und seine Chalicodoma-Versuche zu entkräften, was ihm jedoch nicht gelingt. Es hat auch keinen Sinn, Verschiedenartiges durcheinander zu mischen. Sind doch die sinnlichen und intellektuellen Zusammenhänge bei der Katze, da diese nicht fliegt, ganz anders geartet. Wie wir noch sehen werden, und wie schon aus meinen früheren Erörterungen hervorgeht, erklärt Toussenels Anschauung nicht alles, und wir können nicht umhin, in ihr gewisse Lücken zu entdecken. Doch enthält sie ein wichtiges Element der Orientierung, ein Element, das notwendigerweise mit in Berechnung gezogen werden muss.

Noch vor Cyon hatte Exner[1] Versuche andrer Art gemacht, die ich in Kürze hier wiedergeben will: Die Taube liebt ihren Taubenschlag über alles und pflegt aus grösster Entfernung dorthin zurückzukehren. Dieser Instinkt wird ausgebeutet. Es wird versichert, dass, aus einer Anzahl von Tauben, die von den Vereinigten Staaten nach London gebracht wurden, drei Stück wieder den Weg über den Ozean zurückfanden.

Nach der Theorie von Mach-Breuer stellen die Otolithen einen Apparat dar, der dazu dient, die rektilinearen Beschleunigungen, die das Tier nach irgendeiner Richtung hin erleidet, wahrzunehmen und die Bogengänge einen Apparat, der zur Wahrnehmung derjenigen Beschleunigungen dient, die das Tier erleidet, so oft es sich irgendwie um seine Achse dreht. Exner hat nun versucht, die Orientierungsfähigkeit der Tauben auf dieser Grundlage zu erklären. Er hat entsprechende Versuche gemacht, die, wie er zugibt, ihn zum Aufgeben dieser Hypothese gezwungen haben. Ich gebe seine Versuche hier wieder:

Exner unternahm mit seinen Tauben einen Ausflug; dabei trug

[1] Sigm. Exner, Negative Versuchsergebnisse über das Orientierungsvermögen der Brieftauben. Wiener Akad. d. Wissenschaften Math.-naturw. Kl., Juli 1893.

er diese in einem mit einem schwarzen Tuch bedeckten Korb, den er immerfort rüttelte oder mit grösster Schnelligkeit um seine Achse drehte. Er tat dies vom Beginn der betreffenden Eisenbahnfahrt bis zu ihrem Schluss. Drei Tauben wurden auf diese Weise fortwährend geschüttelt und gedreht, drei andre ohne diese Manipulationen in voller Ruhe transportiert. Er brachte beide Gruppen nach einem 37,7 km von Wien, jenseits des Wiener Waldes gelegenen Ort, wo die Vögel nach Ansicht ihres Besitzers nie gewesen sein konnten. Dort wurden die Tauben, jede einzeln, freigelassen, und zwar die nächste immer erst dann, wenn ihre Vorläuferin verschwunden war. Alle kehrten ganz normal zum Taubenschlag zurück. Die (nicht geschüttelten) Kontrolltauben wurden zuerst freigelassen.

An dieser Stelle möchte ich mir den Einwand gestatten, dass das Experiment unzweckmässig angeordnet war. Die Tatsache, dass unsre eignen Augen eine Taube nicht mehr zu sehen vermögen, beweist durchaus noch nicht, dass das Auge einer Taube sie nicht erblicken könnte. Ausserdem wäre es richtiger gewesen, die geschüttelten Tauben zuerst zu befreien. Jedenfalls aber zeigt dennoch das Experiment, dass Schütteln und Drehen die Orientierung der Tauben in keiner Weise gestört hat.

Beim zweiten Versuche drehte Exner nicht nur seine Tauben während der ganzen Fahrt im Kreise herum, sondern er galvanisierte ausserdem noch ihre Köpfe in sehr sinnreicher Weise mittels eines elektrischen Stroms. Er galvanisierte so zwei Tauben, eine alte und eine junge, und gesellte ihnen zwei Kontrolltauben, gleichfalls alt und jung, bei. Diese vier Tauben transportierte er unter gleichen Umständen wie die des früheren Experiments nach einem 54 km von Wien gelegenen und von dieser Stadt durch eine Bergkette getrennten Ort. Die ältere galvanisierte Taube kehrte in 3 Stunden 32 Minuten zu ihrem in Wien befindlichen Schlag zurück, die ältere Kontrolltaube erst zwei Tage später. Die zwei jungen Tauben dagegen kehrten nicht wieder, die Kontrolltaube ebensowenig wie die galvanisierte. Die letztere verblieb am Endpunkt der Reise.

Dies Experiment scheint mir ebenso lehrreich wie ausschlaggebend, und zwar dank der Tatsache, dass die ältere gedrehte und galvanisierte Taube als erste wieder heimfand. Sehr bemerkenswert ist auch, dass die jungen, die bis dahin noch wenig von der Gegend gesehen hatten, nicht nach Hause zu finden vermochten. Diese Tauben waren auf der Hinfahrt mit einer Maske aus schwarzem Tuch versehen worden, um sie am Umschauen zu hindern. Ein Kontroll-experiment mit unverkappten Tauben liess drei von vier Tauben ver-loren gehen! Daraus geht klar hervor, dass es die Bergkette und die Fremdheit der Gegend waren, welche die Orientierung verhin-derten.

Schliesslich wiederholte Exner sein Experiment, indem er Tauben nach einem nur 28,8 km entfernten und durch keine Bergkette von Wien getrennten Ort transportierte, und indem er sowohl die gal-vanisierten, wie auch die Kontrolltauben zwei Tage am Endpunkt der Fahrt ruhen liess, ehe er sie wieder freigab. Das Resultat war, dass die galvanisierte Taube als zweite (in 40 Minuten) wieder eintraf.

Nun legt sich Exner die Frage vor: Sammeln die Tauben Erfahrungen auf dem Hinweg? Er narkotisierte, um diese Frage klarzustellen, zwei Tauben während der ganzen, 43 km betragenden Fahrt und be-liess sie vier Tage in Oberhollabrunn, dem Endpunkt der Reise, das durch eine hügelige Gegend von Wien getrennt ist. Darauf gab er sie und zugleich auch eine Kontrolltaube frei. Zwei von den Tauben, und zwar eine von den narkotisierten und eine normale gingen ver-loren, die andre narkotisierte aber kehrte in 4 Stunden 20 Min. zum Schlage zurück.

Exner wiederholte nun sein Experiment, indem er eine noch kürzere Reise mit zwei alten und zwei jungen Tauben unternahm. Davon waren je eine alte und eine junge narkotisiert. Die zwei jungen gingen verloren; die zwei alten kehrten zurück, und zwar die narkotisierte in kürzerer Zeit als die normale.

Ich kann mich nicht genug wundern, dass Exner aus so klaren Resultaten nicht den einfachen Schluss zieht, dass nur die Erfahrung und die optische Kenntnis einer Örtlichkeit der Orientierung der Tauben zugrunde liegen. Ich möchte zum Schluss den Taubenlieb-habern ein sehr einfaches Experiment vorschlagen:

Man lasse verschiedene Brieftaubeneier in einem grossen Käfig ausbrüten; dieser Käfig stehe in einem Zimmer, dessen Fenster durch einen mit starkem Mull oder ähnlichem Stoff bezogenen Rahmen ge-schlossen ist. Jedenfalls muss es ausgeschlossen sein, dass selbst eine Taube durch diese Bespannung, durch die jedoch Luft sowie diffuses Licht Zutritt haben, sehen kann. Sobald die jungen Tauben ihre Mutter entbehren können, nehme man letztere heraus. Nun werden die Täubchen in dem Käfig aufwachsen, ohne das mindeste von der Umgebung ihres Geburtszimmers zu sehen. Sobald sie die nötige Kraft besitzen, trage man sie, die Köpfe fest in schwarzes Tuch gehüllt, in einem wohlverschlossenen Korb nicht 20 bis 30, sondern nur 1 bis 2 km weit fort, entferne aber vorher die Mullbespannung vom Fenster jenes Zimmers. Wenn sie so ihren Käfig durch irgendeinen magnetischen, statischen, geotropischen oder sonst einen spezifischen Raum- oder Richtungssinn zu finden vermögen, werde ich mich diesem Zeugnis beugen und mich für besiegt erklären. Finden die Tauben unter den genannten Verhältnissen jedoch ihren Käfig nicht, so habe ich volles Recht, die Existenz jenes hypothetischen Sinnes zu leugnen und die Orientierung dem Gesichtssinn zuzuschreiben.

Zwei Vorsichtsmassregeln darf man bei dem Versuch nicht ausser acht lassen: das Fenster des Zimmers, in dem der betreffende Käfig oder Verschlag steht, muss so gelegen sein, dass der Inhalt des Zimmers aus der Entfernung direkt nicht gesehen werden kann; er muss also z. B. durch ein Haus oder einen Baum maskiert sein. Auch ist es notwendig, die Mutter während des Experiments gefangen zu halten, damit sie den Jungen nicht als Führerin dienen kann. Ich bin absolut davon überzeugt, dass die jungen Tauben, selbst bei noch geringerer Entfernung, den Weg zu ihrer Behausung nicht finden werden, und zwar aus dem einfachen Grund, weil sie ausserhalb des Zimmers, in dem sie aufgewachsen sind, keine optischen Erinnerungen besitzen.

Exner hat durch sein letztes Experiment dies Element der Kenntniserwerbung während der Hinfahrt ausgeschaltet, nicht aber die Möglichkeit einer früheren Orientierung und Kenntnis der Örtlichkeiten. Dies aber scheint mir der springende Punkt zu sein, auf den hier alles ankommt.

Kehren wir nun noch einmal zu Fabre und zu den Insekten zurück. Vielleicht hat es ohnedies der Leser einigermassen erstaunlich gefunden, dass ich mich bei Besprechung der Insektenorientierung so lang mit den Tauben befasst habe. Dies war jedoch absolut nötig, da man in dieser ganzen Frage falsche Wege eingeschlagen hatte.

Ich glaube nun gezeigt zu haben, dass die Orientierung der Vögel in der nämlichen Weise vor sich geht wie die der Insekten, und zwar ist die Übereinstimmung eine geradezu frappante. Von da bis zu der Folgerung, dass die Bogengänge und Otolithen, die diesen letzteren

17*

Tieren fehlen,[1] ohne Bedeutung für die Orientierung nach aussen
seien, ist nur ein Schritt (s. weiter oben meine und Yersins Experimente). Ein reiches Material von Tatsachen bekräftigt ausserdem,
dass der Gesichtssinn für alle Lufttiere der Orientierungssinn p a r
excellence ist, so dass jede Hypothese bezüglich eines weiteren geheimnisvollen Sinns dadurch überflüssig erscheint. Die einzige Klausel,
die hier zu machen wäre, ist, dass der Geruchs-, Tast- und Gehörssinn
dem Gesichtssinn zur Ergänzung dienen können, eine Ergänzung, die
je nach der Tierart mehr oder weniger wichtig erscheint, ja bei gewissen Tieren (Bombyciden[2], Fledermäusen und anderen) den Gesichtssinn an Bedeutung übertrifft.

Bei Fabres oben besprochenem Experiment müssen gewisse
Einzelheiten besonders beachtet werden. Von den mit Farbe markierten Mauerbienen (Chalicodoma), die er in einer Schachtel 3—4 km
weit forttrug, kamen meistenteils nur 30 bis 40°/o zurück. Von den
40 Mauerbienen, die er 5 km weit von ihrem Nest in einen Wald
transportierte, fanden 9 ihren Weg zurück. Gewiss mag Fabres Bemerkung, dass der Druck seiner Finger einige der Mauerbienen
vielleicht verletzte, zutreffen; indes sind diese Tiere ziemlich robust
und hart, und die Möglichkeit einer solchen Verletzung genügt meiner
Meinung nach nicht, um die grosse Zahl der verloren gegangenen
Mauerbienen zu erklären. In den meisten Fällen schlugen die Mauerbienen, nachdem sie sich in die Luft erhoben hatten, geradenwegs
die Richtung nach ihrem Neste ein, doch gab es auch einige Ausnahmen, indem sich die Tiere einer anderen Richtung zuwandten.

Bei dem Experiment, wo die Entfernung 5 km betrug, war der
Wald von dem Nest durch einen kleinen, 100 m hohen Hügel getrennt.
In einer Talmulde losgelassen, flogen bie Tierchen sofort in die Höhe,
beschrieben (ähnlich wie die Tauben) mehrere Kreise und eilten dann
südwärts, dem Hügel zu, hinter dem die Stätte ihres Nestes lag.
Warum aber kehrten nur 9 dorthin zurück? Hätte ein geheimer
Richtungssinn sie geleitet, so wären alle, die aufgebrochen waren, dort
eingetroffen. Weismann glaubt mit Recht, dass die an einer unbekannten und ihnen unsympathischen Örtlichkeit losgelassenen Mauer-

---

[1] Das, was Graber an den Antennen der Fliegen für Otolithen hält, kann
entfernt werden, ohne dass das Gleichgewicht im geringsten gestört wird. Das
Organ der Sensomotilität bei Insekten muss, falls es überhaupt existiert, erst
noch entdeckt werden.
[2] Die Bombyciden sind Schmetterlinge, keine Hummeln.

bienen durch den Anblick des Hügels angezogen wurden. Einmal über diesem angelangt, dürften dann die ältesten der Gesellschaft, die, welche die Gegend am besten kannten, einen bekannten Punkt und damit auch den Weg gefunden haben. Es kommt übrigens auch vor, dass Tauben zunächst nach getrennten Richtungen aufbrechen. Angeregt durch Charles Darwin, machte Fabre mit seinen Chalicodoma dasselbe Erperiment wie Exner mit seinen Tauben. Er schüttelte die Schachteln, in denen er die Tiere transportierte, und versetzte sie in Drehbewegungen, um sie zu verwirren; auch schlug er die verschiedensten Umwege ein. Der Erfolg des Drehungsmanövers war gleich Null, denn die so behandelten Mauerbienen kamen in gleicher Menge wie die ruhig fortgetragenen zum Nest zurück.

Nachdem Darwin hierauf Fabre einen Versuch bezüglich Erdmagnetismus vorgeschlagen hatte, bemühte sich letzterer, die Mauerbienen zu desorientieren, indem er auf ihrem Rücken eine kleine Magnetnadel befestigte. Doch vertragen diese Tiere beim Fliegen weder eine Nadel noch einen Strohhalm auf ihrem Rücken, und an diesem Umstand scheiterte das Experiment.

Ist es nicht äusserst bezeichnend, dass sich die ähnlichen Versuchen unterworfenen Mauerbienen fast genau so betragen wie die Brieftauben, ohne wie diese einen Vestibularapparat mit Otolithen zu besitzen? Man könnte geradezu von einer Miniaturausgabe desselben Experiments sprechen! Die Grenze ihrer Bekanntschaft mit einer Gegend pflegt über 4 bis 5 km freilich nicht hinauszugehen, während die der Tauben ein Gebiet von annähernd 500 km umfassen zu können scheint; doch vermag ich in dieser Tatsache kein Missverhältnis zu erblicken.

Albrecht Bethe.[1]

Bethe geht von einer vorgefassten Meinung aus. Für ihn sind die Insekten Reflexmaschinen, und jede vergleichende Psychologie eine Absurdität. Er denkt gering von all seinen Vorläufern und findet ihre Arbeiten offenbar äusserst minderwertig. Wir werden hierauf später noch zurückkommen. Hier wollen wir nur seine Experimente über die Orientierung bei Bienen und Ameisen ins Auge fassen. Doch

---

[1] Albrecht Bethe, Dürfen wir den Ameisen und Bienen psychische Qualitäten zuschreiben? Archiv f. d. gesamte Physiologie, Bd. 70, 1898.

hielt ich es für zweckmässig, gleich eingangs auf jene Eigentümlichkeit Bethes hinzuweisen, da Systeme und vorgefasste Meinungen bekanntlich stets das Experiment beeinflussen. Im übrigen aber haben die extremen Ansichten Bethes das Gute, dass sie die Fragen in ein schärferes Licht rücken. Um mathematisch exakt zu sein, spricht Bethe nicht mehr von Gesichtssinn, Geruchssinn usw., sondern durchweg nur noch von Photoreflex, Chemoreflex, Neststoff (statt Nestgeruch) usw.

A. Bienen. Bethe fragte sich zunächst, ob es eine riechende Substanz sei (nach ihm ein „Chemoreflex", doch werde ich mir erlauben, die alten Ausdrücke beizubehalten, da ich guten Grund habe, Bethes Terminologie zu verwerfen), die die Bienen nach ihrem Stock ziehe. Er betont, dass der Stock einen Geruch habe, den auch wir wahrnehmen, und weist darauf hin, dass das Männchen von Bombyx resp. Saturnia (siehe oben, Geruchssinn), von weitem durch den Geruch angezogen, das Weibchen mitten in einer Stadt zu finden wisse. Er glaubt, dass ein bestimmterer Nachweis dieser Tatsache die Hypothese geistiger Fähigkeiten bei Bienen ganz überflüssig machen würde. Ich muss hierzu bemerken, dass diese Logik ein wenig naiv ist; pflegen doch Bienen ausser dem Zurückkommen nach ihrem Stock noch verschiedentliche andre kompliziertere Handlungen zu vollführen.

Bethe veränderte die Stellung eines Bienenstocks (A), doch nur, indem er ihn um die Breite eines Stocks fortrückte, und setzte an die vorherige Stelle einen leeren Stock (B), der infolgedessen dem A dicht benachbart war. Die vom Felde zurückkehrenden Bienen flogen nun direkt zum Eingang von B (der an Stelle ihrer alten Behausung A stand). Sie drangen in den leeren Bienenstock ein, fanden nichts darin, flogen hinten wieder hinaus, kamen dann wiederum zum Flugloch zurück und so fort, der typische circulus vitiosus.

Die in A befindlichen Bienen verliessen ihren Stock nur zögernd und schüchtern; einige flogen fort, zeigten jedoch eine gewisse Verwirrung über die Neuheit der Lage des Flugbretts. Nach zehn Minuten waren indes eine ganze Menge abgeflogen. In diesem Augenblick kam die erste Biene wieder zum Flugloch von A, statt jedoch einzutreten, lief sie, mit den Flügeln schwirrend, über das Flugbrett, was andre ihr nachmachten. Den Stock selbst betrat keine, einige flogen nach der Türe von B. Nach weiteren 20 Minuten war ungefähr $1/20$ der Bienen zu A, die übrigen zu B geflogen. Schliesslich entdeckte eine der in den leeren Stock B hineingeratenen Bienen beim Suchen und

Herumstöbern einen Spalt, der den Durchtritt nach dem Stock A gestattete. Andere folgten dieser Entdeckerin und bald hatte sich eine ganze Reihe gebildet, die von Stock B nach A hinüberwandelte. Bethe schliesst hieraus mit Bestimmtheit, dass es chemische Spuren sind, welche die Bienen leiten, wenigstens beim Gehen, dass sie aber auch beim Fliegen von einer chemischen Substanz dirigiert werden, insofern mehrere neue Ankömmlinge sofort zu A flogen, weil, so schliesst er, die aus A ausgeflogenen Bienen ihren Geruch (chemische Spur) auf dem Flugbrett zurückgelassen hätten.

Ich selbst kann diesen Schlussfolgerungen schon deshalb nicht zustimmen, weil ich auf Grund mehrfacher Versuche (s. oben bei Plateau) den schwachen Geruchssinn der Bienen erkannt habe. Erstlich konnten die Bienen, die ihren Gefährten gehend von einem Stock zum andern folgten, dies ebensosehr unter dem Einfluss des Gesichtssinns wie des Geruchssinns getan haben (tun sie solches doch auch bei abgeschnittenen Antennen), und dies genügt schon, um Bethes „Bestimmtheit" mit einem Fragezeichen zu versehen. Ferner waren die Bienen, die zu A flogen, zweifellos mit denen identisch, die von A hergekommen waren, und hatten durch das Auge die Richtung wiedergefunden oder andere · Bienen bei diesem Stock gesehen; ja man kann dies aus unsern Experimenten (s. Studie Plateau) direkt beweisen.

Doch erkennt Bethe schliesslich selbst die Undenkbarkeit einer chemischen oder Duftspur in der Luft, die ja doch durch jeden Windhauch verweht werden würde.

Bethe drehte ferner einen Bienenstock 90° um seine Achse. Die zurückkehrenden Bienen flogen nun zu der Stelle, wo das Flugloch bisher gewesen war, setzten sich dann auf das Dach des Stocks und schwirrten mit den Flügeln, sie „heulten". Längere Zeit ging hin, ehe sie das umgesetzte Flugloch entdeckten, und auch dann fanden sie es nur im Gehen, trotzdem sie andere Bienen herausfliegen sahen.

Nun stellte Bethe seinen Stock auf eine Scheibe, die er wagerecht mit beliebiger Geschwindigkeit drehen konnte, und liess ihn so binnen einer Viertelstunde eine Wendung von 90° in der Richtung von Ost zu Süd beschreiben. Bei 30° Wendung gingen die Bienen noch ziemlich direkt, ohne anzuhalten, nach dem Flugloch; doch bei 45° Wendung nach Ablauf von sieben Minuten begannen sie vor dem Einschlüpfen mit den Flügeln zu schlagen, wodurch vor dem Flugloch eine gewisse Zusammenknäuelung entstand; immerhin wichen die

Bienen in ihrer Gesamtheit mit nach Süden ab. Je weiter aber die Drehung des Stockes vorschritt, desto dichter wurde der Schwarm, der sich ansammelte, desto weniger Bienen fanden ihren Weg bis zu dem von ihnen abgerückten Flugloch. Bei 90° Drehung war der Schwarm ein sehr ansehnlicher geworden und nur wenige Bienen drangen jetzt noch bis zum Flugloch durch. Einige setzten sich auf den Gipfel des Stocks und erreichten den Eingang von dort zu Fuss. Die grössere Zahl flog im Schwarm in einer mittleren Richtung von 45° (zur ursprünglichen Stelle des Fluglochs). Bewerkstelligt man die Drehung des Stocks in etwas langsamerem Tempo, also 20 Minuten für 90°, so folgt der Schwarm der Drehung etwas besser (sogar recht gut bis zu 45°), doch bei 135° fand kaum eine einzige Biene das Flugloch. Ein noch langsameres Manövrieren änderte an diesem Resultat nichts. Bethe war nicht imstande, den heranfliegenden Schwarm mehr als 45° von der ursprünglichen Flugrichtung abschwenken zu lassen. Nachdem Bethe den Stock während vier bis fünf Stunden in einer Drehung von 45° zur ursprünglichen Stellung belassen hatte, drehte er ihn plötzlich wieder in die normale Lage zurück. Es zeigte sich bald, dass die Bienen, die sich allmählich gewöhnt hatten, in dem Winkel von 45° (also in südöstlicher Richtung) zu fliegen, diese Richtung noch eine gewisse Zeit lang innehielten, wobei sie aber im letzten Augenblick eine Schwenkung nach rechts machten, um das Flugloch zu gewinnen. Dieser Flug nach Südost und diese plötzliche Schwenkung fanden jedoch nicht statt, wenn er den Stock nach nur sechs oder sieben Minuten der Umsetzung in die normale Stellung zurückbrachte.

Nun kommt es noch besser. Bethe schob seinen Stock um 50 cm weiter rückwärts. Jetzt flogen die Bienen nach der Stelle, wo erst das Flugloch war und beschrieben dann Drehungen in der Luft. Sie mussten dabei direkt an der Front ihres Stockes hinfliegen und einige von ihnen traten auch in ihn ein. Immerhin bildete sich dort, wo die Tür zuvor gewesen war, ein gewisser Auflauf von Bienen. Setzte er den Stock um zwei Meter weiter zurück, so fand kaum eine einzige Biene das Flugloch, statt dessen bildete sich ein riesiger Schwarm in der Luft an genau derselben Stelle, wo früher das Flugloch gewesen war, das heisst also, zwei Meter vor der jetzigen Front des Stockes. Allerhöchstens kam es vor, dass alle zwei bis drei Minuten eine einzelne Biene das wirkliche Flugloch entdeckte. Sämtliche übrige Bienen flogen in Kreisen von 0,20 bis 2,5 m Durchmesser am früheren Standpunkt des Stocks in der Luft herum. Setzte man aber den Stock an die alte Stelle, so stürzte sich der ganze Schwarm mit Gier darauf zu. Stellte man statt dessen eine leere Kiste mit Öffnung an die Stelle des originalen Fluglochs hin, so kamen die Bienen gleichfalls heran und betraten die Kiste in einer mehr oder weniger zögernden Art und Weise. Dieser Trick ist übrigens allen Bienenvätern bekannt und wird von ihnen angewendet, so oft sie die Bienen zum Betreten eines neuen Stockes zu veranlassen wünschen.

Stellte man nun den Stock weiter vorwärts statt rückwärts auf so kam es ganz darauf an, in welchem Niveau die Bienen angeflogen kamen. War dies Niveau ziemlich horizontal, so konnte man den Stock mehr als einen Meter nach vorn rücken, ohne die Bienen am Einfliegen zu verhindern. Kamen die Bienen aber in steiler Richtung an, also in einer Linie, deren Endpunkt, nach Vorwärtsrücken des Stocks, sich 1 bis 2 m hinter demselben befand, so verfehlten die Bienen den Stock und versammelten sich in einem Schwarm hinter demselben, an der früheren Stelle des Fluglochs, ebenso wie sie zuvor sich weiter vorn versammelt hatten. Im Vorbeigehen die Bemerkung, dass dies als ein guter Beweis für den Einfluss des stürmischen Anlaufes und des Gesichtsvorstellungsbannes gelten kann, unter dem sich die Biene beim Heimflug zu befinden pflegt.

Nahm man das Verrücken des Stocks langsam und allmählich vor, so machte dies keinen Unterschied in dem schliesslichen Resultat. Der Schwarm bildete sich in ebensolcher Weise vor oder hinter dem Stock, stets an der Stelle, wo das Flugloch früher gewesen war. Höchstens war die Zahl der Bienen, die das Flugloch fanden, etwas grösser. Bethe fügt hier wieder hinzu, dass die Bienen, deren Fühler er abgeschnitten hatte, trotzdem aus einer Entfernung von 25 bis 30 m geradenwegs nach ihrem Stock flogen (ein Resultat, das sich mit den meinigen völlig deckt).

Aus diesen Experimenten schliesst Bethe, dass der Neststoff keine vorwiegende Rolle bei dem Vorgang des Heimfindens der Bienen spielen kann. Etwas muss sie leiten, das unabhängig vom Stock ist. Dieses Etwas führt sie nicht zu dem Stock, sondern zu dem Platz im Raume, wo ihr Stock bis dahin stand. Das Geräusch oder das „Heulen" der andern Bienen (mit andern Worten der Gehörssinn) leitet sie nicht, sonst müssten sie dem weggerückten Stock folgen, in dem ihre Gefährten sich vernehmlich machen.

Wir werden auf diesen Punkt noch zurückkommen. Bethe glaubt
ferner beweisen zu können, dass es auch nicht Gesichtserinnerungen
sind, welche die Bienen leiten. Das Folgende sind seine Experimente
nach dieser Richtung:

Ein Stock wurde mit der Front nach Osten aufgestellt, und die
Bienen flogen naturgemäss beim Hin- und Rückflug in östlicher (resp.
in umgekehrter) Richtung. Nach mehreren Tagen stellte nun Bethe
den Stock mit der Front nach Süden auf (indem er ihn um 90°
drehte). Noch einige Monate nach dieser Änderung aber flogen die
Bienen stets nach Osten. Der Stock war von 6 m hohen Platanen
umgeben, wovon die im Osten und Süden des Stocks in einem Abstand von 6 m von diesem standen. Im Nordosten und Osten befanden sich zwei freie Zwischenräume, die von den Bienen bei ihrem
ostwärts gerichteten Fluge benützt wurden. In der Idee, dass diese
freien Stellen vielleicht die Ursache jener Flugrichtung gewesen sein
könnten, brachte Bethe einen grossen dunkelbraunen Wandschirm,
3 m breit und 2½ m hoch, derartig an, dass er den genannten
Zwischenraum verstellte. Die Bienen liessen sich hierdurch gar nicht
stören, sie flogen meist einen Meter hoch über den Schirm hinweg,
und dies sowohl beim Ab- als auch beim Heimfliegen. Bethe glaubte
schliessen zu können, dass die Bienen den Schirm erst aus einer Nähe
von 1½ m erblicken konnten und dass ihr östlicher Flug instinktiv
stattfand. Meiner Meinung nach gestatten die Tatsachen diesen Schluss
keineswegs, hauptsächlich, weil so viele andere Faktoren mit in Betracht
kommen, besonders der ganz alltägliche, dass die Bienen es liebten,
an jenen östlich gelegenen Stellen zu fouragieren, und ganz automatisch (wie wir selbst) ihrer alten Gewohnheit folgten, nach dieser
Richtung hin abzufliegen, auch wenn sie dabei das durch den
Schirm gebildete Hindernis zu umgehen hatten.

Bethe prüfte das Fabresche Drehungsexperiment, ja sogar — und
zwar mit Erfolg — das von Darwin vorgeschlagene mit der magnetischen Nadel nach. Weder das Drehen noch die auf dem Rücken
angebrachte Magnetnadel verhinderte die Bienen, ihren Weg zu finden.
Dieses Resultat war von vornherein zu erwarten. Auch wiederholte
Bethe mein eigenes Experiment des Firnissens der Bienenaugen und
beobachtete dabei ebenso wie ich ihr jähes Emporfliegen und die
Unfähigkeit zur Orientierung. Er findet sich jedoch schnell mit dieser
Tatsache ab, indem er das Licht für den erregenden Reiz erklärt,
der diese Tagesinsekten zum Fluge veranlasst und dabei den Flug

reguliert. Die Tatsache, dass die geblendeten Insekten sich nicht mehr zu dirigieren wissen, beweist für ihn „gar nichts".

Ich sehe mich indes gezwungen, gegen diese Behauptung, die ebenso kühn wie willkürlich ist, aufs lebhafteste zu protestieren. Sie beruht auf einer ganz falschen Voraussetzung. Plateau und ich haben gezeigt, dass Schlammfliegen (Eristalis), Maikäfer, Noctua-Arten und andere Insekten trotz gefirnisster Augen spontan wegfliegen, jedoch unfähig sind, sich im Flug zu dirigieren. Diese einfache Tatsache widerlegt ohne weiteres die Behauptungen und Argumente Bethes. Was heisst übrigens den Flug zu „regulieren" (Bethe) anders als sich im Flug zu „orientieren"? Es ist ein Spiel mit Worten und weiter nichts.

Was tat Bethe nun? Er stellte einen Bienenstock, 2 m von einer Platane entfernt, auf einem Tisch, jedoch verhüllt, auf. Die Bienen flogen in ost-nordöstlicher Richtung. Dann stellte Bethe in einer Entfernung von 1,50 m von diesem Stock einen zweiteiligen, 2,50 m hohen Schirm im Winkel auf, und zwar so, dass sich dessen, je 2,5 m breiten Teile im Westen und Süden des Stocks befanden. An dem Schirm brachte er einige farbige Taschentücher an. Darauf bedeckte er den Tisch und den Stock mit grünen Zweigen und klebte blaues Papier auf die gelbe Vorderseite des Stocks. Die zu dem Stock zurückkehrenden Bienen zögerten nur einen Moment und bildeten auf diese Weise einen leichten Schwarm. Von da ab aber flogen sie ohne Zögern zum Flugloch des Stocks. Darauf legte Bethe sechs Quadratmeter weisses Papier auf den Rasen vor dem Stock. Nun wurden die Bienen erregt und flogen zögernd über den Stock hinweg. Er ersetzte das weisse Papier durch blaues, worauf sie sich beruhigten. Bethe erklärt diesen Vorfall damit, dass die Bienen die grosse weisse, von der Sonne beschienene Fläche scheuten.

Dies alles beweist nun gar nichts oder höchstens, dass wir Bethe gegenüber im Rechte sind. Es ist nicht zutreffend, dass die Bienen das Weisse scheuen; habe ich doch selbst gesehen, wie sie in voller Sonne in Menge auf weissem Papier, ebensogut wie auf blauem, Honig aufsuchten. Auch jene Bienen, die zu meinen maskierten (bedeckten) Dahlien kamen, verstanden es sehr gut, ohne Zögern die betreffenden Stellen wiederzufinden. Auch uns würde der Umstand, dass man unser Haus mit Bäumen verdeckte und einen riesigen Schirm davor aufstellte, nicht abhalten, es wiederzufinden — vorausgesetzt, dass

man es nicht ganz weggetragen hätte. Man muss sehr wenig von
der Psychologie der Biene und ihrer Anpassung an das Flugloch
ihres Stocks, der ihr alles bedeutet, wissen, um irgendein andres
Resultat zu erwarten. Die Subjektivität Bethes zeigt sich noch in
folgendem Vorgang: Nachdem er die Aufregung seiner Bienen durch
Ersetzen der weissen Papierfläche durch eine blaue „beruhigt" haben
will, regt er sie von neuem auf, indem er die blaue durch eine rote
ersetzt. Er glaubt felsenfest an ihre Neigung zum Blau und an ihren
Widerwillen gegen Weiss und Rot. Ich bemerke hier nur diese Tatsache, ohne mich weiter damit zu befassen, habe ich doch durch
meine eignen sowie durch Plateaus Versuche zur Genüge bewiesen,
dass diese Anschauung auf purer Einbildung beruht.

Bethe erkannte ferner, dass bei verschiedenen Anlässen (Aufstellung eines die Sonne reflektierenden Spiegels, Auflegung von neuem
Papier, sei es rot oder weiss, um den Stock) die Bienen in Verwirrung gerieten und sich vor dem Flugloch zu einem Schwarm
versammelten, ehe sie einflogen. Er erklärt diese Erscheinungen
sämtlich aus dem Geruchssinn und lehnt es ab, das veränderte
Aussehen des Fluglochs und seiner Umgebung für das Zögern der
Bienen verantwortlich zu machen. Ich zweifle keinen Augenblick,
dass diese von ihm beschriebenen Ereignisse sich ganz so verhielten,
und behaupte sogar, dass man sie genau so hätte voraussehen können;
sie beweisen aber keineswegs das, was Bethe damit beweisen will.
Diese Beobachtungen zeigen uns im Gegenteil, dass ein starker und
auffälliger Wechsel in der Farbe genügt, die Bienen zu desorientieren,
ja sie sogar über den Eingang zu ihrem Stock, den sie am besten
von allen Dingen kennen, irrezuführen.

Einige Stöcke, die weiter östlich standen, wurden von einer 7 m
hohen, direkt vor ihnen stehenden Platane beschattet. Bethe fällte
diese am 14. Juni 1897 um 10 Uhr 30 Minuten vorm., während die
meisten der Bienen auf Beutezügen abwesend waren. Bei ihrer Rückkehr flogen diese geradenwegs und ohne zu zögern quer über die offene
Stelle, wo früher, ja bis zu diesem Augenblick, die Platane gestanden
hatte, durch das Flugloch in ihren Stock hinein, während sie früher
stark in die Höhe steigen mussten, um die Platane zu überwinden.
Diese Tatsache ist zweifellos von Interesse. Da indes der Stock
seine Stellung nicht gewechselt hatte, ob auch der Baum fehlte, so
ist sie schliesslich nicht gar so erstaunlich. Bethe glaubte damit das
Ortsgedächtnis bei Bienen gründlich widerlegt zu haben. Ich leugne

dies. Die Tatsache, dass ein grosser Baum, der bisher eine Hütte, zu der wir den Weg kennen, verdeckte, von seinem Orte verschwand, hindert uns nicht, geradenwegs zu dieser Hütte zu gelangen — eher das Gegenteil. Nun glaubt Bethe von seinen Experimenten mit dem nach hinten gerückten Stock schliessen zu müssen, dass die Bienen den weggerückten Stock nicht sahen, und dieser falsche Schluss zieht nun neue Irrtümer nach sich. Ich glaube dagegen, sie sahen den Stock recht gut, nur waren sie von anderen Dingen praeokkupiert. Ihre Aufmerksamkeit war von der Erinnerung an den früheren Standort des Stocks in Anspruch genommen, und deshalb suchten sie ihn so hartnäckig an der alten Stelle. Und ebensowenig bezweifle ich, dass die Bienen des Verschwinden der Platane bemerkten, jedoch war ihnen dieser Baum höchst gleichgültig, ja vielleicht belästigte er sie durch seine Stellung mitten im Wege sogar ein wenig. Ihre Aufmerksamkeit war ganz und gar auf ihren Stock gerichtet, und dieser Stock war nicht entfernt worden, er stand an seiner Stelle, gerade vor ihnen, am Ende ihrer Flugbahn. Da Bethe eine Psychologie der Insekten nicht gelten lassen will, so versäumt er es natürlich, solche Umstände in Betracht zu ziehen. Ein Mensch würde unter den Verhältnissen wahrscheinlich stehen geblieben sein und sich den Grund der unerwarteten Veränderung überlegt haben. Eine Biene aber ist immerhin kein Mensch, und ihre Überlegungen sind einfacherer Art. Sie hat keine Zeit zu verlieren und assoziiert nur diejenigen Erscheinungen, die direkt mit ihren Bedürfnissen und ihren Instinkten in Verbindung stehen. Das war aber bei Bethes Platane und ihren Beziehungen zum Rückweg nach dem Stock nicht der Fall.

Bethe nahm darauf die Experimente von Romanes, die ich weiter oben in einer Anmerkung erwähnt habe, seinerseits auf, indem er sie etwas modifizierte. Auf der einen Seite von Bethes Garten liegt die eigentliche Stadt Strassburg, wohin Bienen seiner Ansicht nach niemals fliegen; auf der anderen dagegen die Festungswerke mit ihren von Blumen und Bienen wimmelnden Wiesen. Bethe nahm nun markierte Bienen und trug diese zu wiederholten Malen entweder nach der Stadt oder nach den Festungswerken, 350, 400, ja bis zu 600 m von dem Stocke weg. Sie kehrten stets zurück, und das ebenso aus der Stadt wie aus den Festungswerken. Die Bienen flogen, wenn er sie losliess, erst spiralförmig nach oben, um dann geradenwegs in der Richtung ihres Stocks zu verschwinden. Von sechs Bienen die er in einer Strasse mit hohen Häusern losliess, flogen vier nach der richtigen Seite, eine nach einer falschen und eine war unsicher. Acht Stück, die er ein andermal losliess, flogen sämtlich richtig usw. Bethe glaubt, dass diese Orientierung vorhanden war, noch ehe die Bienen die Dächer der Häuser erreicht hatten, folglich ehe sie sich durch Umschauen zurecht finden konnten. Dieser Vorgang, der in der Tat verblüffend erscheint, hat mich, wie ich gestehe, zunächst stutzig gemacht. Als ich aber näher über ihn nachdachte, und da ich Strassburg mit seinen engen Strassen recht genau kenne, legte ich mir zwei bezügliche Fragen vor: Wie können Bienen in einer engen Strassburger Strasse die genaue Richtung ihres an der Peripherie der Stadt befindlichen Stocks einschlagen, noch ehe sie die Höhe der Dächer erreicht haben? Eine Strasse hat nur zwei Richtungen. Wählte nun Bethe Strassen, die ganz gerade waren und die senkrecht auf seinen Bienenstock zuliefen? Darüber sagt er nichts. Ferner hat er mich nicht genügend davon überzeugt, dass seine Bienen eine Stadt wie Strassburg, wo es doch genug Blumen, Bäume, Zucker und Honig, kurz genug Anziehungsmittel für sie gegeben haben mag, nie besuchten. Jedenfalls sind seine Resultate so widerspruchsvoller Art, dass eine genaue Bestätigung vonnöten ist. Meiner Ansicht nach ist das Experiment von Romanes viel ausschlaggebender und besser durchgeführt als das von Bethe; es lässt infolge grösserer Vorsichtsmassregeln keine willkür-lichen Deutungen zu. Der Bienenstock, den Romanes benützte, war (ein wichtiger Umstand) soeben erst neu in seinen Garten gekommen.

Etwas räumt schliesslich Bethe dem Gesichtssinn doch ein: er zeigt, dass ein viereckiges Stück schwarzes Papier von den Bienen für das Flugloch ihres Nestes gehalten wird, und dass sie es infolgedessen aufsuchen, während sie von weissem oder buntem Papier verscheucht werden. Er gibt ferner 3 km (rund gerechnet) als die grösste Distanz an, aus der Bienen ihren Stock wiederzufinden vermögen. Seiner Ansicht nach waltet hier eine geheimnisvolle Macht, die bis zu dieser Entfernung hin von dem Stock ausgeübt wird. Auf Grund seiner Experimente stellt darum Bethe auch auf, dass eine „völlig unbekannte Kraft" und nicht Gesicht, Geruch oder Magnetismus die Biene zu ihrem Stock zurückführt.

Bethe führt des weiteren noch einige interessante Tatsachen an: Wenn er einen Stock um nur 20 bis 30 cm pro Tag nach hinten rückte und ihn, wenn sich ein kleiner Schwarm vor dem Eingang gebildet hatte, einen Tag lang stehen liess, so konnte er den Stock auf diese Weise bis zu 4 m weit nach hinten rücken, ohne dass die

Bienen zu der Stelle, wo das Flugloch sich früher befunden hatte, zurückkehrten.

Wenn ein Stock im Herbst umgesetzt und irgendwo in der Nachbarschaft (etwa 3 km entfernt) aufgestellt wurde, kehrten im folgenden Frühjahr die Bienen nicht zu dem früheren Standort ihres Stocks, sondern gleich von vornherein zu dem jetzigen zurück. (Wo blieb jetzt die geheimnisvolle und unbekannte Kraft? Hätte nicht Bethe vielmehr aus diesem Vorkommnis schliessen müssen, dass die Bienen während des Winterschlafs ihre alten Luftrouten vergessen hatten und einer neuen Orientierung zugänglich waren?)

Wenn man einen Stock über Nacht eine Drehung von 90° machen lässt, und wenn auf dieses Manöver mehrere Regentage folgen, so kann man am ersten sonnigen Tage einen dichten Schwarm zurückkehrender Bienen vor dem Stock bemerken. Bald jedoch finden sie ihren Weg nach dem Flugloch und nach wenigen Tagen schon fliegen sie direkt zu demselben hin. (Ist dies nicht ein Zeichen, dass die Erinnerung an die früher eingehaltene Richtung und der daraus hervorgehende automatische Vorstellungsbann der früheren Lage des Fluglochs während der Gefangenschaft mehrerer Regentage sich abgeschwächt hatten? Die Stauung am alten Platz findet zwar statt, aber nicht so lange, als wenn die Bienen gleich nach der Umdrehung des Stocks ausfliegen.)

Dieselbe Wirkung erzielt man an sonnigen Tagen, wenn man den Stock nur um wenige Grade täglich dreht; Bethe drehte einmal seinen Stock in dieser Weise ganz langsam von Osten nach Süden, liess ihn fünf Wochen lang so stehen und wendete ihn dann plötzlich wieder nach Osten. Die vom Felde heimkehrenden Bienen flogen dann zunächst nach Süden, bildeten einen leichten zögernden Schwarm, kehrten dann aber bald im Bogen zum Flugloch, also nach Osten, zurück. Die Schwarmbildung unterblieb sehr bald, doch flogen die Bienen noch eine Weile nach Süden und suchten von dort aus ihr Flugloch, im Bogen fliegend, auf; dieser Bogen wurde noch mehrere Wochen lang, jedoch immer kleiner und kleiner werdend, beschrieben.

Diese sehr hübsche Beobachtung lässt sich, meiner Meinung nach, leicht erklären. Zuerst fliegt die Biene, dem alten gewohnten Automatismus folgend, zum alten Platz. Je öfter korrigiert, desto kürzer und geringer braucht aber der korrigierende Augenblick der Aufmerksamkeit zu sein. Beobachten wir doch ganz ähnliche Erscheinungen bei uns selbst. Die Gewohnheit, nach Süden zu fliegen hatte nur fünf Wochen gedauert. Ihr war eine „Gewöhnung nach Osten" vorangegangen, und dank dieser hatte die kurze Aufmerksamkeit, die von dem Anblick der türlosen Wand hervorgerufen ward, genügt, die Bienen in ihre alte Gewöhnung, die noch nicht ganz vergessen war, zurückfallen zu lassen, statt sie einer so vollkommenen Desorientierung zu überliefern, wie sie in den früheren Experimenten geschildert wurde. Es steckt in diesem letzten Versuche ein leuchtendes Pröbchen von Insektenpsychologie, eine Psychologie, die stark an unsre eignen unterbewussten Zustände, z. B. auch an unsre somnambulistischen Automatismen erinnert.

Bethe hat ausserdem noch andre interessante Beobachtungen gemacht, die ihm auf den ersten Blick recht zu geben scheinen. Oben habe ich schon seine Erfahrung an der gefällten Platane wiedergegeben. Seine weiteren Beobachtungen mögen mit seinen eignen Worten hier folgen. „Ich habe berichtet, dass die heimkehrenden Bienen, nachdem ich die hohe Platane vor den Bienenständen hatte abschlagen lassen, sofort die Stelle, an der sie gestanden hatte, geradlinig durchflogen, anstatt wie vorher senkrecht in Schraubenlinien herabzukommen. Ganz anders verhielten sich die fortfliegenden Bienen. Sie schraubten sich nach dem Fall des Baumes ebenso senkrecht in die Höhe, als wenn der Baum noch dagestanden hätte." Bethe singt sich hierauf selbst eine Siegeshymne und ist der festen Überzeugung, dass er mit diesem Versuch aufs neue allen Einfluss der Gewöhnung widerlegt, die geheimnisvoll-unbekannte, in der Rückkehr zum Stock waltende Kraft dagegen wiederum glänzend bestätigt habe. Analysieren w i r dagegen einmal die vorliegenden Tatsachen.

Die Biene, die ihren Beutezug beendet hat, hat nur eine einzige Idee im Kopf: das ist, so schnell wie möglich zum Flugloch ihres Stocks zu gelangen. Diese Idee treibt sie dazu, alle Ecken abzuschneiden, um die kürzeste Linie, die berühmte Bienenlinie, zu finden und ihr einzig ersehntes Ziel zu erreichen. Kommt sie dann erst in die Nähe und sieht sie direkt die bezügliche ihr bekannte Stelle des Raumes, so fliegt sie schnurgerade hin. Der Fall der ausziehenden Bienen ist dagegen ein völlig verschiedener. Zweifellos spielt auch hier gewöhnlich eine Hauptrichtung mit, nach der sie ausziehen, nämlich die Richtung nach den Plätzen hin, wo sie gewohnt sind, passende Blumen zu finden. Doch sind im flachen Lande diese Plätze je nach den Jahreszeiten verschieden und somit auch die Richtung, welche die Biene beim Abflug einschlägt. Ich kann dies bestätigen, denn ich beobachte es hier in meiner eigenen Umgebung. Ein Feld blühenden Rapses, das im Nordwesten liegt, lässt sie nordwestwärts fliegen usw. Ferner steht es der abfliegenden Biene frei, an verschiedenen Plätzen Beute zu suchen, und sie hegt daher beim Ausflug noch keine unabwendbare Idee bezüglich der Richtung nach einem einzelnen Punkt. Daher erhielt sich auch bei ihr, in Ermangelung eines bestimmten entgegenwirkenden Impulses, die alte automatische Gewohnheit, sich zunächst im Kreise um die früher dagewesene Platane herum emporzuschrauben.

Bethe wundert sich weiterhin, dass die Bienen eines neuen Stocks, der von weit hergebracht und in der Nähe eines Hauses aufgestellt worden war, sich beim Abflug erhoben hätten und dann nach Süden zu abgeflogen, aber später aus Osten wiedergekommen wären. Auch darin erblickt er wieder das Walten seiner geheimnisvollen Kraft; ich aber sehe hier nur die ausserordentliche Fähigkeit dieser Tiere, sich vermittelst ihrer Augen im Raume zu orientieren.

Schliesslich trug Bethe einige Bienen in Schachteln ziemlich weit von ihrem Stock weg, um zu sehen, ob sie diesen von dort aus wiederfinden würden. Diejenigen Bienen nun, die, nachdem sie zu beträchtlicher Höhe aufgestiegen und dort im Kreise herumgeflogen waren, sich nicht weiter zu dirigieren vermochten, liessen sich stets an genau derselben Stelle nieder, von wo sie aufgestiegen waren, kaum, dass sie sich um einige Zentimeter irrten. Die Bienen flogen von der Schachtel ab, die Bethe in der Hand hielt; nach ihrem Abfliegen änderte dieser seine Stellung. Nun kamen die Bienen wieder und kreisten in der Luft genau über der Stelle, wo Bethe zuvor mit der Schachtel gestanden (in einem andern Fall genau über der Stelle einer Wiese, wo die Schachtel, von der sie abgeflogen waren, sich befunden hatte).

Diese Tatsachen sind jedenfalls sehr interessant und zeigen, über jeden Zweifel erhaben, dass die Bienen eine aussergewöhnliche Fähigkeit besitzen, irgendeinen gegebenen Punkt im Raume wiederzufinden. In den letztbeschriebenen Fällen besassen die Bienen, die sich vollständig in der Irre und ausserstande sahen, ihren sehr entfernten Stock aufzufinden, nur eine einzige mit dem ihnen sichtbaren Raum assoziierbare Erinnerung, und zwar diejenige an den Ort, wo man sie losgelassen hatte. Es kann uns deshalb kaum wundernehmen, dass sie in diesem Falle, nachdem sie den vergeblichen Versuch gemacht hatten, sich in der Luft zu orientieren, dorthin zurückkehrten und dort dieselben Luftkreise beschrieben, die sie sonst vor der Tür ihres etwas verstellten Stocks zu machen pflegen.

Die Orientierung der Bienen im Raum ist in ihrer Sicherheit und Schnelligkeit wirklich erstaunlich. Die Gegenstände selbst, sofern sie nicht besondere anziehende Eigenschaften besitzen, interessieren sie dabei viel weniger als ihr bestimmter Platz im Raum, den die Tierchen kennen und wiedererkennen. Diese Eigentümlichkeit geht auch aus den Experimenten, die ich im Anschluss an Plateau zitiert habe, hervor.

Haben wir nun nach all dem Gesagten Ursache, den Bienen eine von den Sinnen und besonders vom Gesichtssinn unabhängige geheimnisvolle Kraft zuzuschreiben? Ich glaube es nicht. Ich möchte das, was ich bezüglich der Tauben geäussert habe, nicht wiederholen, aber dennoch das Augenmerk des Lesers nochmals auf einen ganz bestimmten Punkt lenken: Wir Menschen mit unserer langsamen, am Boden haftenden Bewegungsweise sind wohl ganz ausserstande, zu verstehen (das heisst zu fühlen, uns vorzustellen), was die Orientierung durch das Auge bei einem luftlebenden Tier und bei dessen schnellem Flug, bei all den unzähligen und rapiden Ortsveränderungen, die dessen Lebensweise mit sich bringt, bedeutet.[1] Bethe und viele andre Forscher gleich ihm vergessen, dass, um die Leistungen eines Sinns zu bestimmen, es durchaus nötig ist, nicht nur die Zahl seiner Elemente und seine Schärfe zu prüfen, sondern auch die Art und Weise, wie er vom Gehirn des betreffenden Tieres verwertet wird. Ein Auge, das wie jenes der luftlebenden Insekten über die Lüfte hinschweift, muss sowohl durch erbliche Anpassung auf dem Wege der Zuchtwahl, verbunden mit mnemisch-Lamarckischer Evolution, wie auch durch äusserst rapide Assoziation von Gesichtseindrücken seinem Träger eine staunenswerte Fähigkeit zur Orientierung im Raum verleihen, sobald diese, wie bei den sozialen Hymenopteren, dem Tiere von Nutzen ist. Irgendein Ding, das nicht genügt, uns zu orientieren, genügt oft, einer Biene orientierende Gesichtseindrücke zu liefern, weil ihr Instinkt, ihre Aufmerksamkeit, ihr Interesse sich in dieser Richtung bewegen.

Wir haben gesehen (s. Exner), dass das Facettenauge bessere Wahrnehmungen hinsichtlich der Bewegung (Verschiebungen von

---

[1] Wie schon bemerkt, dürfte die anbrechende Ära der Aeroplane und der lenkbaren Luftschiffe hierin Wandel schaffen.

Gegenständen) liefert als das unsre. Doch beruht bei der Orientierung im Fluge ja alles auf diesen Verschiebungen der Gegenstände, auf dieser relativen Bewegung. Zweifellos bestehen zwischen der Sehtätigkeit der Bienen, ja der Insekten überhaupt, und der unsrigen grosse Unterschiede. Soviel gebe ich Bethe rückhaltlos zu, auch habe ich diese Tatsache ja selbst nach hundert verschiedenen Seiten geprüft und bewiesen. In einigen Beziehungen ist das Insektenauge besser, in den meisten sehr viel schlechter als das unsre. Doch verfällt Bethe selbst, der sonst eine übertriebene Unerbittlichkeit gegen alles zeigt, was nur im geringsten an Anthropomorphismus streift, und seien es selbst die harmlosesten Analogien, in den allerärgsten Anthropomorphismus, wenn er seine Fragestellung ungefähr wie folgt formuliert:

Bienen orientieren sich nicht wie der Mensch durch das Auge; daher ist es nicht der Gesichtssinn, sondern eine geheimnisvolle, unbekannte Kraft, mittels der sie sich zurechtfinden. Dies ist, zwar nicht dem genauen Wortlaut, aber doch dem Sinne nach der Inhalt seiner einseitigen Logik. Für ihn gibt es keinen Mittelweg, für uns dagegen sehr wohl. Wir sagen Natura non fecit saltum: Der Gesichtssinn kann, ebensogut wie der Geruchssinn, allen möglichen verschiedenen Zwecken angepasst und entsprechend modifiziert werden. Ferner wechselt die Art, wie das Gehirn sich die Wahrnehmungen zunutze macht, mit den Fähigkeiten und Eigentümlichkeiten desselben. Daher so und so viele Eigentümlichkeiten, so und so viele Variationen, so und so viele Komplikationen. Wenn Bethe nur einmal mit Wespen arbeitete, dann würde er bald beobachten können, wie ganz anders diese sozialen Hymenopteren, die doch nahe verwandt mit den Bienen sind, sich orientieren, und zwar auf Grund eines viel entwickelteren Geruchssinns, eines anders gearteten Auges und anderer Instinkte (Hirneigenschaften).

Bethe schliesst die Darlegung seiner Ansichten folgendermassen: „Die Bienen gehorchen einer Kraft, die uns absolut unbekannt ist und welche sie zwingt, an die Stelle im Raum zurückzukehren, von der sie fortgeflogen sind, welche Stelle gewöhnlich, aber nicht notwendigerweise der Bienenstock sein muss; der Wirkungskreis dieser Kraft erstreckt sich nun — rund ausgedrückt — mehrere Kilometer weit." Wir sind Bethe zwar sehr zu Dank verpflichtet für seine äusserst scharfsinnigen und geduldigen Experimente, die unser Wissen um recht interessante Tatsachen bereichert haben, doch sehe ich

18*

mich trotzdem gezwungen, seine Schlussfolgerungen als vorurteilsvoll einseitig und daher als irrig zu charakterisieren; sie sind von
einem Absolutismus, der weder mit der Logik noch mit dem wissenschaftlichen Geist zu vereinbaren ist.

Ich habe bereits — gewissermassen im Vorbeigehen — einzelne
Einwände gegen die Betheschen Versuche erhoben. Er selbst sieht
sich gezwungen, im Anschluss an seine eignen Experimente zuzugeben, dass sich bei den Bienen eine Art von Gewohnheit oder
Dressur erzeugen lässt, deren sie sich aber ebensogut wieder entwöhnen. Wie kann man sich aber eine Gewohnheit ohne Gedächtnis vorstellen? Ist das nicht eine contradictio in adjecto? Und
sprechen nicht Bethes eigne Experimente am deutlichsten gegen ihn?
Nach Ablauf von fünf Wochen haben Bienen noch eine Erinnerung
an die Stelle, wo sich früher das Flugloch ihres Stocks, den man
inzwischen entfernt hatte, befand. Im Frühjahr, nach dem Winter-
schlaf dagegen, ist alles vergessen. Was kann das anders sein als
Gedächtnis?

Warum hat ein Teil der 5 km vom Stock freigelassenen Bienen
seinen Heimweg gefunden und der andere nicht? Die „unbekannte
Kraft" Bethes, die nach dem Stock zurückführt, hätte doch in allen
gleich wirksam sein müssen. Und weshalb schraubten sie sich
erst in die Luft hinauf, weshalb kreisten sie hier rekognoszierend
umher, ganz wie die Tauben? Die unbekannte Kraft hätte ja die
einen schneller, die anderen langsamer nach dem Stock zurückziehen
können, aber doch nimmermehr die einen nach dem Stock, die andern nach dem Ort, wo man sie losgelassen hatte. Nein, so stimmt
die Sache nicht, sondern diese Ungleichheit ist ganz natürlich aus
dem Umstand heraus zu erklären, dass einige der Bienen, die älteren,
die schon früher weiter geflogen waren, Merkzeichen erblickt hatten,
die sie orientierten und die andern nicht. Diese letzteren — und
zweifellos waren es ebenso wie bei den Tauben — die jüngsten
der Gesellschaft, fanden dann keinen andern Ausweg, als zu ihrem
Ausgangspunkt zurückzukehren, genau wie ein höheres Tier oder
auch der Mensch, wenn er seinen Weg verloren hat und nicht mehr
weiss wohin.

Und schliesslich muss ich darauf beharren, dass, gesetzt eine vom
Gesichtssinn unabhängige Kraft leitete den Flug, sich alsdann Insekten mit gefirnissten Augen, nachdem sie einmal aufgeflogen sind,
genau so gut orientieren müssten wie andere; Bethes diesbezüglicher

Einwand, den ich oben erwähnte, ist gar kein Einwand, sondern eine leere Ausrede.

Noch andre Erwägungen sind es, die uns die Unhaltbarkeit von Bethes Position klar machen. Ich habe früher von einem Hummelnest gesprochen, das ich in mein Fenster setzte, und von der enormen Mühe, die es den Hummeln machte, es wiederzufinden; auch beschrieb ich die Art und Weise, wie sie all die ähnlichen Fenster absuchten, ehe sie das richtige fanden. Nun haben die Hummeln, wie ich mit Sicherheit behaupten kann, weniger Fähigkeit zur Orientierung im Flug mit den Augen als die Bienen. So spricht denn auch dieses Experiment aufs deutlichste gegen Bethes „unbekannte Kraft", denn diese hätte unbedingt die Hummeln in gerader Linie nach ihrem Nest zurückführen sollen.

Um ein genaueres Verständnis der Orientierung der Insekten beim Fluge zu erhalten, müssten wir in der Lage sein, nach ihrer Art denken zu können. Das Problem wird zweifellos durch die Tatsache, dass uns dies unmöglich ist, bedeutend kompliziert. Dies ist aber immerhin kein Grund, um das Kind mit dem Bade auszuschütten, wie dies Bethe tut, und um alle Analogien zurückzuweisen. Denn so gut wie es trügerische Analogien gibt, gibt es auch ausserordentlich hilfreiche. Der Schlüssel zur Wahrheit aber liegt in dem Auseinanderhalten dieser beiden Kategorien. Ferner aber sind mechanistische Hypothesen und leere Worte wie „unbekannte Kraft" noch viel trügerischer zur Erklärung der Tierbiologie als vorsichtige psychologische Analogieschlüsse.

Bei uns Menschen unterscheiden wir einen dreifachen Prozess: das Sehen, das Betrachten und das Auffassen. Doch sehen wir streng genommen nur das gut, was wir betrachten und besonders was wir auffassen. Wir sind — im Geiste — blind für Dinge, die wir nicht auffassen und die unsere Aufmerksamkeit nicht auf sich ziehen, und gehen häufig an Gegenständen vorüber, als wenn wir sie nicht sähen. Aus allen möglichen Tatsachen aber ersehen wir, dass es bei Insekten genau so ist. Da aber 99 von 100 Handlungen dieser Tiere in einer Art und Weise vollzogen werden, die durch Erblichkeit genau vorgeschrieben und automatisch geworden ist, so geht daraus notwendig hervor, dass nur das übrigbleibende 1% ihrer Handlungen von ihnen aufgefasst oder verstanden wird, und zwar in dem kleinen und begrenzten Grade, der ihrer Gehirnanlage entspricht. Und daher kommt es, dass manche, von diesem ungeheuren

Automatismus der Insekteninstinkte geblendet, dazu getrieben werden, à la Bethe zu urteilen, und überhaupt bei den Insekten n u r noch Instinkte und Maschinenhaftigkeit zu sehen. Wie Fabre bleiben sie hypnotisiert von der Dummheit eines Insekts, das man mittels Durchschneidung des Fadens seiner Instinkthandlungen desorientiert hat, das, wie der Bembex, nichts anderes tut, als nach der Öffnung seines zerstörten Nestes zu suchen und dabei seine eignen, von ihm gesuchten, nunmehr draussen liegenden Larven, auf denen er herumtritt, nicht bemerkt; oder von der Dummheit jener Bienen, die stundenlang zwei Meter vor ihrem Stock in der Luft herumschwirren, ohne herauszufinden, wo dieser steht, resp. ohne den Gegenstand, der sich so nahe von ihnen befindet, als ihren Stock wiederzuerkennen.

Doch wie ich schon gesagt habe, zeigt uns ein Mensch in somnambulem Zustande ebenfalls eine eigenartige Dissoziation der zerebralen Tätigkeit, die das Gebiet seiner Aufmerksamkeit umschliesst und ihn taub und blind für alles macht, was nicht hiermit zusammenhängt. Im hypnotischen Somnambulismus begehen wir, ebenso wie im Traume, Dummheiten, die jenen der Bienen völlig gleichkommen; wir handeln dann auch automatisch, schreiten ebenso mechanisch nach irgendeiner Richtung, wie jene nach dem früheren Standort ihres Fluglochs und bemerken ebensowenig wie sie, was sich direkt vor unsrer Nase befindet. Natürlich ist diese Analogie unvollkommen, doch enthält sie eine Menge Wahres. In beiden Fällen ist es die automatische Tätigkeit der Nervenzentren, die vorherrscht, während die plastische Tätigkeit in den Hintergrund tritt. Nur handelt sich's beim Menschen um einen Fall von vorübergehenden Hemmungen, beim Tier aber um eine aus der Winzigkeit seines Hirns entspringende unbedingte Unfähigkeit. Diese Unfähigkeit wirkt aber um so auffallender, als die Serien zweckmässiger, streng lokalisierter Handlungen hier fixierter und komplizierter beschaffen sind als bei höheren Organismen. So z. B. wirkt die Dummheit der Biene gerade dadurch so befremdlich, weil ihre Instinkte zugleich komplizierter und fixierter sind als die der meisten Ameisen und der Wespen.

Ehe ich von Bethes Bienen Abschied nehme, schlage ich ein andres, entscheidendes Experiment vor. Man nehme einen Bienenstock und transportiere ihn geschlossen bei Nacht mindestens 40 bis 50 km weit, um ganz sicher zu gehen, dass Bethes „unbekannte Kraft" (resp. dass ihre Ortskenntnis) die Bienen nicht nach ihrem alten Platz zurückziehen kann. Man halte den Stock ein oder zwei Tage geschlossen und stelle ihn an einem umhegten Ort auf, sodass er nur aus einer Entfernung von wenigen Metern sichtbar ist. Ehe man irgendeiner Biene gestattet auszufliegen, nehme man nun 20 Stück aus dem Stock, markiere sie mit Farbe und setze sie vorsichtig in eine Schachtel. In dieser geschlossenen Schachtel transportiere man sie 300 bis 500 m weit, wodurch man verhindert, dass sie sich durch Herumfliegen orientieren.

Habe ich recht, so werden sie völlig ausserstande sein, zu ihrem Stock zu fliegen, da es ihnen ja nicht vergönnt war, sich durch Gesichtseindrücke beim Flug zu orientieren. Hat aber Bethe recht, so wird die vom Gesichtssinn unabhängige „unbekannte Kraft" die Bienen geradenwegs zu ihrem Stock zurückleiten. Es bedarf nur gewisser Vorsichtsmassregeln, um die Schachtel so eng an die Öffnung des Stocks heranzuführen, dass die Bienen hineinschlüpfen, ohne bei der Prozedur zu entkommen. Dies wird am besten nachts geschehen. Wenn man das Experiment zwei- oder dreimal gemacht haben wird, wird man andre Bienen, die man vom Stock einige Tage lang hat ausfliegen lassen, mit einer abweichenden Farbe markieren und deren Aus- und Rückflug zur Vergleichung studieren.

Bethes Experimente an Ameisen. Diese sind um vieles schwächer als seine Versuche an Bienen. Da sie ausserdem in einer meisterhaften Weise durch Wasmann[1] widerlegt worden sind, wollen wir mit ihnen summarischer verfahren.

Zunächst möchte ich ein kleines, wenig bekanntes Experiment in Erinnerung bringen, das ich 1886 in den Annalen der Belgischen Entomologischen Gesellschaft veröffentlicht habe (Band 30, S. 137; Forel, Etudes Myrmécologiques. 1886): „Eine Kolonie von Formica pratensis war von ihrem alten Nest in ein neues umgezogen. Nach Beendigung des Umzugs besuchten einige Arbeiter noch weiter gewisse Blattläuse eines Strauchs auf dem Wege, auf dem der Umzug stattgefunden hatte. Mehrere Male fing ich Arbeiter dabei ab, als sie, den Kropf voll von Honig, von diesem Strauch nach ihrem Nest zurückkehrten, und jedesmal setzte ich sie wieder auf die Umzugslinie zurück, jedoch stets etwa einen Meter von dem Punkt entfernt, von dem ich sie soeben weggenommen hatte. Nachdem sie sich von ihrem ersten Erstaunen erholt und einige ganz kurze Umwege gemacht hatten, schlugen die Tierchen stets unentwegt den richtigen Weg ein, der sie zu ihrem Neste führte; kein einzigesmal

---

[1] Die psychischen Fähigkeiten der Ameisen. Stuttgart 1899 bei Erwin Naegele; Heft 26 der Zoologica von Carl Chun aus Leipzig.

liefen sie in entgegengesetzter Richtung. Ich frage nun: Was lieferte ihnen in diesem Fall die richtige Spurrichtung? Durch welches Mittel steuerten sie ihren Kurs so sicher inmitten all der Spuren ihrer nach beiden Richtungen laufenden Gefährten? Zugegeben, dass dies ihre eigene Spur gewesen sei (die ihr Hinweg zum Strauch hinterlassen hatte), wie konnten sie wissen, ob sie dieser Spur nach der einen oder nach der anderen Richtung folgen sollten, da sie doch gleichmässig nach beiden Seiten lief, und da obendrein die frische Spur, die sie, auf dem Heimweg begriffen, auf der Seite des Gesträuches vorher hinterliessen, nunmehr dank meiner List, beiderseits gleich oder besser gesagt (wenigstens als ganz frische Spur) gar nicht mehr vorhanden war? Der Begriff einer Fährte oder Spur, ähnlich wie wir uns die des Wildes für den Hund denken, oder ähnlich unseren sichtbaren Fussspuren, reicht hier nicht aus, um so weniger, als Ameisen schlecht sehen. Deshalb möchte ich eine neue Erklärung dieser Tatsache geben.

In erster Linie handelt es sich hier nicht um einen ganz allgemeinen Richtungssinn, denn wenn man Ameisen in einem Haufen an einen ihnen unbekannten Ort tut und danach eine derselben unvermittelt zwei bis drei Meter abseits setzt, ist sie absolut unfähig, den Weg zu dem Haufen zu finden. Deshalb ist es Bedingung, dass sie den Hinweg kennt, den sie zurückzugehen hat. Durch Experimente ist es nun erwiesen, dass die Ameisen die Gegenstände hauptsächlich mittels der Fühler erkennen, denn sobald man sie dieser Organe beraubt, vermögen sie sich nicht mehr zurechtzufinden. Gewisse Versuche Lubbocks beweisen zwar, dass ausser dem Geruch die Richtung des Lichts und der Schatten auch noch beitragen, diese Tiere zu orientieren. Immerhin finden sie ihren Weg meistens ebensogut bei bedecktem Himmel, ja selbst bei Nacht wie am Tage. Übrigens kommt es hierbei auf die Arten und auf die Entwicklung der Augen an.

Ich bin nun der Meinung, dass wir uns hier gegenüber einer sehr wichtigen physiologischen und psychologischen Tatsache befinden. Die Organe der sogenannten inneren Sinne, besonders des Geruchs, liefern uns nur solche Empfindungen, deren adäquate Reize schlecht oder gar nicht im Raum abgegrenzt sind. Herbert Spencer schreibt dies in seinen „Principles of Psychology" dem Umstand zu, dass die Nervenendigungen dieser Sinne inwendig liegen und daher seitens des erregenden chemischen Reizes alle in gleicher Weise (oder durcheinander, regellos) getroffen werden, während beim Gesichtsund Tastsinn die erregenden Reize im Raum scharf lokalisiert sind, und gleichzeitig der eine die eine, der andere die andere Stelle der Retina oder der Haut treffen. Darin scheint eine ganz allgemeine Wahrheit zu liegen, denn die Eindrücke unsrer Körperoberfläche lokalisieren wir in demselben Masse gut, wie wir unsre viszeralen Eindrücke (Organempfindungen) schlecht zu lokalisieren vermögen. Die Sinne, mittels welcher wir unsre Eindrücke lokalisieren, sind nun aber gleichzeitig diejenigen, durch welche wir unsre Kenntnis vom Raum erlangen. Ich glaube daraus schliessen zu können, dass der Geruchssinn der Insekten eine Eigenschaft seiner spezifischen Energie besitzen dürfte, die dem unsern abgeht, nämlich die der Lokalisation der Empfindungen im Raum. Diese Lokalisation, vereint mit den durch den Tastsinn erzeugten Eindrücken und mit einem die Reiz-komplexe erhaltenden Gedächtnis dürfte wohl dazu hinreichen, gewissen Insekten jene erstaunliche Kenntnis von Örtlichkeiten beizubringen, die wir beobachten, eine Kenntnis, die man mit dem blossen Wittern einer Fährte nicht erklären kann. Die Ameise unterscheidet höchst wahrscheinlich die Eindrücke ihrer rechten von denen ihrer linken Antenne, sowie die der rechten und der linken Oberfläche einer jeden Antenne, und somit überhaupt die Eindrücke, die von links und die von rechts an sie herantreten. So unterscheidet und kennt sie vermittelst ihrer beweglichen Antennen die beiden Seiten des Wegs, so dass, wenn man sie plötzlich an eine bestimmte Stelle einer Örtlichkeit setzt, die ihr in dieser Weise vertraut ist, sie sich mit Hilfe ihrer Antennen an den umgebenden Gegenständen orientiert und bald weiss, in welcher Richtung ihr Nest sich befindet — ähnlich wie wir uns selbst im gleichen Fall durch unseren Gesichtssinn und unsre Gesichtserinnerungen an früher gesehene Dinge orientieren. Die Tatsache, dass der Mensch sich einen im Raum lokalisierenden Geruchssinn nicht gut vorzustellen vermag, schwächt unsre Hypothese in keiner Weise. Die enorme Menge von Nervenendigungen, die auf jeder Seite der Fühlerkeulen angehäuft sind, erscheint solch einer verfeinerten Lokalisation ausserordentlich gut angepasst.

Wie erwähnt, wurde dieses Experiment von mir im Jahre 1886 unternommen und mit obigen Bemerkungen veröffentlicht. Es ist interessant, wie Bethe, der diese Arbeit nicht kannte, dieselben Resultate erzielte, ihnen aber eine ganz andre Auslegung gegeben hat. Er beobachtete den von den Ameisen gewählten Weg, indem er sie auf berusstem Papier laufen liess, wo sie die Spuren ihrer Füsse zurückliessen. Er bemerkte, dass sie zahlreiche Umwege machten und ihre Nahrung mehr durch Zufall fanden und nicht, weil sie dieselbe schon von weitem rochen. Diese Tatsachen sind schon lange bekannt, doch muss man bezüglich des Riechens aus der Ferne gewisse Einschränkungen machen. Bethe hat nur an drei Arten, zwei Lasius und einem Tetramorium gearbeitet, und die Schärfe des Geruchs- und Gesichtssinns ist je nach der Spezies ungeheuer verschieden. Ferner beobachtete er, dass beim Rückweg die Ameisen ihren Weg durch Abschneiden kürzten, indem sie hierzu die sich kreuzenden Spuren ihrer vorherigen Wanderungen benützten. So wird durch häufiges Zurücklegen einer bestimmten Strecke die Spur immer geradliniger.

Hierauf „entdeckte" Bethe, dass die Spur der Ameisen „polarisiert" ist, d. h. dass diese Tiere die Richtung ihres Nestes von der der peripher gelegenen Örtlichkeit, wo sie ihr Futter (Blattlaussekret) suchen, unterscheiden. Dies ist also ganz dasselbe, was ich bei meinem so einfachen Experiment von 1886 gezeigt habe. Bethe aber sieht darin sogleich eine geheimnisvolle Polarisation, eine unerklärliche Kraft. Sein Experiment ist indessen sehr hübsch. Er lässt seine Ameisen über eine Scheibe spazieren, die sich in horizontaler Richtung drehen lässt. Wenn die Ameisen eine Zeitlang darüber hingelaufen sind, dreht er die Scheibe um 180°. Nun stutzen die Ameisen und fangen dann an, obwohl die Spuren erhalten sind, ganz aufgeregt auf der Scheibe herumzurennen; es bildet sich infolgedessen eine Ansammlung von konfusgewordenen Ameisen, und erst wenn ihr Herumirren sie an den entgegengesetzten Rand der Scheibe gebracht hat, und sie nun wieder ihre Spur von der gewohnten Seite her aufnehmen können, setzen sie ihre Wanderungen sowohl nach dem Nest wie nach den Blattläusen in Ruhe fort. Diese Tatsache lässt sich durch meine Annahme, der sie neuen Halt verleiht, aufs vortrefflichste erklären. Auf der umgedrehten Scheibe bleibt die Spur in kontinuierlichem Zusammenhang an ihren beiden Endpunkten, aber, infolge der Umdrehung, im umgekehrten Sinne; was rechts war, ist nun links, und umgekehrt. Es folgt daraus, dass die Ameise mittels des Kontaktgeruchssinns ihrer Fühler plötzlich eine Umkehrung des Raums verspürt, die sie nach den Ergebnissen meiner Studien vom Jahre 1886 notwendig desorientieren muss. Bethes Polarisation liegt ganz einfach in der mittels des Kontaktgeruchs der Antennen erfolgten Wahrnehmung der Einzelheiten des Raums und ihrer gegenseitigen topographischen Beziehungen. Wir werden hierauf noch zurückkommen.

Schliesslich bildet sich Bethe ein, sowohl Lubbock als auch mich widerlegt und unsre Annahme, dass das Auge bei der Orientierung der Ameisen eine Rolle spiele, Lügen gestraft zu haben. Er nimmt dabei an, dass die Formica pratensis, deren Augen ich gefirnisst hatte (siehe frühere Studie), sich nur deshalb ausserhalb des Nestes schlecht zurechtfanden, weil sie leidend waren. Es gehört wahrlich eine starke Dosis Einbildung dazu, Spezialisten gegenüber derartige Urteile über Insekten abzugeben, die man selbst kaum kennt. Meine gefirnissten Ameisen befanden sich in bester Gesundheit und bewegten sich innerhalb ihres Kastens ganz flink und geschickt, Bethe aber nimmt von diesem Umstand, den ich (auf S. 127 meiner Arbeit) ausdrücklich erwähnt habe, keinerlei Notiz. Oder meint er vielleicht, der Kontakt mit der Aussenluft habe ihnen eine Erkältung zugezogen?

Innerhalb des Kastens, mit seinen stets gleichbleibenden, einfachen und rechtwinkligen Dimensionen war die Aufgabe in der Tat für den Kontaktgeruch sehr leicht. Würde indessen Bethe die Ameisen ebensogut kennen wie ich, so würde er wissen, dass die Art und Weise, wie ein fast oder ganz blinder Eciton sich durch fortwährendes Abtasten des Bodens dirigiert, ganz verschieden ist von der Art, wie eine Formica, die er ebensowenig kennt, und die einen relativ guten Gesichtssinn besitzt, sich zurechtfindet. Ganz erstaunt würde er zweifellos sein, sähe er die Art, wie die amerikanischen Spezies der Gattung Pseudomyrma mit ihren grossen Augen in kurzen, raschen Anläufen und mit den exaktesten Bewegungen auf den Bäumen hin und her schiessen, wobei sie sich weit mehr mittels des Auges, denn mittels ihrer Antennen dirigieren. Mit einem Wort, dieser Forscher verallgemeinert en bloc nach den drei oder vier Insektenarten, die er beobachtet hat, ohne die Formen, bei denen sich die Sinne anders entwickelt haben, überhaupt in Betracht und Vergleich zu ziehen.

Das alte Experiment, wonach man einen Finger über die Spur von Lasius hin- und herreibt und diese Ameise dadurch desorientiert, ist von Bethe mit demselben Erfolg wieder gemacht worden, einem Erfolg, der sich äusserst einfach erklären lässt. Der Geruch des Fingers verwischt oder vielmehr verdeckt den Geruch der Ameisenspur und desorientiert dadurch die Ameise für den Augenblick, aber nicht für lange.

Die Lasius und Myrmica, an denen Bethe experimentiert hat, besitzen einen wenig entwickelten Gesichtssinn und dirigieren sich fast ausschliesslich oder wenigstens vornehmlich mittels des topochemischen Antennen-Geruchssinns; dies erklärt das einseitige Urteil dieses Forschers.

Ich will nun zu dem Antennen-Geruchssinn zurückkehren, da meine oben zitierten Anschauungen wie es scheint entweder ignoriert oder falsch verstanden worden sind. Willibald Nagel, der sie als erster ernsthaft in Betracht zog, hat nur jenen Teil von ihnen berücksichtigt, der sich mit dem Geruchssinn durch Kontakt beschäftigt oder, anders ausgedrückt, mit der chemischen Unterscheidung mittels Kontakt, die von den Sinnesorganen der Fühlerkeulen vollzogen wird. Dieser Teil meiner Anschauungen ist jedoch nicht der wichtigste. Stellen wir uns einmal vor, wir besässen in der Haut unserer Hände einen Sinn, der uns die genaue Kenntnis von Tausenden von Gerüchen und Geruchsvariationen aller der Körper, die uns umgeben, vermittelte, und zwar nicht nur bei direkter Berührung, sondern sogar in der Form der zartesten Ausdünstungen aus einer gewissen Entfernung. Denken wir uns nun unsere Hände als gerundete, am Ende zweier langer, beweglicher Gerten befindliche Spindeln, die wir nur bei jedem Schritt zu bewegen brauchen, um unsern Weg nach rechts, nach links, nach oben und nach unten abzutasten. Man stelle sich vor, dass die Emanationen verschiedener Gegenstände und Teile von Gegenständen, die im Raume lokalisiert sind, zwar ein wenig durch die Entfernung verwischt werden, dass aber die chemische Natur ihrer verschiedenen Oberflächen selbst bei Berührung sehr scharf durch die Grenzen dieser selben Oberflächen lokalisiert ist. Schliesslich vergesse man nicht, welch ungeheure qualitative Mannigfaltigkeit die Gerüche selbst für unsern relativ wenig entwickelten menschlichen Geruchssinn darbieten.

Dies alles vorausgesetzt — wie umfassend wird dann das Gebiet dessen werden, wovon solch ein Geruchsorgan uns Kunde geben muss! Erstens wird es uns durch direkte Betastung, d. h. durch rasch wechselnden Kontakt mit der Oberfläche all der uns umgebenden Dinge eine förmliche geographische Karte, bestehend aus Geruchsfeldern, liefern, von denen einige gross, einige klein, einige rund, einige länglich, andere weich, weitere hart, noch fernere glatt oder haarig sind usw. Kurz, es zeigt uns bestimmte Qualitäten und Grenzen des Raumes an, die unendlich verschiedenartiger sind als die uns seitens des Tastsinns gelieferten, der nur über den Widerstand und die Kontur Auskunft zu geben vermag. Diese Eindrücke werden sich ferner mit den Tasteindrücken kombinieren. Versetzen wir uns einmal an die

Stelle einer auf einer Wiese befindlichen Ameise. Die eine Antennen-
berührung wird sie mit dem länglichen Geruchseindruck eines Gras-
halms, die nächste mit dem gerundeten und auch sonst anders gearteten Geruchseindruck eines Blattes bekannt machen, eine dritte
mit dem eines Erdklumpens, eine vierte mit dem eines vorübergehenden Insekts usw. Wenn einer dieser Geruchseindrücke ihr
Kunde von einem begehrten Gegenstand bringt, so wird sie sich sofort auf diesen stürzen; bringt er Kunde von einem gefährlichen Feind,
so wird sie fliehen; ist ein dritter Geruchseindruck zweifelhafter Natur,
erregt er jedoch Interesse, so wird die Ameise stehen bleiben und den
betreffenden Gegenstand mit vermehrter Gründlichkeit abtasten. Alle
die Geruchsfelder aber, die in den drei Dimensionen des Raumes
verteilt sind, werden in dem Gedächtnis des Tierchens Bilder, die in
ganz bestimmten topographischen Beziehungen zueinander stehen,
zurücklassen. Nur wird dies vor allem eine Topographie chemischer
Natur sein, mit Gerüchen als Elementen der spezifischen Energie.

Aber mehr als das! Unsere Ameise wird auch entferntere Emanationen wittern, die von rechts, links, oben und unten kommen.
Diese Emanationen werden für die Ameise die chemische Geographie
des Raumes in allen Luftlinien verlängern, aber freilich in einer bei
wachsender Entfernung immer weniger scharf definierten Art und
Weise, weil die Ausdünstungen der Oberflächen verschiedener Gegenstände nur in nächster Nähe voneinander noch unvermischt und
abgegrenzt bleiben. Aber auch ihr eigener Geruch, der auf
dem zurückgelegten Wege in Form einer Spur deponiert
wurde, sowie der Geruch der auf dem Hinweg von ihren
Antennen berührten Punkte muss in der Auffassung der
Ameise eine bestimmte Form besitzen. Kurz und gut: eine
ganze Welt von lokalisierten, unter sich in sehr bestimmten Beziehungen stehenden Kenntnissen wird auf diese Weise in das Gehirn
der Ameise projiziert. Würde uns selbst ein ähnlicher Sinn verliehen,
so würde die Welt ein gänzlich verändertes Gesicht für uns erhalten.
Der Geruchssinn würde zu einem Formsinn werden, ja vielleicht zu
einer neuen Quelle der Kunst, von der wir uns vorläufig kaum einen
schwachen Begriff zu machen vermögen.

Ganz selbstverständlich ist es, dass die absolute Kleinheit des
Ameisenhirns den geistigen Fähigkeiten dieser Tierchen Schranken
setzt, so dass es die soeben beschriebenen Sinneseindrücke nur entsprechend dieser Begrenztheit ausbeuten kann. Trotzdem ist die

Tatsache ihrer Existenz nicht wieder wegzuleugnen, sie ist unanfecht-
bar erwiesen, und ich bin erstaunt, dass man sie so lange vernachlässigt hat.   Es handelt sich also hier um einen chemischen
Sinn, der die Beziehungen zwischen den verschiedenen Seiten des
Raums in Geruchsqualitäten zu übermitteln vermag, und zwar sind
diese Beziehungen sehr exakt, sobald ein Kontakt stattfindet, verschwommener, jedoch immer noch wahrnehmbar, wo eine geringe
Entfernung vom Objekt vorliegt.

Diese Fähigkeit habe ich als relationellen Geruchssinn bezeichnet, um die fundamentale Funktion eines beweglichen und nach
aussen gekehrten Geruchsorgans, das seinem Besitzer durch den
Kontaktgeruch die Verhältnisse des Raums übermittelt, zu charakterisieren.   Man könnte auch die Fähigkeit des Kontaktgeruchs als
Chemaphesthesie und den relationellen Geruchssinn als topochemischen Sinn bezeichnen.   Nach Bethes Ausdrucksweise müsste
man von topochemischen Reflexen sprechen, doch verbietet ihm ja
seine Theorie jede Analogie; er kann sich überhaupt solche Verhältnisse gar nicht vorstellen, und so bleibt ihm das ganze Gebiet
notwendigerweise verschlossen.   Für ihn gibt es eben nur eine „unerklärliche Polarisation".

Ferner zeigt Herbert Spencer, dass wohldefinierte Beziehungen
der Form für den Raum, der Aufeinanderfolge für die Zeit, der
qualitativen Differenzen für alle beide notwendig sind, damit eine
Kombination der Empfindungen, d. h. die Bildung definierter Wahrnehmungen und assoziierter, resp. assoziierbarer Engrammkomplexe
(Erinnerungsbilder) stattfinden kann.   Dies ist der Grund, warum der
Mensch nicht fähig ist, Geruchsempfindungen und Organempfindungen
mit seinen übrigen Erinnerungsbildern fest erinnerlich zu assoziieren.
In bezug auf den antennalen oder topochemischen Geruchssinn muss
sich aber die Sache anders verhalten.

Die Antennen besitzen bei den sozialen Hymenopteren an ihren
Keulen zwei Arten regelrechter Sinnesorgane, die sich von den gewöhnlichen Tasthaaren unterscheiden: die Riechkolben Leydigs und die
Porenplatten Kraepelins.   Die Riechkolben sind, wie wir oben (S. 81
bis 84) beschrieben und auf der Tafel abgebildet haben, haarähnliche
Gebilde auf der Oberfläche der Antenne und müssen speziell beim
Kontakt in Aktion treten.   Die Porenplatten sind dagegen flach;
sie erheben sich kaum über die Oberfläche der Antenne, und scheinen
mehr für den Distanzgeruch geeignet.   Besonders entwickelt sind sie

bei den Ichneumoniden. Unter den Ameisen besitzt Polyergus rufescens die differenziertesten Porenplatten, die ich kenne; doch sind die Riechkolben dieser Spezies gleichfalls sehr auffällig und deutlich.

Nichts kann uns besser über die Art und Weise, wie die Ameisen ihren Weg finden, unterrichten als eine Beobachtung der Raubzüge der Amazonenameise, Polyergus rufescens, und von Eciton, besonders aber der ersteren. Ich habe darüber in meinen Fourmis de la Suisse (1874) ausführliche Studien veröffentlicht und verweise den Leser bezüglich der Details auf diese. Ich verstehe nicht, wie Bethe solche Tatsachen mit Stillschweigen übergehen, wie er seine Polarisationstheorie in bezug auf Dinge anwenden kann, die nur durch die Erinnerung an Örtlichkeiten, überhaupt nur durch das Gedächtnis zu erklären sind. Dieses Gedächtnis ist zweifellos in erster Linie ein Geruchsgedächtnis (obwohl auch Gesichtserinnerungen mitspielen), doch genügen die Begriffe „Neststoff" und „Familiengeruch" absolut nicht zur Erklärung der vorliegenden Gedächtnisphänomene.

In der Riv. di Sc. Biol. (Bd. II., Nr. 3, 1900) habe ich bei Besprechung einiger nordamerikanischer Ameisen über meine Beobachtungen bezüglich der bewundernswerten Orientierungsfähigkeit einer ganz blinden Ecitonart, Eciton carolinense, berichtet. Diese Orientierung findet ausschliesslich mittels des topochemischen Geruchssinns der Antennen statt. Auch zeigen sich hier die Antennen in fortwährender Bewegung, sie sind in unaufhörlichem Abtasten jedes Stückchens Erde, ihrer Kameraden, der Larven usw. begriffen. Die Einseitigkeit dieser Orientierungsmethode hat sie zu einer ausserordentlichen Vollkommenheit entwickelt. Wenn man eine Handvoll Eciton carolinense an einen ihnen unbekannten, ja selbst sehr weit von ihrem Nest entfernten Ort setzt, so wird die geochemische Landkarte sofort entworfen, und wird Schritt für Schritt seitens jeder einzelnen Ameise mit einer unglaublichen Genauigkeit identifiziert. Sobald ein Eciton irgendeine Wegstrecke gemacht hat, findet er dieselbe ohne jedes Zögern, ohne auch nur einen Millimeter abzuweichen, wieder und verwechselt sie niemals mit einer andern, auch wenn sich noch so viele Spuren kreuzen. Ich verweise in Hinsicht auf Einzelheiten auf den genannten Aufsatz und bedaure lebhaft, dass wir in Europa keine Eciton besitzen, da meine damaligen Beobachtungen nur kurz und summarisch sein konnten.

Doch möchte ich mit wenigen Worten die Beobachtungen skizzieren, die ich an unsrer europäischen Polyergus, einer sklavenhaltenden Ameise, gemacht habe.

Unfähig, ihre Jungen aufzuziehen, ja sogar selbständig zu fressen, besitzen diese eigentümlichen „Arbeiter" den Instinkt, sich an schönen Nachmittagen des Juli, August und September in Massen zusammenzuscharen. Auf ein Signal, das einige Anführer der Bewegung durch Schläge auf die Stirne der andern geben, verlassen beinahe sämtliche Amazonen das Nest und begeben sich in ziemlich geschlossenem Zuge in einer gegebenen Richtung, und zwar mit einer Schnelligkeit von ca. 1 m auf 40 Sekunden im Gras und 1 m auf 25—30 Sekunden auf glattem Boden. Manchmal werden, besonders bei zweifelhaftem Wetter, verschiedene Raubzüge ohne Resultat vollführt. Die Phalanx, bestehend aus etwa 300—1500 Ameisen, geht nun, ohne zu zögern, in ziemlich gerader Linie vor. Dabei laufen aber die anführenden Ameisen häufig zur Nachhut zurück, als ob sie sich vergewissern wollten, dass auch alles beisammen geblieben sei, wodurch die Vorhut der Armee einem gewissen Personalwechsel unterworfen ist. Sehr oft aber zögert die Vorhut, sucht nach rechts und links, ja bleibt sogar stehen. Dann schwärmt sofort die ganze Armee aus, und es beginnt ein grosses, oft längere Zeit fortgesetztes Herumsuchen unter fleissigem Abtasten aller Dinge mit den Antennen. Bei dieser Gelegenheit lassen sich nun sowohl die individuellen Signale als auch die allgemeinen Bewegungen sehr gut beobachten. Mehrere Ameisen (zuweilen auch nur eine einzige) erkennen plötzlich, welche Richtung einzuschlagen sei; sie machen sich in beschleunigtem Tempo auf die Beine, oft in einer von der vorher innegehabten rechtwinkelig abweichenden Richtung und fordern durch Schläge auf den Kopf ihre Gefährten zur Nachfolge auf. Dadurch wird die veränderte Marschroute weitergegeben und nun folgt ihr die ganze Armee, wobei das Auge sich mit dem topochemischen Sinn zur Bewerkstelligung äusserst prompter Massenbewegungen vereinigt. Selten bilden sich gleichzeitig zwei vorwärtstreibende Vorhuten, die nach verschiedenen Richtungen auseinandergehen. In diesen selteneren Fällen teilt sich auch die Armee selbst in zwei Teile, von denen ein jeder eine andere Ameisenkolonie plündert, wofern nicht eine der Vorhuten auf ihrer Spur zurückkehrt, und sich dem andern Zuge anschliesst oder gänzlich entmutigt zum Nest zurückkehrt. Beides geschieht, wenn die eine (schwächere) Vorhut entweder ihre numerische Schwäche merkt oder ihren Weg nicht findet. Alle diese und noch mehrere andere Eventualitäten habe ich beobachtet; auch können während eines und desselben Raubzuges hintereinander die verschiedenartigsten Zwischenfälle erfolgen. Manchmal zögern die Tierchen nur einen Augenblick, doch manchmal sind sie trotz langen Untersuchens nicht imstande, ihren Weg zu finden und kehren mit leeren Kiefern heim. Meistens aber gelingt es ihnen doch schliesslich, ein Nest von Formica fusca oder rufibarbis zu entdecken; dann dringen sie schleunigst in dasselbe ein, kommen aber sofort, eine Larve oder Puppe in den Kiefern, wieder zum Vorschein und schleppen sie mit grösster Geschwindigkeit in das heimische Nest. Ferner habe ich zuweilen beobachtet, wie die ganze Armee dicht an einem Nest der begehrten Spezies vorbeilief, ohne es zu bemerken; wenn ich dann aber durch Ausstreuen einiger Fusca-Puppen und Krümeln Erde aus deren Nest die Aufmerksamkeit der Amazonen in diese Richtung gelenkt hatte, stürzten sie sich sofort darauf los. Beim Rückweg der Armee gibt es nie irgendwelches Zögern. Die topochemische Geruchsspur und die Gesichtserinnerungen des Hinwegs genügen vollständig, um jeder Ameise aufs deutlichste den Weg zu zeigen. In bezug hierauf möchte ich noch zwei Tatsachen berichten. Ich habe gesehen, wie eine Amazonenarmee, die einen Streifen Gras zu überqueren hatte, dies bewerkstelligte, obwohl ich das Gras unter Wasser gesetzt hatte, um die Tiere hieran zu verhindern; sie hingen sich an die einzelnen Grashalme und überwanden so die gefährliche Stelle; dann überschritten sie eine von heftigem Wind und Staub durchfegte Strasse, ohne auch hierbei im geringsten die Orientierung zu verlieren. Jede Vorhut eines solchen Beutezuges heischt unbedingt Gefolgschaft. Wenn eine solche Amazonenvorhut nicht von einer genügenden Truppe begleitet wird, so habe ich (mit einer einzigen Ausnahme) stets gesehen, dass sie bald umkehrt, resp. heimkehrt. Zu Hause mit ihrer Beute angelangt, werfen die Amazonen zuweilen ihren Sklaven die gestohlenen Puppen hin und rücken sofort wieder aus, um dasselbe Nest nochmals zu plündern, falls es noch Beute enthält, oder ein anderes, falls das erste erschöpft ist. Meistens aber bringen sie die Ausbeute ihres Raubzugs selbst im Neste unter und verlassen dann dieses an demselben Tag nicht wieder. Tatsache ist, dass sie wissen, ob das geplünderte Nest noch Puppen enthält oder nicht. Und nur im ersteren Fall kehren sie dorthin ein-, sogar zwei- oder dreimal zurück, manchmal an demselben Tag, manchmal, wenn es an diesem zu spät ist, auch erst am nächsten oder übernächsten Tag, stets aber dann ohne jede Ratlosigkeit bezüglich des Wegs, ohne Zögern und Aufenthalt. Diese Tatsache scheint mir ein unwiderlegbarer Beweis ihres Gedächtnisvermögens. Sie erinnern sich offenbar, ob das geplünderte Nest noch Puppen enthielt, anders ausgedrückt: ob es arm oder reich an solchen war. Weder durch einfache Reflexe, noch durch unbekannte Kräfte, noch durch polarisierte Spuren lässt sich diese Sache erklären, und nie habe ich Polyergus mehrere Male hintereinander ein Nest aufsuchen sehen, das keine Puppen mehr enthielt. Diese Tatsache gibt viel zu denken. Im Nest ist es dunkel; folglich können die Tiere nur mittels ihres topochemischen Geruchs und des Tastens sich überzeugen, ob noch Puppenbeute im geplünderten Nest zurückblieb, und darüber können eigentlich erst die letzten raubenden (die Nachhut der Armee) ein Urteil gewinnen. Freilich ist meist die Ausbeute des letzten Raubzuges gering, und da dann die meisten Räuber leer ausgehen, wissen sie, dass in jenem Nest nichts mehr zu holen ist.

Ich habe während eines einzigen Sommers (1873) 44 Raubzüge einer einzigen Kolonie von Polyergus rufescens beobachtet, die sich über 30 Nachmittage verteilten, und habe mir ausgerechnet, dass diese Ameisen während eines einzigen Sommers nahe an 29000 Puppen der Sklavenspezies in ihr Nest schleppen mögen.

Wie kommt es nun, dass unsre Polyergus solche Nester von Formica fusca auffinden, die 40 bis 60 m von ihrem eignen Nest entfernt und obendrein oft ziemlich versteckt liegen? Im Frühling und an Sommermorgen streifen die Arbeiter von Polyergus gern einzeln herum, suchen die Umgebung des Nestes in beträchtlichem Umfange ab und entdecken so die Nester der Arten, deren Puppen ihnen zur Beute dienen. Man kann wohl mit Sicherheit annehmen, dass es eben diese Entdeckungsreisenden sind, die später die Initiative für die Richtung der Raubzüge ergreifen, die das Ausrücken derselben leiten und die beim Zögern und Anhalten an zweifelhaften Stellen wiederum schliesslich den rechten Weg finden. Hierbei spielt natürlich der topochemische Antennensinn eine ganz hervorragende Rolle. Bei einem solchen Verlegenheitsaufenthalt verhält es sich mutmasslich so, dass einer der anführenden Amazonenarbeiter dank seinem topochemischen Gedächtnis ein oder mehrere Wegzeichen wiederfindet, die ihn orientieren; dann stösst er die andern am Kopf und rennt in die neue Richtung, die andern so nach sich ziehend. Übrigens bin ich fest überzeugt, dass meistens mehrere Arbeiter, sogar

viele, den Weg kennen. Aber man kann deutlich bei den Verlegenheits-
stationen beobachten, wie einer oder sehr wenige Arbeiter plötzlich
den Abmarschanstoss in eine bestimmte Richtung geben. Ich glaube
ebenso wie Lubbock, dass der Gesichtssinn zur Orientierung von
Polyergus mit beiträgt, kann aber Fabres Meinung von der ganz
hervorragenden Rolle, die das Auge dabei spielt, nicht teilen. Ein
seiner Fühler beraubter Polyergus hat alle Orientierungsfähigkeit
verloren.

Ohne, wie es scheint, von meinen Experimenten gewusst zu haben,
machte Fabre (Souvenirs entomologiques, 1882) Versuche, die
Amozonenameisen bei ihrer Rückkehr irrezuführen, indem er Sand
auf ihren Weg schüttete, oder diesen (ebenso wie ich selbst), unter
Wasser setzte, indem er ihn ferner mit Pfefferminze berieb oder
Papier darüber legte. Die Amazonen zögerten, suchten; schliesslich aber gelang es ihnen, über das Hindernis hinwegzukommen und
ihren richtigen Weg wiederzufinden. Ich selbst habe, wie gesagt,
ganz ähnliche Beobachtungen gemacht. Es sind dies Beweise dafür,
dass ihr Gesichtssinn ihnen bei der Orientierung hilft, keineswegs
aber, dass dieser allein der orientierende Faktor ist. Auch lässt
Fabre völlig ausser acht, dass die zurückkehrende Ameise an ihrer
Spur merkt und erkennt, von welcher Seite diese kommt, und
daraus notwendigerweise folgert, dass sie sich nun nach der entgegengesetzten Richtung zu begeben hat. Kommt nun ein Hindernis —
und auch die Natur bereitet ihr ja solche — so stutzt sie zunächst, ist
sich aber bald im klaren, dass die Spur, die hinter ihr liegt, sie zu
dem ausgeplünderten Nest zurückführt, aber nicht zu ihrem eignen,
und dass ein andre Spur nicht mehr vorhanden ist; dazu kommt,
dass sie sich entsinnt, vor kurzer Zeit diesen Weg gekommen zu
sein, und so scheut sie sich nicht, das Hindernis zu überqueren und aufs
Geratewohl der Richtung ihres bis hierher zurückgelegten Rück-
weges zu folgen. Und wirklich findet sie nach Überwindung des Hin-
dernisses ihre Spur auf der andern Seite wieder. Ich bin jedoch
überzeugt, dass es gelingen würde, die Armee schliesslich zu desorientieren, wenn man die Spur in grösserem Umfange unterbräche,
wenn man sie z. B. auf eine Strecke von 20 bis 30 m mit Sand über-
deckte. Dann würden aber die Ameisen voraussichtlich beim Suchen
um das Hindernis herumkommen und vielleicht schliesslich am Aussen-
rande desselben in irgendeine andre bekannte Spur einlenken.

Was bleibt nun angesichts dieser Tatsachen von Bethes „unbekannter

Kraft" und „Polarisation" übrig? Fabre gibt zu, dass es die Erinnerung
an die Örtlichkeiten sei, welche die Amazonen leitet. Er macht einige
wunderhübsche Versuche mit der Raubwespe Pompilus, indem er
wieder und wieder die gelähmte Spinne, welche diese Wespe hinzu-
legen pflegt, an einen andren Ort bringt. Er zeigte dabei, dass
Pompilus stets, ohne Zögern den Ort aufzufinden weiss, wo die
Spinne zuletzt gelegen (was sagt Bethe hierzu?). Fabre gesteht infolgedessen Pompilus ein Ortsgedächtnis zu. Warum aber spricht er
es Chalicodoma ab? Eigentümliche Inkonsequenz!

Fabre hat übrigens noch andere Inkonsequenzen begangen. Nachdem
er, so wie ich bei Saturnia carpini, das staunenswerte Geruchsvermögen von Saturnia pyri (gr. Nachtpfauenauge) nachgewiesen hatte,
deren Männchen mittels seiner grossen befiederten Fühler sein Weibchen aus meilenweiten Entfernungen wittert, selbst wenn dieses unter
einer Glasglocke in einem Zimmer eingesperrt ist, zeigt er 1., dass
das Männchen nicht zum Weibchen fliegt, wenn man dieses nach
vielen Stunden an einen anderen Platz gesetzt hat, sondern zur jetzt
leeren Stelle, wo das Weibchen sich vorher befand; 2., dass wenn man
mit Wachs oder Kitt die Glasglocke, in welcher das Weibchen sitzt, am
Boden unten hermetisch schliesst, so dass unten zwischen Glas und
Boden kein Spältchen mehr besteht, das Männchen nichts mehr
wittert, und daher das Weibchen nicht mehr findet.

Statt nun aus diesen seinen so klaren Experimenten den unzweideutig
sich ergebenden Schluss zu ziehen, dass es sich hier um einen ungemein feinen (chemischen) Geruchssinn handelt, vermutet Fabre, es
deute dieses auf neue, noch unbekannte physikalische Wellen, auf
einen geheimnisvollen, noch unbekannten Sinn! Ich überlasse es dem
gesunden Menschenverstand meiner Leser zu urteilen und verweise auch
auf meine eigenen Versuche bei Sarturnia carpini (s. weiter oben)·

Wenn der Geruchssinn uns Menschen keine in sich und als solche
zusammengesetzten Erinnerungsbilder liefert, so liegt nach Herbert
Spencer der Grund hiervon in der absoluten Unmöglichkeit, dass
jener Wirbelwind von Gerüchen, der in unsere Nase einströmt, sich
in genau topographisch bestimmte Beziehungen zu den einzelnen
Regionen unsrer Riechschleimhaut setzt oder eine geordnete Sukzession von Eindrücken hervorruft. Beim topochemischen Sinn
der Antennen liegt die Sache dagegen ganz anders. Die bestimmten
räumlichen Beziehungen, die dieser liefert, müssen notwendigerweise
in jedem mit Gedächtnis begabten Hirn assoziierte Wahrnehmungen

und präzise Erinnerungen der Raumgebiete erzeugen, die, sei es nacheinander, sei es nebeneinander, wahrgenommen werden. Dieser Sinn muss sogar weit bestimmtere Beziehungen der Aufeinanderfolge, bezw. der Zeit (nicht nur des Raumes) liefern, als die sind, welche uns von unserm Geruchssinn geliefert werden. Es handelt sich hier übrigens keineswegs um eine in der Luft schwebende Hypothese, sondern um greifbare und über jedem Zweifel stehende Tatsachen. Um sie zu verstehen, muss man allerdings die Psychologie der Sinne einigermassen studieren. Was auch Bethe sagen möge, so liegen doch in der vergleichenden Psychologie viele Lichtquellen, von denen aus sich solche, noch nicht genügend aufgeklärte Gebiete beleuchten lassen. Für ihn ist freilich der Zugang zu diesen Lichtquellen durch die Mauer des Vorurteils geschlossen.

Eine Eigentümlichkeit der Ameisen gewisser Gattungen mit gut entwickelten Augen (Formica, Myrmecocystus) ist die, dass sie ihre Gefährtinnen regungslos gerollt mit den Kiefern dahin tragen, wo sie eine passende Stelle zum Bau eines neuen Nestes gefunden haben. Verlorene Gefährtinnen werden auch so heimgetragen. Bei diesen Arten ist ein Arbeiter nicht imstande einem anderen direkt zu folgen. Aber wenn ein Arbeiter einmal einen Weg mühselig gefunden hat oder von einem Gefährten, wie eben erwähnt, dahin getragen worden ist, kann er den Weg allein zurückfinden, wäre er selbst 40 oder 60 Meter lang. Nach langer Überlegung und vielen Experimenten komme ich zu der Überzeugung, dass hier Gesichts- und topochemischer Geruchssinn zusammenwirken. Letzterer Sinn kommt allein oder fast allein bei Ameisen mit kleinen oder flachen Augen in Betracht. Aber die von einer Gefährtin getragene Formica (rufa oder fusca z. B.) sieht den Weg und wittert ihn topochemisch zugleich. Ohne Fühler finden sie ihn nicht zurück und ohne Augen nur auf sehr kurzer Strecke. Und gerade deshalb ist offenbar bei diesen Gattungen jene sonderbare Art des gegenseitigen „Sichtragens" entstanden, weil jeder der beiden Sinne allein nicht genügt. Der Geruchssinn ist bei ihnen nicht scharf genug, um das Verfolgen der Spur einer Gefährtin, und der Gesichtssinn ebenfalls zu nebelhaft, um das Verfolgen mit den Augen zu gestatten. Hat dagegen die Ameise eine eigene topomechanische Erinnerungskarte und dazu, wenn auch unklare, so doch orientierende Gesichtsbilder gewonnen, so kommt sie mit beiden zusammen zurecht. Blinde oder halbblinde, sogar schon schwächer sehende Ameisen, wie Lasius und Myrmica, haben angeschwollene Fühlerkeulen mit stärker entwickelten Geruchsorganen und kommen mit diesen vollständig aus.

Zwei Worte noch über eine nahe verwandte Frage. Schon 1810 schrieb P. Huber von der Antennensprache der Ameisen. Er hat hierüber in der Hauptsache ganz richtig geurteilt. Nur muss man sich über gewisse selbstverständliche Dinge klar sein. Es ist keine konventionelle Sprache im menschlichen Sinn, sondern eine erbliche phylogenetisch akquirierte und nicht individuell erworbene Sprache. Sie gehört zum Instinkt oder zur erblichen Mneme, somit zum Artgedächtnis. Jede Ameise versteht aus Instinkt die Zeichen der Antennensprache, ohne sie gelernt zu haben. Wir sahen den Polyergus mit einem Kopfstoss seinen Gefährten das Aufmarschsignal und durch seinen eignen Lauf die Richtung angeben. Durch Betrillern des Kopfschildes einer Gefährtin bittet eine Ameise dieselbe um Nahrung, die ihr die andre dann bereitwilligst aus ihrem Kropf hinauswürgt. Während dessen fährt die Bittende mit dem Betrillern fort und streicht ihr ausserdem die Kopfseiten mit den Vorderfüssen. Alarmsignal beim Krieg wird mit raschen Stössen bei offenen Kiefern und zugleich mit den Fühlern gegeben. Der Stoss des Hinterleibes auf den Boden der Karton- und Holznester bildet auch bei Camponotus und andern Gattungen ein sogar für uns hörbares Alarmzeichen. Aber die gegenseitige Betastung mit dem Organ des topochemischen Geruchs, mit den Fühlern, ist jedenfalls das Hauptmittel gegenseitiger Erkennung und Verständigung. Beständig betasten und „besprechen" sich die Ameisen einer gleichen Kolonie gegenseitig mit den Fühlern, und Miss Fielde (s. Anhang zur IX. Studie), Wasmann und andere haben den strikten Nachweis erbracht, wie fein sie die verschiedenen Gerüche, nicht nur von Freund und Feind (wie ich es früher zeigte), sondern auch von alt und jung, von Männchen und Weibchen, von Larven, Blattläusen und Myrmecophilen, kurz von jeder Sorte von Nestbewohnern mit den Fühlern unterscheiden. Bei manchen Formen, vor allem bei Ponerinen, mögen auch die Zirpvorrichtungen zwischen dem ersten und zweiten Hinterleibsring mitwirken. Auch hier muss man sich vor Verallgemeinerungen hüten. Jede Gattung und sogar jede Art besitzt ihre bezüglichen Eigenschaften und Zeichen. Ein vertieftes Studium der instinktiven Antennensprache wäre sicher lohnend.

Übrigens gibt bereits Wasmann (Die psychischen Fähigkeiten der Ameisen. 2. Aufl. 1909, S. 76) eine vortreffliche Zusammenstellung der verschiedenen Formen (oder Signale) der Ameisensprache, auf die ich den Leser verweisen möchte.

Fassen wir unsere in diesem Kapitel niedergelegten Anschauungen über die Orientierung der Insekten in wenigen Sätzen zusammen: Die Orientierungsfähigkeit ausserhalb des eigenen Körpers des Individuums beruht weder in einer besonderen geheimnisvollen Kraft, noch in einem unbekannten sechsten Sinn (ob statischer oder geotropischer Natur), noch in den Bogengängen. Sie ist vielmehr das Resultat der Erfahrungen der uns bekannten Sinne, sei es mehrerer zusammen, sei es eines einzigen, besonders aber des Gesichts- und Geruchssinns, sowie auch des Tastsinns, und je nach Fall und Spezies verschieden. Bei Orientierung in der Luft herrscht der Gesichtssinn vor; hiervon bieten uns die Brieftauben das bewundernswerteste Beispiel. Da ihre Leistungen sich durch den Gesichtssinn vollauf erklären lassen, so ist es müssig, hier nach weiteren geheimnisvollen Ursachen zu fahnden. Bei Orientierung auf der Erde spielt der Geruch oft eine hervorragende Rolle, doch tritt er bei vielen Tieren, z. B. dem Menschen, den Affen, gewissen Baumreptilien, Insekten usw. hinter dem Gesichtssinn zurück. Bei der Orientierung der unterirdisch oder in Höhlen lebenden Tiere regieren Geruch und Tastsinn; bei Spinnen ist der letztere der hauptsächliche Orientierungssinn. In einem späteren Abschnitt werden wir uns mit der Orientierung im Wasser beschäftigen.

Indessen muss betont werden, dass gewisse Sinne innerhalb der tierischen Entwicklungsreihen bedeutenden morphologischen und physiologischen Umwandlungen unterworfen sind, die ihre Eigenschaften sowohl als auch die Art und Qualität der durch sie vermittelten Wahrnehmungen stark modifizieren. Dies ist z. B. der Fall bei dem Sehen mittels Facettenaugen und bei dem topochemischen Geruchssinn der Antennen (sowohl bei Kontakt wie auf Distanz). Ebenso wie unser Gaumen gleichzeitig der Sitz sowohl von Tast- als auch von Geschmacksempfindungen ist, ebenso enthalten die Antennen ausser dem eigentlichen topochemischen Sinn auch einen topomechanischen Tastsinn. Eines eingehenderen Studiums würdig wären übrigens die Fledermäuse in Beziehung auf ihre Orientierung in der Luft, die besonders dem Tastsinn zugeschrieben wird. Endlich finden wir eine gegenseitige soziale Orientierung bei sozialen Insekten mittels phylogenetisch akquirierten und erblich mnemisch fixierten Zeichen. Diese „Instinktsprache", die auch bei Bienen, Wespen etc. vorkommt, ist besonders bei Ameisen als Antennensprache mittels des topochemischen Geruchs und der Bewegung der Fühler entwickelt.

Anhang zur X. Studie. Experimente von v. Buttel-Reepen.[1]

Als ich die, als X. Studie dieses Werks vorliegenden Gedanken niederschrieb, kannte ich noch nicht die Arbeiten von H. v. Buttel-Reepen. Wenn ich diesen Umstand einerseits bedaure, so hatte er doch andrerseits den Vorzug, dass meine Kritik Bethes von derjenigen v. Buttel-Reepens geradezu völlig unabhängig ist; der Leser unsrer Arbeiten wird darüber erstaunt sein, bis zu welchem Grade unsre Anschauungen sich decken. Natürlich verleiht diese Übereinstimmung unsern Resultaten ein um so grösseres Gewicht. Buttel-Reepen ist nicht nur ein Zoologe, sondern auch ein sehr erfahrener Bienenzüchter, und dies erhöht den Wert seiner Arbeit beträchtlich, so dass ich nicht anstehe, seinen Meinungen und Beobachtungen bezüglich der Bienen einen weit grösseren Wert beizumessen als meinen eigenen. Ich fühle mich wegen meiner Unkenntnis seiner Arbeiten in seiner Schuld und bekenne dies um so lieber, als ich alles, was er behauptet, bestätigen kann, mit alleiniger Ausnahme dessen, dass er den Bienen ein eigentliches Gehörsvermögen und ein gutes Geruchsvermögen aus der Entfernung zuschreibt.

Buttel-Reepens Arbeit ist in Kapiteln eingeteilt, die ich in verkürzter Fassung, teilweise aber auch wörtlich, wiedergeben will.

Der Nestgeruch und die durch diesen bedingten Reaktionen.

v. Buttel weist ebenso bestimmt wie ich selbst die Terminologie Bethes zurück und unterscheidet folgende, von den Bienen wahrgenommenen Gerüche:

---

[1] Buttel-Reepen, H. v. Sind die Bienen Reflexmaschinen? Leipzig 1900, Georgi. Derselbe, Biol. Zentralblatt, Bd. 20, 1900 (dieselbe Arbeit mit einigen Modifikationen).

1. **Individueller Geruch.** v. Buttel beweist durch zahlreiche Beispiele, dass die Bienenkönigin einen sehr starken Geruch besitzt, der besonders intensiv zur Zeit des Eierlegens und ferner auch bei jeder Königin verschieden ist. Die Arbeiter unterscheiden die Königinnen am Geruch voneinander, töten die fremden und gewöhnen sich nur sehr allmählich an eine neue Königin. Der Grad der Huldigung, die sie ihrer Königin zollen, ist von deren Geruch abhängig und vermindert sich im gleichen Verhältnis zu diesem. Wenn also die Königinnen einen verschiedenartigen Geruch besitzen, so muss a priori angenommen werden, dass das gleiche, wenn auch wahrscheinlich in geringerem Grade, bei den Arbeitsbienen der Fall ist. Ich möchte hier gleich bemerken, dass die dahingehende Vermutung von v. Buttel mich in meiner Annahme einer ähnlichen Sachlage bei den Ameisen bestärkt. Ich verweise übrigens für die Ameisen auf den Anhang zur IX. Studie (Experimente von Miss Fielde), in welchem sowoh das Gedächtnis für Gerüche wie die Unterscheidung diverser Gerüche bei den Ameisen nachgewiesen wurde.

2. **Familiengeruch.** Alle Kinder derselben Mutter (oder Bienenkönigin) besitzen einen der Familie gemeinsamen Geruch.

3. Es besteht ein **Brut- und Futterbreigeruch.**

4. **Drohnengeruch.**

5. **Wachsgeruch.** Dieser Geruch ist zusammengesetzter Natur, da ihm die individuellen Gerüche der Wachserzeugerinnen, deren Drüsensekret das Wachs ist, anhaften.

6. **Honiggeruch.**

7. **Nestgeruch.** Dieser setzt sich normalerweise aus einer Mischung der sechs verschiedenen Gerüche oder aus einem Teil derselben zusammen.

Ein 24 stündiges Einsperren einer fremden Königin in einem weisellosen Schwarm genügt jedoch, die Bienen mit ihr zu befreunden. Um sie zunächst vor Anfeindungen zu schützen, wird die in die Mitte des Stocks gesetzte Königin mit einer Hülle von Drahtgaze, einem sog. Weiselkäfig, umgeben; man kann sogar auf diese Weise einen „Sammelschwarm" aus Bienen 30 verschiedener Schwärme bilden, ohne dass sie miteinander in Zwietracht geraten. Hieraus sieht man, dass der Nestgeruch keine „angeborene" Eigenschaft ist, sondern vielmehr aus der Vereinigung und Mischung der Individualgerüche gebildet wird.

Wenn man zwei Stöcke nebeneinander setzt und die Königin samt ihrer ganzen Kinderstube aus dem einen Stock entfernt, so geschieht es häufig, dass der ganze Schwarm sich „freudig-brausend" in den weiselrichtigen Nachbarstock begibt. Hier wird er gut aufgenommen und keineswegs getötet oder misshandelt, obwohl das weiselrichtige, völlig normal zusammengesetzte Volk, wenn es dem „nicht modifizierbaren Chemoreflex" Bethes folgen würde, stets feindlich gegen die Eindringlinge reagieren müsste.

Wird ein Volk beraubt und duldet die Räuberei, ohne sich zu wehren, so kann man den Zorn des beraubten Volks durch ganz bestimmte Methoden, z. B. durch Zufuhr von mehrjährigem, in Gärung übergegangenen Buchweizenhonig künstlich erregen.

Bienen, die mit gefülltem Honigmagen von der Tracht heimkehren, werden, auch wenn sie sich in fremde Stöcke verirren, selten feindlich empfangen. Um sich „einzuschmeicheln", pflegen solche Eindringlinge von ihrem Honigvorrat an die sie umdrängenden Feinde abzugeben und gleichzeitig sich selbst der Honigbürde zu entledigen. Auf dieser Erfahrung, dass honigbringende fremde Gäste gut behandelt werden, beruht das „Versetzen" der Stöcke: soll ein schwaches Volk aufgebessert werden, so wird sein Standort einfach mit dem eines kräftigen ausgetauscht, die Stöcke wechseln ihre Plätze, während die Bienen sich auf der Tracht befinden.

Bespritzt man die Völker zweier Stöcke mit einer starkriechenden Flüssigkeit oder bepudert sie mit Mehl, so kann man sie ohne Gefahr von Zwistigkeiten vereinigen. Auch verlieren die Bienen ihr Ortsgedächtnis, wenn man sie mit Salpeter, Äther und andern derartigen Stoffen narkotisiert.

Doch kommen auch in der entgegengesetzten Richtung Aberrationen des Instinkts vor: so stachen Bienen ihre eigenen Nestgenossen, ja sogar ihre Königin bei der Rückkehr von der Tracht ab. Sollten hier vielleicht Geruchsabnormitäten vorgelegen haben?

Die selbst für das menschliche Geruchsorgan sehr charakteristische Ausdünstung einer Bienenbrut, die ausserdem durch ihren Lebensstoffwechsel einen ziemlich warmen Brodem erzeugt, übt mutmasslich auf die Bienen eine starke Anziehungskraft aus und bewirkt, dass diese von Natur zum Vagabundieren neigenden Geschöpfe immer wieder zum Stock zurückgeführt und dort gefesselt werden.

Die Bienen opfern ihrer Königin alles! Sie füttern sie, wenn sie selbst der Hunger plagt, ja sie tun dies in einem solchen Grade, dass sie wirklich zuweilen sämtlich Hungers sterben und nur die Königin allein ihr opferwilliges Volk überlebt.

Die Königin selbst reagiert nicht auf den Nestgeruch, weder in feindlicher noch freundlicher Richtung und zeigt sich einem fremden Arbeiter gegenüber nie animos. Sie heischt Nahrung von jeder Biene, ob Freund oder Feind, ja selbst von den „wütend" zischenden Bienen, die sie durch die Lücken ihres Gazekäfigs hindurch bearbeiten und zu töten suchen; diese wiederum reichen aber selbst unter diesen Umständen dem bettelnden Rüssel der Königin die erforderliche Labung. So füttert ein weiselloser Stock oft 10—20 im Weiselkäfig eingesperrte Königinnen; hat sich aber einmal eine derselben befreit und ist von dem Stock „angenommen", so kümmert sich dieser nicht mehr um die übrigen, sondern lässt sie Hungers sterben. — Die Königin kennt nur eine Feindin, das ist ihre Nebenbuhlerin, gewöhnlich ihre Tochter oder Schwester, die denselben Nest- und Familiengeruch besitzt, wie sie selbst. Geraten zwei Königinnen in Streit, so bleibt meistens eine auf dem Felde der Ehre. Sehr selten kommt es vor, dass zwei Königinnen nebeneinander in demselben Stock und auf denselben Eiern hausen.

Die Drohnen dagegen sind Kosmopoliten und bummeln überall herum, werden auch überall freundlich aufgenommen, freilich nur, so lange die Drohnenschlacht, ihre grosse Bartholomäusnacht, noch nicht begonnen hat.

Wenn die Arbeiterbienen, aus Mangel an einer Königin, selbst zum Eierlegen übergehen (zur Erzeugung männlicher Eier), wird es immer schwerer, ihnen eine Königin zuzuführen oder sie mit weiselguten Völkern zu vereinigen. Sie werden dann meist von diesen abgestochen. Dieser Umstand ist nach Dönhoff auf eine eigenartige, zunehmende Veränderung im Geruch dieser „afterdrohnenbrütigen" Völker zurückzuführen.

Aus all diesen Tatsachen dürfte ersichtlich sein, dass die Gerüche der Arbeiter, Königinnen, Familien und Nester ausserordentlich viel komplizierter sind als Bethe glaubt, und dass die Annahme eines einfachen chemischen Stoffes und modifikationslosen Chemoreflexes nicht genügt, diese verwickelten Vorgänge zu erklären.

Elfte Studie.

Mitteilungsfähigkeit bei Bienen. Orts- und Zeitgedächtnis.

Mitteilungsfähigkeit.

Auch auf diesem Gebiete hat Bethe mit der üblichen Selbstsicherheit seine negativen Anschauungen bekundet, und auch hier ist ihm v. Buttel-Reepen mit sehr interessanten Experimenten entgegengetreten, die ich dem Leser im folgenden unterbreiten möchte.

Zunächst lenkt v. Buttel-Reepen unsere Aufmerksamkeit auf einen grundlegenden Beobachtungsfehler Bethes. Bethe verwechselt nämlich den Klageton der Bienen, die ihre Königin verloren haben oder sonstwie erschreckt worden sind, das „Heulen", mit ihrem freudigen Summen, dem „Sterzelton", der erklingt, sobald sie ihren Stock oder ihre Königin wiedergefunden haben. Das „Heulen" hat indessen einen ganz anderen Klang, den man als langgezogen, klagend, ja schrill bezeichnen könnte, während das freudige Summen kürzer, leiser, gedämpfter und mit einem Emporheben des letzten Rumpfsegments kombiniert ist. Geängstigte oder zornige Bienen nehmen übrigens auch zuweilen eine Haltung an, die dem freudigen „Sterzeln" ähnelt, ohne jedoch identisch damit zu sein.

Nimmt man einem grossen, etwa 50—60000 Bienen enthaltenden Schwarm die Königin weg, während die Bienen eifrig auf der Tracht sind, so vergehen oft mehrere Stunden, ehe der Verlust entdeckt wird. Dann aber ändert plötzlich der ganze Schwarm sein Benehmen; das freudige Sterzeln verwandelt sich im Augenblick in Heulen. Die Bienen sind aufgeregt, verstört, boshaft, disponiert inner- und ausserhalb des Stocks zu stechen, und benehmen sich, als suchten sie irgend etwas. Bei kleineren Schwärmen beginnt der Krawall gewöhnlich, sobald die Königin fortgenommen worden ist, besonders wenn dies geschieht, während die Bienen sich nicht auf der

Tracht befinden. Wodurch aber bemerken die Bienen die Abwesenheit ihrer Königin? Der Geruch kann der Grund nicht sein, denn einerseits ist der Geruch der Königin hartnäckig und durchdringt den ganzen Stock, und andrerseits dauert es oft mehr als eine Stunde, bis die Arbeiterbienen ihre Abwesenheit bemerken. Wenn sie dies aber bemerken, so geschieht es fast plötzlich.

„Hat Bethe recht, dass das Mitteilungsvermögen nur auf chemischen Einflüssen beruhe, so würde obige Beobachtung" (ich zitiere hier v. Buttel-Reepen wörtlich) „zum mindesten beweisen, dass der Königingeruch ein sehr dominierender im Stocke ist, die Königin also nicht, wie Bethe ausschliesslich angibt, den Neststoff des Volkes annimmt, sondern umgekehrt die Königin den Nestgeruch stark beeinflusst oder doch eine gegenseitige Verwitterung vor sich geht . . .

Dass aber die jungen Bienen, wie es übrigens jedem Imker bekannt ist, keine ausschlaggebende Rolle hierbei spielen, geht schon daraus hervor, dass man die jungen, die Königin fütternden Bienen sehr wohl zusammen mit der Königin entfernen kann. Nun werden die alten Bienen alsbald den Klageton anstimmen. Man kann auch künstlich ein Volk von alten Flugbienen zusammenkoppeln und eine beliebige Königin in den Weiselkäfig hineinsetzen. Sowie das geschieht, beruhigt sich das soeben schon unruhige Volk wie mit einem Zauberschlage. Die der Königin zunächst befindlichen Bienen fangen unter besonderem Summen an zu sterzeln, dieses Summen wird von den andern Bienen aufgenommen und plötzlich ist friedliche Ruhe vorhanden."

Als v. Buttel einstmals die Königin eines Vorschwarms durch Zufall zerdrückte und befürchten musste, dass der Schwarm sich entfernen und wieder zum Mutterstock zurückbegeben würde, heftete er die tote Königin mit einer Nadel auf einen durchschnittenen Flaschenkork und hing diesen inmitten des dicht versammelten Schwarms auf. Das Volk verblieb ruhig, arbeitete weiter an seinem Honig, und der Hofstaat umgab leckend und tastend seine tote Majestät.

Ja, v. Buttel ging noch weiter. Er steckte eine Königin in den Weiselkäfig und setzte diesen in die Mitte eines kleinen, schwachen Völkchens, aus dessen Stock er alle Waben entfernt hatte, „da sich in diesem Zustande die Weiselunruhe sehr viel schneller und stärker bemerkbar macht." Am nächsten Tage nahm er den Käfig samt der Königin aus dem Volke heraus, und sofort brach die für die Weisel-

losigkeit so typische Unruhe mit Heulen los. Schnell öffnete Buttel-
Reepen nun die Tür des Stocks und hielt den leeren Weiselkäfig,
aus welchem er die Königin geschwind entfernt hatte, in die
Mitte der Bienen. „Sofort wurde er von vielen freudig sterzelnden
Bienen belagert und der Heulton verschwand. Ein schlagender Beweis,
dass der Geruch der Königin genügt, um alle die Instinkte zu befriedigen,
welche sich unter der Weiselunruhe als unbefriedigte kundgaben."

Wie muss man sich aber das erste Experiment erklären, in welchem
die Wegnahme der Königin allein genügt, um das Heulen plötzlich
und sofort hervorzurufen, obwohl ihr Geruch doch noch eine Zeit
lang nach ihrer Wegnahme fortbestehen muss?

v. Buttel folgert in sehr richtiger Weise aus den Tatsachen, dass
es sich hier um mehr als um einen blossen Geruch handelt. Er
sagt, dass bei dem letzteren Versuch die plötzliche Beschwichtigung
der Bienen vermittelst eines leeren Weiselkäfigs wohl auf einen durch
die ernste und plötzliche Notlage akut gewordenen Instinkt zurückzuführen sei. In diesem Falle habe schon der an die Königin nur
erinnernde Geruch genügt, die Arbeiterbienen zu beschwichtigen.
So sieht man im Frühling in pollenarmen Gegenden häufig die Bienen
„in der Not des Bedürfnisses" Scheunen-, Steinkohlen- und Ziegel-
staub eintragen, ja einstmals sah v. Buttel, wie die Bienen feines
Holzmehl sammelten. Das bedeutet aber durchaus nicht, dass die
Bienen die beiden Dinge, das echte und das Surrogat, verwechseln;
sobald sie ihre wirkliche Königin und wirklichen Pollen haben,
dürften sie sich aus einem leeren Weiselkäfig und Kohlenstaub
herzlich wenig machen!

Es liegt hier genau derselbe Fall vor, wie bei einer Henne, der
man die Eier wegnimmt, und die nun statt dessen auf einem weissen
Steine brütet, oder bei einer alten Jungfer, die in Ermanglung eigner
Kinder ihr Herz an Hunde und Katzen hängt (s. E. Rambert „Les
illusions du coeur"). Wie frappant ist die Analogie dieser Fälle
mit jenen, die ich in meinen „Fourmis de la Suisse", S. 263—274
(Exp. V, Nr. 1—10) erwähnt habe, und die sich mit den Beziehungen
zwischen erwachsenen Ameisen verschiedener Kolonien beschäftigen!
Diese Tiere kämpfen entweder bis zur völligen Ausrottung oder ver-
bünden sich, je nach den Umständen, und zwar kämpfen sie, wenn
mindestens eine der beiden Parteien oder beide sich auf bekanntem
Terrain und auch sonst in Sicherheit befinden, vertragen sich aber,
wenn beide Parteien ihre Lage als eine missliche erkennen.

Ein wenig Nachdenken zeigt uns, dass es sich in allen diesen Fällen um psychische und psychosensible Antagonismen handelt, bei denen die qualitativen und quantitativen Verschiedenheiten, sei es des als Reiz wirkenden Faktors, sei es der von diesem erregten instinktiven oder plastischen zerebralen Energien, ihr Spiel und Gegenspiel entfalten. Ich möchte dies auf etwas konkretere Weise näher erklären: Die Bienen bedürfen zu ihrer Befriedigung einer Königin, es ist dies bei ihnen ein angepasster Instinkt. Diese Königin wird ihnen genommen. Eine leichte Abnahme des Königingeruchs und andre Zeichen, Aufhören des Summens und der Bewegungen, die der Hofstaat der Königin um sie her zu betreiben pflegt, lenken die Aufmerksamkeit einiger Bienen auf diese Veränderung. Diese überzeugen sich nun mittels ihrer Sinne, dass die Königin verschwunden ist und geben ihren schmerzlichen Gefühlen instinktiv durch „Heulen" Ausdruck. Buttel-Reepen glaubt nun, dass dies „Heulen" von den andern Bienen „gehört" werde und dass sich dadurch mit grösster Schnelle eine „Panik" durch den ganzen Bienenstock verbreite. Es kommt nun wenig darauf an, ob wir es hier mit echtem oder falschem „Gehör" zu tun haben; hiervon später. Die Tatsache, dass das Heulen sich (ebenso wie die Panik bei den Ameisen[1]) unter den Gefährten fortpflanzt, beweist klar, dass hier eine Mitteilung eines instinktiven Affekts mittels eines oder des andern Sinnes vorliegt. Dieser Affekt kann sowohl bei Bienen wie bei Ameisen den Charakter von Freude, Furcht, Zorn oder Niedergeschlagenheit zeigen. Gewiss sind dies anthropomorphistische Benennungen, ich gebe das zu, doch ist es mir nicht möglich, für die betreffenden Tatsachen und ihre Folgeerscheinungen eine passendere Ausdrucksweise zu finden. Um Missverständnissen nach dieser Richtung vorzubeugen, können wir ja auch hinzusetzen, dass diese Affekte hier in „bienenartiger" und „ameisenartiger" Gestalt auftreten und sich somit von den „menschlichen" ganz gewiss unterscheiden.[2] Jedenfalls also versetzt der,

---

[1] S. Fourmis de la Suisse, S. 315 (Exp. 9) und S. 359 (Exp. 21).

[2] Es wird die Aufgabe einer späteren vergleichenden Psychologie sein, im Anschluss an R. Semons Mnemelehre eine passende und verständliche Terminologie zu schaffen, die, ohne falsche anthropomorphistische Begriffe hervorzurufen, auf die Tiere aller Klassen anwendbar wird. Vielleicht dürfte es genügen, manche unentbehrliche Ausdrücke, wie Lust, Unlust, Affekt, Zorn, Empfindung etc. etc., konventionell mit besonderer z. B. Kursivschrift zu schreiben, um ein für allemal damit anzudeuten, dass sie vergleichend psychologisch im Sinn der betreffenden Tierart zu verstehen sind (Forel 1909).

durch „Heulen" geäusserte Affekt das Hirn des Insekts in einen
Zustand zunehmender Unzufriedenheit oder Unlust.   Wie nun v. Buttel
sehr richtig gezeigt hat, genügt es in solchen Augenblicken, dass
durch den Geruchssinn (den leeren Weiselkäfig) eine noch so schwache
angenehme Erinnerung hervorgerufen werde, um allein durch den
Kontrast die nächststehenden Bienen, die den Duft verspüren, zu
beschwichtigen. Diese Beschwichtigung wird ebenso wie vorher das
„Heulen" zunächst der näheren und danach der weiteren Umgebung
mitgeteilt. Im Gegensatz hierzu wird derselbe Weiselkäfig, wenn er
bis dahin eine Königin enthielt und plötzlich leer gefunden wird,
im Schwarme ein „Heulen" hervorrufen, da dann der Kontrast in
der entgegengesetzten Richtung stattfindet. Ebenso wie ja auch dasselbe Stück angeschimmelten Brots den satten Reichen anwidern und
den hungrigen Bettler entzücken wird. In der Psychologie ist alles
relativ. Eine ausserordentliche Übereinstimmung aber zwischen den
Gefühlen und Affekten der Insekten einerseits und den Gefühlen
und Affekten von uns Menschen andrerseits ist nicht zu leugnen.

Wir sagten soeben, alles sei relativ; zu gleicher Zeit beruht aber
auch sehr vieles, was die Affekte, Empfindungen und die Handlungen der
Insekten wie unsre eignen bestimmt, auf Kontrast und Antagonismus,
und zwar sowohl quantitativem wie qualitativem oder endlich beiden
Arten gleichzeitig. Wir haben soeben ein frappantes Beispiel dieser
Tatsache in dem v. Buttelschen Experiment kennen gelernt. Auch haben
wir im 3. Abschnitt der IX. Studie, im Anschluss an die Kritik von
Plateaus Arbeiten gesehen, wie die Eindrücke durch einige Tropfen
Honig und die mit diesen assoziierten Erinnerungen die Eindrücke
durch wirkliche Dahlien verwischt und verdrängt haben; und schliesslich habe ich (Fourmis de la Suisse, S. 446) beobachtet, wie der
Instinkt zur Verteidigung der eignen Kolonie, wie soziale Pflicht
gegenüber dem eignen Volk bei den Ameisen die Naschhaftigkeit,
den materiellen Nahrungstrieb, mit anderen Worten die Lust am Honig,
überwinden konnte. Bei diesem Antagonismus sind es manchmal
zwei getrennte Empfindungen einer und derselben Sinnessphäre, die
sich bekämpfen, und von denen die eine, sei es durch Intensität oder
Qualität, die Oberhand über die andre gewinnt; manchmal siegt eine
Erinnerung kombinierter Empfindungen oder Wahrnehmungen über
eine aktuelle Empfindung oder Wahrnehmung, oder auch es siegt
ein einziger Affekt über die genannten aktuellen Empfindungen und
Erinnerungsbilder. Dieses sind die grundlegenden psychologischen

Elemente, welche uns eine aufmerksame Beobachtung der sozialen Insekten enthüllt. Man muss schon so stark durch Vorurteil geblendet sein, wie Bethe, um sie nicht zu erkennen. Nochmals aber möchte ich betonen, dass der Löwenanteil den instinktiven Automatismen zufällt, doch lassen sich in jedem schwierigeren oder nur einigermassen von der normalen Linie abweichenden Falle sofort gewisse Einsprenkelungen individueller plastischer Adaptationen erkennen.

Kehren wir nun zu v. Buttel-Reepen zurück.

Dieser fing einst einem ausziehenden Schwarme seine Königin direkt vor dem Flugloch ab. Anstatt nun, wie es in den meisten Fällen geschieht, nach vergeblichem Umherkreisen wieder in den Stock zurückzugehen (was auf den Wegfall von Wahrnehmungen in bezug auf die Königin und die dadurch gehemmte Entwicklung des Schwärminstinkts zurückzuführen ist), hingen sich dieses Mal die Bienen trotzdem an einen Zweig und schlossen sich zu der bekannten Schwarmtraube zusammen. Da sich keinerlei Unruhe zeigte, musste v. Buttel annehmen, dass eine zweite, jüngere Königin mit ausgezogen sei; doch ergab eine sofortige Untersuchung des Stocks keine offene Weiselzelle, aus der eine junge Königin ausgeschlüpft sein könnte. Der Schwarm sass über eine halbe Stunde völlig ruhig, löste sich dann plötzlich auf und zog nach langem Hin- und Herschwärmen zum Stock zurück, ein sicherer Beweis, dass er keine Königin bei sich hatte. In diesem Falle also betätigte sich der Instinkt eine halbe Stunde lang, und zwar ohne entsprechende auf die Königin bezügliche Wahrnehmungen, — wahrscheinlich ganz einfach infolge des Nachahmungstriebes der Arbeiterbienen unter sich: Was dabei aber wundernimmt, das ist der Mangel an Unruhe innerhalb des weisellosen Schwarms.

Nun macht aber v. Buttel darauf aufmerksam, dass die Bienen im Freien Mühe hatten, den Geruch der Königin wahrzunehmen. Man muss eine im Weiselkäfig befindliche Königin schon sehr lange in einen umherkreisenden Schwarm hineinhalten, ehe die Bienen ihre Anwesenheit bemerken, und oftmals tritt dies Erkennen überhaupt nicht ein. (Diese Tatsachen sind übrigens eine weitere Bestätigung meiner Ansicht über das mangelhafte Geruchsvermögen der Bienen, besonders auf Entfernung.) Sobald sich aber erst einmal eine Biene mit „freudigem Gesumm" auf dem königlichen Käfig niedergelassen hat, dauert es nicht lange, und die andern Bienen fliegen, von dem Freudenzeichen angelockt, gleichfalls herbei, und bald lässt sich der

Schwarm, im höchsten Grade befriedigt, nach normaler Weise nieder. Übrigens existiert unter den Imkern eine Regel, die dahin geht, dass man die Königin kurz vor und während einer reichen Trachtzeit in den Weiselkäfig sperrt, um sie am Eierlegen zu hindern. Die Bienen haben dann weniger Brut zu pflegen; auch soll die geringere Zahl von Fressern den Honigertrag erhöhen. Doch führt ein solcher Eingriff in die normalen Instinkte der Bienen oftmals zu einem ganz abweichenden Resultat. Die Bienen fühlen sich dadurch nämlich weisellos und fangen an, trotzdem die eingesperrte Königin sich mitten unter ihnen befindet, Weiselzellen zu bauen, wie sie das auch dann zu tun pflegen, wenn ihre Königin alt und kränklich ist. v. Buttel glaubt, dass es sich hier um einen unbefriedigten Fütterungsinstinkt handelt. Die Arbeiterbienen haben zuviel Futterbrei und empfinden den Drang, diesen abzugeben. Ich selbst glaube eher, dass das Einsperren der Königin in den Bienen durch Kontrast eine negative Wirkung hervorruft, d. h. eine relative Herabsetzung der normalen, durch die in Freiheit befindliche Königin erregten Empfindungen. Indessen ist es das Wahrscheinlichste, dass beide Ursachen zusammenwirken.

v. Buttel nahm ein anderes Mal einem sehr starken Volk, das sowohl Brut- wie Honigraum eines grossen Stocks dicht besetzt hielt, die Königin. Der Stock war von hinten zu öffnen und ermöglichte es, in seinem oberen Drittel, wo sich der Honigraum befindet, zu manipulieren. Als nun die Aufregung des Volks nach Wegnahme seiner Königin den Höhepunkt erreicht hatte, schob v. Buttel den Weiselkäfig mit der Königin in jenen oberen Honigraum und beobachtete gleichzeitig das Verhalten der Bienen an dem im entgegengesetzten Teil des Bienenstocks gelegenen Flugloch, das also durch den ganzen, mit Massen von Eiern und Honig gefüllten Stock von dem Aufenthalt der Königin getrennt war. Fast in demselben Augenblick konnte v. Buttel eine Änderung im Benehmen der Bienen wahrnehmen: es verstummte der Heulton im Stock, und sofort zogen auch schon die ruhelos beim Flugloch umherirrenden freudig summend und sterzelnd in den Stock hinein.

Um auch nach der entgegengesetzten Richtung zu experimentieren, hing v. Buttel den Weiselkäfig mit der Königin an einen Stab und steckte diesen so in die Erde, dass sich der Käfig in der Höhe des Flugloches, etwa 35 cm von diesem, befand. Keine der ein- und ausfliegenden Bienen war indes imstande, die Königin zu wittern,

sie blieb gänzlich unbemerkt, der Stock aber verharrte in der Weiselunruhe, die sich durch den bekannten Heulton zu erkennen gab.
Aus diesen beiden Tatsachen zieht nun v. Buttel, jedenfalls mit
Recht, den Schluss, dass es nicht allein der Geruchssinn ist, der die
plötzliche Beschwichtigung der Bienen herbeiführt, sondern dass noch
ein andrer, schärferer und zu schneller Mitteilung besser geeigneter
Sinn ihnen gute und schlechte Botschaften vermittelt. Der Gesichtssinn erscheint durch die obigen Experimente ausgeschlossen. v. Buttel
schliesst deshalb auf das Gehör. Der Freudeton, das freudige Summen,
ruft (nach ihm) die Genossen heran und beschwichtigt sie; der
Klageton, das „Heulen", erschreckt sie und lenkt sie von ihrer Arbeit
ab. v. Buttel gibt noch andre Beweise für das Hören der Bienen.
Er weist auf den besonderen hellen Laut, den „Schwarmton" hin,
den sie beim Schwärmen hervorrufen; sie sind dann von einem so
enthusiastischen Affekt erfüllt, dass ihre Aufmerksamkeit von allem
andern abgezogen wird; sie vergessen ihren Stock, vergessen alles,
ja selbst das Stechen!

Man kann häufig beobachten, wie sich kurz vor dem Ausschwärmen
einzelne aus dem Flugloch kommende Bienen in den Klumpen von
vorgelagerten Genossen, die häufig eng zusammengedrängt wie ein
„Bart" vom Flugbrett herunterhängen, hineindrängen, sich mit lebhafter Gewalt Zutritt verschaffend. Auf dieses, wie v. Buttel glaubt,
von einem uns Menschen nicht wahrnehmbaren Ton begleitete Signal
hin löst sich plötzlich der „Bart" auf, die Bienen, die ihn bildeten,
ziehen geschwind ins Flugloch ein, stürzen über den im Stock befindlichen Honig, füllen sich den Kropf und brechen dann sofort zum
Schwärmen aus dem Stock hervor. v. Buttel erwähnt noch andere
Fälle, die zeigen, wie solch ein Schwarm andre Bienen, die in der
Nähe fouragieren, mit fortreisst, seiner Meinung nach durch den
„Schwarmton", der dabei im Fluge produziert wird. Er erwähnt sodann,
dass ein Schwarm dadurch in den Stock zu fassen ist, dass man
einige Bienen auf das Flugbrett desselben schüttet; diese ziehen unter
starkem Summen in die Wohnung ein, und sofort folgen ihnen die
übrigen, was nach v. Buttels Meinung dem summenden Lockton zuzuschreiben ist. Ich möchte hier bemerken, dass mir v. Buttel bei
diesen, in der Luft sowie auch bei den früheren, auf dem Boden
spielenden Vorgängen das optische Moment zu sehr zu vernachlässigen scheint.

Ferner beschreibt v. Buttel, was in den starken Völkern vor sich

20*

geht, welche eines mehrmaligen Schwärmens bedürfen, und bei welchen die Arbeitsbienen, nachdem die alte Königin mit dem ersten Schwarm abgezogen ist, die zuerst flügge gewordene junge Königin verhindern müssen, ihre noch in Zellen befindlichen Nebenbuhlerinnen zu töten. Die letzteren wagen nicht auszukriechen aus Angst vor dem Stich der eifersüchtigen jungen Königin. Sie begnügen sich damit, vermittels ihrer Kiefer einen kleinen Schlitz in ihren Kerker zu schneiden, durch den sie ihren Rüssel stecken und sich von den Arbeitsbienen füttern lassen. Die junge Königin aber, eine Beute der heftigsten Eifersucht, stemmt ihren Kopf gegen die Wabe und lässt ein hellkingendes, langgedehntes „thüt, thüt" erschallen. Auf dieses antworten die eingeschlossenen Königinnen mit einem tiefen, kürzeren Ton, der sich am besten durch „quak, quak" wiedergeben lässt. Dieser Wechselgesang kann stundenlang andauern, ja falls Regenwetter das zweite Ausziehen eine Schwarmes verhindert, sogar tagelang.

Wenn man endlich eine fremde Königin in einen weisellosen Schwarm setzt, aber diesmal frei, nicht im Weiselkäfig eingeschlossen, so fallen die in der nächsten Umgebung befindlichen Bienen über sie her, um sie zu beissen oder zu erstechen, zweifellos infolge des ihr anhaftenden fremden Geruchs. Die Königin entflieht laufend, wird jedoch eingeholt. Darauf stösst sie in ihrer Bedrängnis laute „Angsttöne" aus, die den ganzen Stock alarmieren. Dieser Alarm wird aber nicht erzeugt, wenn die Königin eingesperrt ist und keine „Angsttöne" von sich gibt. Hieraus schliesst v. Buttel, dass die Arbeitsbienen ihr ängstliches Schreien vernehmen.

Es liegt hier ein merkwürdiges psychologisches Moment vor, das v. Buttel nicht zu beachten scheint. Wie kommt es, dass die gleiche Königin, die, wenn im Weiselkäfig eingeschlossen, durch ihre blosse Gegenwart das durch seine Weisellosigkeit verzweifelte Volk beschwichtigt und beglückt, angefallen, gestochen und getötet wird, sobald sie sich frei inmitten des Volkes befindet? Hier sehe ich einen äusserst interessanten psychologischen Widerspruch, der mir sehr charakteristisch sowohl für den Instinkt wie für die Schwäche der plastischen Anpassungsfähigkeit der Insekten zu sein scheint. Unsre künstlichen Bienenstöcke stellen die Instinkte des kleinen Bienenhirns auf eine harte Probe, auf welche es nicht angepasst worden ist. Im Naturleben zieht der Schwarm stets mit der Königin des Stocks aus, und diese wird durch ihre zur Zeit des Ausrückens noch nicht ausgeschlüpfte Altersgenossin ersetzt. Ein Stock, der seine Königin durch Tod verliert, ohne die Puppen oder Larven zu besitzen, um sie zu ersetzen, ist verloren; er zerstreut sich, und seine Mitglieder müssen entweder wo anders Unterkunft finden oder zugrunde gehen. Niemand trägt ihnen einen Weiselkäfig mit einer Königin nach! Deshalb sind die Bienen an den oben beschriebenen künstlichen Vorgang nicht angepasst. Die im Käfig eingesperrte fremde Königin erzeugt in ihnen einen Konflikt zweier natürlicher Instinkte: a) Feindschaft gegen jeden Geruch einer fremden Königin und Biene überhaupt; b) Freude über den Wiederbesitz einer Königin. Ist nun die fremde Königin unbeschützt, so entfachen der Kampf und ihr Angstton eine wachsende Unruhe, die, dank ihrer Schutzlosigkeit dem Instinkt a zum Sieg verhilft. Der Drahtkäfig aber lässt, indem er den Kampf und die Angsttöne nicht aufkommen lässt, den Instinkt b allmählich, durch Angewöhnung an den fremden Geruch, triumphieren. Ausserdem verhindert er die intensivere Wahrnehmung des Kontaktgeruchs (topochemische Wahrnehmung) und somit die stärkste Quelle der zornigen Erregung der Arbeiterbienen. Allmählich findet nun in dem Stock eine Mischung der Gerüche statt; die Bienen gewöhnen sich an die Ausdünstung der neuen Königin, Instinkt a wird überwunden und der Weiselkäfig wird überflüssig. Nach v. Buttel ist es das Gehör, durch das Instinkt b unter den Bienen verbreitet (wo nicht überhaupt geweckt) wird. Die kaltblütigen individuellen Kämpfe der Ameisen liefern uns Tatsachen von analogem Charakter, so die individuellen Feindschaften, die durch wiederholte Kämpfe aufrechterhalten und verschärft werden, und andrerseits die ausnahmsweise vorkommenden Bündnisse, die sich aus gelegentlichen Freundschaftsdiensten zwischen natürlichen Feinden herleiten. Hier kommt übrigens das psychologische Gesetz zur Geltung, dass der fortgesetzte Ausdruck einer Gemütsbewegung dieselbe steigert. Dieses Gesetz gilt bei Insekten genau wie bei Hunden und Menschen.

Dass ein so vorzüglicher Beobachter wie v. Buttel mit all seiner Erfahrung und seinem wissenschaftlichen Scharfsinn für das eigentliche Gehör der Bienen eintritt, hat in mir, wie ich gestehe, ernste Zweifel an der Berechtigung meiner Skepsis bezüglich der Existenz dieses Sinnes geweckt. Trotzdem kann ich mich solange nicht als bekehrt bekennen, bis ich nicht über einen fundamentalen Punkt Aufschluss erhalten habe: wo befindet sich das Gehörorgan, gesetzt dass das Gehör hier wirklich als spezifischer Sinn mit spezifischen

Energien vorhanden ist? Die Organe der übrigen Sinne vermögen
wir ohne besondere Schwierigkeit aufzufinden; warum nicht dasjenige
des Gehörs? Solange aber sein Sitz und die mit seiner Exstirpation
verknüpfte Taubheit nicht demonstriert worden sind, bleibt eine Möglichkeit bestehen, die selbst v. Buttel nicht ausschliessen kann,
das ist „das unechte Gehör durch den Tastsinn" von Dugès. Ich
habe in einer der früheren Studien gezeigt, wie leicht die Insekten,
bei ihren winzigen Dimensionen, ihrem zarten Körperbau, durch die
geringsten Erschütterungen der Atmosphäre oder der unter ihnen
befindlichen Körper, in ihren taktilen Organen errègt werden,
wie äusserst empfindlich sie gegen derartige Einflüsse sind. Aber
gerade diejenigen Experimente v. Buttels, die die Mitwirkung des
Gesichtssinns ausschliessen, weil sie sich in der Dunkelheit des
Stocks oder in Teilen desselben abspielen, die ausserhalb des Ge-
sichtskreises seiner Bewohner liegen, schliessen keineswegs Tast-
empfindungen durch Erschütterung aus. Diejenigen Experimente
aber, die sich im Freien abspielen, und zunächst einmal die Annahme
eines Hörens auf Distanz durch die Luft nahelegen, schliessen
wiederum den Gesichtssinn keineswegs aus. Die Verschiedenheiten
der von Bienen erzeugten Töne, Verschiedenheiten, die wir selbst
durch das Gehör wahrnehmen, dürften sehr wohl seitens der Insekten
je nach der Intensität der Tonfülle als Unterschiede taktiler Art,
als verschiedene Sorten von Erschütterungen empfunden werden;
empfinden wir selbst ja doch auch gewisse sehr tiefe Klangeffekte
nicht nur mit dem Gehör, sondern auch mit dem Tastsinn. Es liegt
hier eine sehr schwierige Frage vor, um die man nicht herumkommen
kann. Ob wir es aber nun mit „echtem" Gehör (mit spezifischer
Sinnesenergie, resp. Empfindungsqualität) oder mit „unechtem" (Empfindung von Erschütterungen mittels des Tastsinns) zu tun haben,
jedenfalls ist die Tatsache, dass Bienen sich ihre Eindrücke und
Empfindungen mitzuteilen vermögen, siegreich und unwiderleglich
durch v. Buttel gegen Bethe erwiesen worden. Alles, was v. Buttel in
dieser Richtung beobachtet hat, bestätigt überdies meine eigenen
Erfahrungen an Ameisen.

Ortsgedächtnis bei Bienen.

Auf diesem speziellen Gebiete stimmt mein eigenes Urteil, Bethe
gegenüber, ganz besonders mit dem v. Buttels überein. Wie er,

finde ich nämlich, dass Bethe dort, wo er durch seine Experimente das Ortsgedächtnis der Bienen zu widerlegen glaubt, dies ganz im Gegenteil aufs neue bestätigt.

Gleich zu Beginn seiner Ausführungen stellt v. Buttel nochmals das, was wir oben bereits sahen, fest, nämlich, dass es keine bestimmten „Bienenstrassen" gibt, die durch die Luft zum Stocke führen. Die Bienen rücken ganz einfach nach der Richtung aus, wo sie Blumen mit Honig finden, und kommen von ebendieser Örtlichkeit wieder zum Stock zurück. Dies kann man bei einem freistehenden Stock besonders gut beobachten. Findet sich an verschiedenen Punkten Nahrung für unsre Bienen, so laufen ihre Wege entsprechend auseinander.

Ferner erklärt v. Buttel, dass Bethe sich bezüglich der Entfernung irre, bis zu der seine „unbekannte Kraft" wirksam sei. Sie kann sich in der Tat, falls es in der Nähe des Stocks nichts, in weiterer Entfernung jedoch viel zu holen gibt, bis zu 6 oder 7 km erstrecken. Die Entfernung, bis zu welcher sich die Bienen orientieren, entspricht völlig dem Gebiet, das sie bei ihren Flügen kennen gelernt haben.

Wie v. Buttel weiter bemerkt, irrt sich Bethe in seiner Annahme, dass die Flugbahn der Bienen sich je nach den Witterungsverhältnissen in mehr oder minder steil aufsteigender Richtung bewege. Er irrt ferner, wenn er behauptet, dass die Bienenstrassen mit geringen Schwankungen immer vom Stocke nach derselben Himmelsrichtung gehen. Dies sei fast immer „Osten, Südosten oder Süden" (s. Bethe, a. a. O. S. 81). Dieser Irrtum Bethes ist ganz einfach dem Umstand zuzuschreiben, dass die Stadt Strassburg im Norden der Betheschen Bienenstöcke lag. Auch irrt sich Bethe, wenn er annimmt, die Stadt Strassburg sei seinen Bienen unbekannt geblieben. v. Buttel gibt für seine abweichende Ansicht dieselben Gründe an wie ich selbst und fügt hinzu, dass bei ihrem ersten Ausfluge, der ganz der Orientierung gewidmet ist, die Bienen nach allen Seiten hin zu rekognoszieren pflegen. Noch energischer als ich bekämpft v. Buttel die Ansicht Bethes, dass die Bienen die Stadt Strassburg aus der geringen Entfernung von 1 km nicht kennen! v. Buttel zitiert bei dieser Ge-Gelegenheit K. Zwilling, den Herausgeber des „Apiculteur d'Alsace-Lorraine", welcher beschreibt, wie die in den Bienenständen dicht an den Wällen Strassburgs lebenden Bienen kein Bedenken tragen (natürlich nur in blumenloser Jahreszeit), bis in das Innere der Stadt zu fliegen und dort in die Bonbonfabriken einzudringen oder auf dem mitten in der Stadt gelegenen Kleberplatz, wo Blumen zum Verkauf aufgestellt werden, zu fouragieren. Ganze Schwärme aber begeben sich zur Blütezeit an die Kastanien, Linden usw. der städtischen Anlagen.

Was nun jene Bienen betrifft, die Bethe innerhalb der Stadt aus der Schachtel entliess, und die nach ihm genau die Richtung des Stocks einschlugen, und zwar noch bevor sie das Niveau der Hausdächer erreicht hatten, so zeigt v. Buttel die Hinfälligkeit dieses Resultats, indem er darauf hinweist, dass zahlreiche dieser Bienen zu ihrem Rückflug viel zu lange Zeit brauchten, als dass man annehmen könne, sie seien geradenwegs zum Stock zurückgeflogen; ferner macht er darauf aufmerksam, dass in einer so dunkeln Umgebung, wie die Altstadt von Strassburg es ist, Bienen ausnahmslos zunächst dorthin fliegen werden, von wo das meiste Licht kommt, und das wäre bei dem Betheschen Versuch gerade die Seite seines Instituts gewesen, das im Süden der Stadt lag; man muss hierzu noch bemerken, dass er die Bienen an einem sonnigen Tag fliegen liess.

v. Buttel beobachtete, dass Bienen, die mit Äther, Chloroform oder Salpeter narkotisiert worden waren, für immer die Erinnerung an Orte verloren, die sie vor ihrer Narkose gekannt hatten. Sie finden weder ihren Weg noch auch ihren Stock und kennen ihre Genossen nicht mehr. Man kann sie nun in irgendeinem beliebigen Stock unterbringen. v. Buttel schliesst hieraus auf das Gedächtnis der Bienen, denn wie kann man vergessen, wenn man nicht zuvor ein Gedächtnis besessen hat? Dieser Beweis ist in der Tat ebenso einfach wie schlagend. Die „unbekannte Kraft" Bethes besteht also in nichts anderem als in dem Gedächtnis der Bienen. Wenn Bienen aus ihrer Narkose erwacht sind, lernen sie alles von neuem, sowohl den Weg zu ihrem Stock wie den zu den Blumen usw. Sie lernen mit einem Wort, was Bethe bestreitet.

v. Buttel zeigt weiter, wie unsinnig es ist, eine „unbekannte Kraft" anzunehmen, wo doch zwei von den zahlreichen Bienen, die Bethe in einer Schachtel forttrug, sich nicht zu orientieren vermochten und deshalb wieder zur Schachtel zurückflogen, während die übrigen aufflogen und die Richtung auf ihre Stöcke einschlugen. Die „unbekannte Kraft" müsste doch auf alle Bienen in gleicher Weise einwirken, und ich teile völlig v. Buttels Meinung, dass ein flagranter Widerspruch darin liegt, dass ein und dieselbe Kraft die fern von ihrem Stock befindlichen Bienen teils zu ihrem Stock zurück, teils zu der Schachtel, aus der sie eben erlöst wurden, führen soll. Ich füge noch hinzu, dass nach Bethescher Logik die Bewegungsrichtung der Biene durch die Resultierende im Parallelogramm der Kräfte bestimmt werden, die Bewegung also in einer mittleren Richtung zwischen dem Stock und der Transportschachtel erfolgen müsste! Dies darf, vorausgesetzt, dass man Bethes lächerlichen Mechanismus gelten lässt, keineswegs als blosser Scherz aufgefasst werden, obwohl es so klingt.

v. Buttel machte einige interessante Kontrollexperimente an Bienen, die aus einer gewissen Entfernung nach einer Versuchswiese transportiert wurden. Seine Resultate unterscheiden sich wesentlich von denen Bethes. Er transportierte die, zwei verschiedenen Stöcken angehörenden Bienen in zwei Schachteln, die ich als A und B bezeichnen will. Er befreite die Bienen aus A, indem er die Schachtel aufs Gras setzte und die Tiere ganz schnell herausliess. Diese stiegen in Schraubenlinien bis zu einer Höhe von 3 m auf. Nur zwei von ihnen kamen nach der Schachtel zurück. Nun nahm v. Buttel die Schachtel fort, und alsbald zogen die Bienen eifrig suchend in geringer Höhe über dem Ausgangspunkt (wo die Schachtel gelegen hatte) umher. Plötzlich begannen die Bienen in der Schachtel B, die er unter dem Rocke trug, zu summen, und sofort wurde v. Buttel von den Bienen A (die dies, wie er annimmt, gehört haben müssen) umschwirrt, ja diese folgten ihm und seinen Begleitern, wohin sie sich auch wendeten. Selbst nachdem er die Schachtel A wieder an den Aufflugsort gestellt hatte, reagierten die Bienen aus A nicht darauf, sondern liessen Schachtel und Platz gänzlich unbeachtet.

v. Buttel hielt nun die Schachtel B hoch empor und befreite die 30 bis 40 darin enthaltenen Bienen. Diese umkreisten die Schachtel in zunächst engeren, dann weiteren Linien. Nach einer halben Minute zog v. Buttel die Schachtel zurück und trat schnell nach rückwärts, nachdem er sich den Platz, auf dem er gestanden, fest einzuprägen versucht hatte. Nur zwei der Bienen kehrten zu demselben zurück. Das Gros des Schwarmes aber tat sich, nachdem es nach links und rechts herumgesucht hatte, in immer enger werdenden Kreisen zusammen und flog ungefähr 2 m von der Stelle, wo v. Buttel zuerst mit der Schachtel gestanden hatte, ziemlich dicht über dem Grase umher, und zwar genau in der Höhe über dem Erdboden, wo nicht etwa die Schachtel, sondern das Flugloch ihres heimatlichen Stocks sich befand. v. Buttel ist daher überzeugt, dass die Bienen das besagte Flugloch suchten. Nach einiger Zeit zerstreuten sich die Bienen wieder, umflogen hiernach v. Buttel und begleiteten ihn und seine Begleiter etwa 20 Schritt weit heimwärts.

Diese Beobachtungen sind gewiss äusserst interessant und zeigen klar, wie oberflächlich Bethes Beobachtungen und wie dogmatisch besonders seine Deutungen derselben waren. Doch möchte ich mir einen Einwand gegenüber v. Buttel erlauben; er betrifft den Umstand, dass v. Buttel an andrer Stelle die weitverbreitete Meinung, dass die Bienen ihren Imker kennen, so bestimmt von sich weist. Gewiss hat er recht, wenn er der üblichen anthropomorphistischen Deutung dieses Erkennungsvermögens seine Zustimmung versagt. Wenn indessen die Biene imstande ist, eine Örtlichkeit, ihre Gefährten, ihren Stock und ihre Strasse mit Hilfe ihres Gesichts-, Geruchs-, ja, wie v. Buttel meint, auch ihres Gehörssinns zu erkennen, warum soll sie sich nicht auch jenes grosse lebendige Wesen merken, das sich so viel mit ihr beschäftigt und das in ihr zweifellos, wenigstens solange es dieselbe Kleidung beibehält, fortwährend eine Fülle von erkennbaren optischen und geruchlichen Eindrücken erzeugen muss? Die Beweglichkeit jenes grossen Wesens erschwert es zwar vielleicht den Bienen, die es gewohnt sind, sich an feststehenden Gegenständen zu orientieren, dasselbe deutlich zu erkennen. Indessen kommt es mir doch so vor, als ob die obigen Experimente, besonders das zweite, bei dem das Summen der Bienen in der Schachtel nicht in Betracht kommt, jene allgemein verbreitete Meinung eher stützen als entkräften. Nun wird mir v. Buttel hierauf erwidern, dass die Bienen ja auch seinen Gefährten nachgeflogen sind; ich aber gehe ja nicht so weit zu behaupten, dass diese Tierchen einen Menschen von dem andern unterscheiden; auch macht v. Buttel selbst darauf aufmerksam, dass solche desorientierte Bienen schliesslich konfus werden und keine passenden Objekte für Experimente mehr abgeben. Hier möchte ich mir wieder eine Einschränkung erlauben, indem ich sage: keine passenden Objekte für das Studium normaler Instinkte, aber umgekehrt grossartige Objekte für das Studium von plastischer Anpassungsfähigkeit! Alles in allem glaube ich, dass Bienen, die sich in normalem Zustand um ihren Stock herumtummeln, recht wohl sinnliche Merkzeichen besitzen, an denen sie ihren Imker, ihren „Bienenvater", gesetzt dass er seine gewöhnliche Kleidung anhat, von einem Fremden unterscheiden. Es liessen sich zur endgültigen Entscheidung dieser Frage sehr hübsche Versuche anstellen. Natürlich rede ich hier (und dies betone ich, um Missverständnissen vorzubeugen) von einem „bienengemässen" und nicht von einem „menschlichen" Erkennen.

Zwei voneinander verschiedene Männer, X und Y, ohne gar zu auffallend verschiedene Kleidung, würden jeder einen weissen Teller in der Hand tragen, X mit, Y ohne Honig. Die Bienen eines Stocks würde man einen Tag lang darauf trainieren, den immer erneuten Honig in X's Teller zu plündern. Y würde aber stets daneben mit seinem leeren Teller stehen. Aber X und Y würden dabei herumgehen und jeden Augenblick ihren Platz wechseln, damit die Bienen gezwungen werden, nicht den bestimmten Platz, sondern der bestimmten Person X nachzufliegen, um Honig zu bekommen. Gelingt es, sie dazu zu bringen, stets oder wenigstens der grossen Masse nach zu X, wo er auch stehe, und nicht zu Y zu fliegen, so soll man am folgenden Tag das Experiment dahin ändern, dass nun beide, X und Y, sich mit leeren Tellern den Bienen vorstellen. Es wird sich dann sofort zeigen, ob sie X von Y, gleichgültig wo er stehe, unterscheiden. Wenn ja, so wird die grosse Masse X allein und seinem leeren Teller nachfliegen.

Das Experimentum crucis v. Buttels ist jedoch fast identisch mit einem von mir vorgeschlagenen; wusste ich doch damals noch nicht, dass dieser Forscher es in einer noch einfacheren als der von mir angedeuteten Weise ausgeführt hatte.

Ich lasse v. Buttel selbst (unter unwesentlichen Zusätzen meinerseits) reden:

„1. Entnimmt man einem Stocke junge, flugkräftige Bienen (Brutammen), die noch nicht ihren (ersten) Orientierungsflug gehalten haben, und lässt sie ganz unfern des Standes fliegen, so findet keine in ihren Stock zurück. Doch ist dies nicht darauf zurückzuführen, dass ihnen diese Fähigkeit überhaupt fehlt. Freilich ist die junge Biene in den zwei ersten Wochen ihres Daseins bloss „Hausbiene", „Brutamme", die alle Hausgeschäfte verrichtet und die Larven, ihre jüngeren Geschwister, füttert. Doch können wir ihre Tätigkeit wesentlich modifizieren. Bilden wir z. B. ein Volk aus lauter eben ausgeschlüpften Bienen, so zeigt es sich, dass ein Teil der jungen Bienen bereits schon am 5. oder 6. Tag zu „Feldbienen" wird, also ganz wesentlich früher die Aussengeschäfte übernimmt, und diese Gruppe findet ihren Rückweg zum Stock ebensogut wie die anderen.

2. Wirft man alte Flugbienen selbst in sehr weiter Entfernung vom Stocke auf, so finden sie alle zurück.

3. Bringt man aus einer fernen Ortschaft, die mehr als 7 km abgelegen ist, ein Volk herbei und lässt alte Flugbienen, bevor sie einen Orientierungsflug haben machen können, auch nur 30 bis 40 m von ihrer Wohnung fliegen, so findet keine in den Stock zurück, vorausgesetzt, dass sich bei solcher geringen Entfernung Häuser oder Bäume und Gebüsche zwischen Stock und Ausflugstelle befinden.

4. Zwei Völker, die v. Buttel im Garten des Zoologischen Instituts in Jena zwecks anderweitiger Beobachtungen aufgestellt hatte, wurden am Schlusse des Sommersemesters 1899 an einen ungefähr 2 km entfernten Bienenstand eines Jenenser Imkers geschafft. Da die Völker nicht narkotisiert wurden, war vorauszusehen, dass sehr viele der alten Flugbienen auf den Institutsstand zurückkehren würden, und zum Unterschlupf dieser Heimatlosen stellte v. Buttel eine Wohnung mit leeren Waben dort auf, wo früher ihr Heim gestanden hatte. Es kamen viele Hunderte, die sich, trotzdem die vollste Flugfreiheit ihnen erlaubt hätte, zu ihrem versetzten Stock zurückzukehren, „zwei Tage lang verstört in der leeren Behausung herumtrieben".

Soweit v. Buttel. Aus diesen klaren und absolut unwiderleglichen Tatsachen zieht er den Schluss, dass die Bienen auf Grund optischer Orientierung eine Erinnerung an Örtlichkeiten besitzen. Er verbannt gleichzeitig die „unbekannte Kraft-Hypothese" Bethes ein- für allemal in das Reich der Hirngespinste.

v. Buttel weist darauf hin, dass Bienen, sobald sie geschwärmt haben, ihren alten Stock vergessen zu haben scheinen, da sie nicht wieder zu demselben zurückkehren. Tatsächlich ist dies aber nicht der Fall, denn wenn man ihnen, binnen weniger Tage nach Begründung eines neuen Stocks die Königin wegnimmt, so kehren sie nach dem Mutterstock zurück. Es handelt sich hier wohl um neue und sehr intensive, mit dem Schwärmen verbundene Vorstellungen, die jene alten (d. h. mit dem alten Stock verbundenen) Vorstellungen verdrängen. Völlig vernichtet, wie etwa nach dem Narkotisieren, sind diese jedoch keineswegs. Es liegt hier wieder ein Fall von Wettstreit verschiedener Kräfte vor.

Weiter führt v. Buttel gewisse Faktoren auf, welche das Ortsgedächtnis der Bienen zu schwächen pflegen, so z. B. Buchweizenhonig, eine über mehrere Tage währende Dunkelheit, Kälte, Bäder in kaltem Wasser, längere Zeitintervalle. Nach Ablauf von 5 bis 6 Sommerwochen haben die Bienen die früheren Örtlichkeiten, einschliesslich des früheren Standes ihres Stocks gänzlich vergessen; dies kann man leicht beobachten, wenn man sie dicht neben demselben unterbringt. Dieses rapide Vergessen findet indessen nur dann statt, wenn neue Eindrücke die alten verdrängt haben. Versetzt man einen Stock im Frühjahr, vor dem ersten Ausflug der Bienen, so kann man bemerken, dass bei plötzlichem Eintritt der Wärme die Bienen sich nach dem alten Platz, wo der Stock im Herbst vorher gestanden hatte, begeben. J. Huber sah sogar einmal im Frühling, dass Bienen zu demselben Fenster zurückkehrten, wo sie im Herbst vorher Honig erhalten hatten. Auch hierin sehen wir eine Widerlegung Bethes, der das Gegenteil behauptet hat (s. oben).

v. Buttel zeigt hierauf, wie gut die Bienen es verstehen, ihre Erinnerungen zu assoziieren. Er sah einstmals, wie ganze Scharen von Bienen in sein Studierzimmer kamen, wo er eine Wabe mit Honig stehen hatte. Er verjagte sie von da, schloss das Fenster, und nun begannen sie in all den umliegenden Zimmern, deren Fenster offen standen, ja selbst in einem gegenüberliegenden Hause nach Honig zu suchen. Meine im Anschluss an die Besprechung der Plateauschen Versuche zitierten Experimente stimmen vollständig mit diesen Tatsachen überein. Es sind dies, wenn man will, elementare Analogieschlüsse[1]. In allen den Fällen aber, wo Bienen, Wespen usw. nach mehreren Tagen die Orte wieder aufsuchen, wo sie früher Honig resp. Fliegen erhalten haben (auch wenn von diesen Dingen nichts mehr vorhanden ist), kann es sich nur um Gedächtnisassoziationen handeln, da der, Chemoreflexe oder Photoreflexe erregende Reiz nicht mehr vorhanden ist, die Bienen aber trotzdem so reagieren, als ob er noch vorhanden wäre. v. Buttel fügt hinzu, dass umgekehrt eine Pflanze niemals heliotropisch oder chemotropisch reagieren wird, wenn der betreffende Reiz nicht mehr direkt auf sie einwirkt.

Buchweizen liefert nur in den frühen Morgenstunden Honig, daher fliegen die Bienen nur bis gegen 10 Uhr nach den Buchweizenfeldern, Sobald die Honigquellen anfangen zu versiegen, fliegen sie wohl noch zwei- oder dreimal hin, stellen aber hierauf den vergeblichen Flug gänzlich ein. Ihre Erfahrung lehrt sie, allmählich nur noch früh morgens diese Blüten zu besuchen, „trotz des schimmernden Blüten-

---

[1] „Ähnlichkeitsekphorien" nach Semon (Forel, 1909).

meeres, trotz des starken Duftes", den die Felder ausströmen und der so verlockend zu ihnen herüberdringt.

Eine der interessantesten Beobachtungen auf diesem Gebiet ist der Instinkt der „Spurbienen", die sich vor dem Ausschwärmen der alten Königin oft sehr weit vom Stocke — ja bis zu einer Entfernung von mehreren Kilometern — hinwegbegeben, um eine passende Örtlichkeit für den zukünftigen Schwarm auszukundschaften. Sobald dieser letztere ausfliegt, dienen sie ihm als Führer und leiten ihn nach dem von ihnen gewählten Ort. Nach v. Buttel und v. Berlepsch[1] ist dies eine unbestreitbare Tatsache, die das Ortsgedächtnis der Bienen aufs glänzendste darlegt. Von einer Zahl von 50—60000 Bienen dienen nur etwa 50 bis 100 diesem Beruf der Pfadfindung.

Die alte Biene zieht pfeilgerade vom Flugloch ab, die junge dagegen, die den Stock zum ersten Male verlässt, beschreibt zunächst einige Kreise um ihren Stock herum, wobei sie den Kopf stets nach demselben gerichtet hält. Durch dieses sog. „Vorspiel" orientiert sie sich. Wir sehen hierdurch unzweifelhaft bewiesen, dass die Biene „lernt".

Lässt man sich ein Bienenvolk von anderwärts kommen, und öffnet nach Aufstellung des Stocks das Flugloch, so eilen die abfliegenden Bienen ohne besondere Orientierungsmanöver davon. Sie wissen eben nichts von der Veränderung ihres Standorts und wähnen sich in bekannter Gegend. Ist das Wetter dabei kühl, weht ein scharfer Wind, so verirren sich viele in der ihnen unbekannten Gegend und finden nicht zurück. Ist es indessen windstill, so finden sie wieder heim, indem sie sich auf dem Rückweg von Punkt zu Punkt durch die Augen orientieren. Steht aber der neu aufgestellte Stock zwischen andern gleich aussehenden, so tritt bei den wieder Zurückkehrenden „ein Tasten mit dem Geruchssinn ein, das sich auf alle die Nachbarstöcke erstreckt".[2] Wir haben hier wieder eine interessante Tatsache vor uns, die Bethes Hypothese glattweg zunichte macht.

v. Buttel zeigt, dass Bethe seine Experimente mit Versetzung des Stocks sehr unzweckmässig ausgeführt hat. Normalerweise bleiben die Bienen selbst bei ihren längsten Flügen nie mehr als eine Stunde von ihrem Stocke fort. Bethe aber lässt sie nach Ablauf von fünf bis

[1] v. Berlepsch, Bericht über Spurbienen, Bienenzeitung VIII, N. F. 1852.

[2] Zitat aus einem Brief von Herrn Roth, Leiter der badischen Imkerschule, an v. Buttel-Reepen.

sechs Stunden zurückkehren. Dies zeigt aufs schlagendste, dass die als erste ausgeflogenen Partien verloren gingen. Den normalen Orientierungsflug der Bienen scheint Bethe nicht zu kennen. Was nun die gefällte Platane Bethes (s. S. 268) betrifft, so weist v. Buttel darauf hin, dass Bienen im Sommer kaum sechs bis sieben Wochen leben, und dass infolgedessen der Grund, dass seine Bienen sich, noch rund drei Monate nach dem Fall des Baumes, ebenso senkrecht in die Höhe schraubten, als wenn der Baum noch dagestanden hätte, weder in einer fixierten Gewohnheit, noch in einer „Bienenstrasse" bestanden haben kann, da es ausgeschlossen ist, dass es sich hier noch um dieselben Bienenindividuen handelte. v. Buttel diskutiert des weiteren die Fähigkeit der Bienen, sich im Raum auf einen bestimmten Punkt hin, sowohl der Fläche als der Höhe nach zu orientieren, obwohl sie diesen Punkt direkt nicht sehen können. Dies tun sie mittels der relativen Lage der umgebenden grossen Gegenstände und besonders des Erdbodens selbst. Wie ich, schliesst v. Buttel daraus auf die Orientierung mittels des Gesichtssinns und seiner Erinnerungen sowie auf die Zwecklosigkeit der Versuche Bethes mit der Verdeckung des Stocks und seiner direkten Umgebung durch diverse Gegenstände. Die Biene orientiert sich bei ihrem raschen Fluge, in grossen Zügen und aus grosser Entfernung — das versteht sich von selbst. Da sie es nun fertig bringt, den blossen Standort ihres Stocks selbst nach dessen gänzlicher Entfernung zu finden, so ist es klar, dass vor oder daneben gestellte Gegenstände, dass eine Maskierung des Hintergrunds, wie Bethe sie vornahm, sie nicht hindern werden, ihren Stock dann zu finden, wenn er noch am alten Ort steht. Hieraus den Schluss zu ziehen, dass die Biene nicht durch Erinnerungsbilder auf ihrem Wege geleitet wird, heisst, wie v. Buttel sehr richtig bemerkt, Anthropomorphismus vom reinsten Wasser treiben. Es hiesse das, bei der Biene rein menschliche Überlegung und ein rein menschliches Sehvermögen voraussetzen.

In Wirklichkeit fliegt eine Biene auf Grund ihrer Orientierung in der Gegend direkt nach dem Flugloch ihres Stocks, ohne die Gegenstände auf ihrem Weg näher zu beachten; andrerseits aber hält sie sich dicht vor dem Flugloch eine Weile summend auf, sobald sie irgendeine unerwartete Veränderung an dem Stock bemerkt. Je eiliger und geschäftiger, je „präokkupierter" sie dabei (etwa infolge einer besonders reichen Ausbeute) ist, je weniger wird sie aber etwaige Veränderungen beachten.

Lässt man eine Biene in der Dämmerung unweit ihrer Wohnung auffliegen, so zieht sie einige Kreise in der Luft, fällt dann aber „scheu und verloren" zu Boden. Sie ist eben, aus Mangel an Licht, ausserstande, sich zu orientieren. Wo bleibt nun hier Bethes unbekannte Kraft? Ein Bienenzüchter, Dathe, besass 500 Stöcke. Bei manchen von diesen war das Flugloch nach Süden, bei andern, dicht daneben befindlichen, nach Osten gerichtet. Bei herannahendem Gewitter machte nun Dathe die Beobachtung, dass die durch den Schrecken in Verwirrung versetzten Bienen sich bei ihrer überstürzten Heimkehr auf falsche Stöcke stürzten. Bei solchen Gelegenheiten sah denn Dathe diejenigen Bienen, die an einen Südeingang ihres Stockes gewöhnt waren, sich an den Südwänden andrer Stöcke abmühen, obwohl sich bei diesen die Fluglöcher an der Ostseite befanden und ihr Bemühen infolgedessen ganz vergeblich war. Die Erklärung dieser Irrtümer durch übergrosse Hast ist, wie v. Buttel bemerkt, „naturgemäss, sobald man den Bienen Orientierung durch den Gesichtssinn zuschreibt; sie ist schwer denkbar auf Grund der unbekannten Kraft".

Was nun das Farbensehen der Bienen anlangt, so zitiert v. Butte zu diesem Thema zwei frappante Fälle. Der Nachbar eines Bienenzüchters strich einst den Hausgiebel über dem Bienenstand himmelblau an. Dieselben Bienen, die bisher immer über den Giebel hinweggeflogen waren, rannten an den nächstfolgenden Tagen mit den Köpfen an den Giebel an, sie wollten also offenbar durch ihn hindurchfliegen. Ferner machte ein gleichfalls bei v. Buttel zitierter Lehrer Stähelin folgende Beobachtung: „Ein schwacher Nachschwarm mit grösstenteils jungen (mit schwach fixierten Erinnerungen versehenen) Bienen aus einem vorn blau angestrichenen Kasten zerstreute sich bei starkem „Vorspiel" der andern stärkeren Völker und setzte sich überall in kleinen Klümpchen an. Bald suchten sie ihre alte Heimat wieder auf, aber nur einzelne fanden sie; die übrigen flogen zu andern Stöcken, und zwar zu welchen? Überall dort, wo ein blaues Türchen sie einlud, begehrten sie Einlass, nirgends aber bei andersgefärbten; leider aber wurden sie so unfreundlich empfangen, dass vor allen blau markierten Kästen der Boden mit Leichen bedeckt war. [1]

Die Biene, die in ein Zimmer fliegt, in dem sie Honig wittert, geht

---

[1] Schweizer Bienen-Ztg. Aarau. Jahrg. 1893. Zitiert bei v. Buttel-Reepen a. a. O

dabei äusserst vorsichtig zu Werke. Als aber nun v. Buttel einmal zu experimentellen Zwecken einige Waben in der Tiefe seines Laboratoriums stehen hatte, war er sehr erstaunt, durch das geöffnete Fenster einige Bienen ganz keck einfliegen und sich mit merkwürdig sicherem Fluge bis zur Tiefenwand des Zimmers begeben zu sehen. v. Buttel schloss hieraus, dass die Bienen wohl schon andre Zimmer kennen und dort genascht haben mochten. Bald war in der Tat das Rätsel gelöst. In einem Hause, kaum 20 Schritt vom Laboratoriumsfenster, besass ein Bienenfreund einige Stöcke, die er auf dem Dachboden stehen hatte. Der Zugang zu diesen Stöcken führte durch das Dachfenster; folglich hatten sich die Bienen bereits an den Einflug in einen halbdunklen Raum gewöhnt. Ebenso sind auch die sog. „Raubbienen", die man an ihrem abgewetzten, dunklen Chitinkleid erkennen kann, zuerst, wenn sie solchen Neigungen nachgeben, ziemlich scheu und ängstlich. Gelingen ihnen aber ihre ersten Raubzüge, so werden sie bald immer unverschämter, ja oft so dreist, dass sie die Bienen der von ihnen heimgesuchten Stöcke förmlich täuschen und derartig „hypnotisieren", dass diese ihnen den Rüssel reichen und sie füttern.[1] Dass Bienen lernen, ist mithin über jeden Zweifel erhaben.

Ein Stock, dessen Volk schwach ist, zeigt auch meist ein Schwinden der instinktiven Kräfte bei seinen Mitgliedern. Sie hören auf, sich gegen ihre Feinde (Raubbienen und Wachsmotten) zu wehren, werden lässig und apathisch und bewachen auch ihr Flugloch nicht mehr. Entfernt man schliesslich noch einen Teil der Bienen, so dass die Königin mit kaum einer Handvoll Arbeitsbienen zurückbleibt, so wird oft nicht einmal der ihnen hingestellte Honig eingeholt. Es herrscht völlige Entmutigung, die schliesslich in Verzweiflung endet. Je nach den Bienenvarietäten sind übrigens diese Instinktsänderungen schwacher Völker unter sich verschieden.

v. Buttel macht ferner darauf aufmerksam, dass es vielleicht weniger der Geruch ist, der den Türhütern der Stöcke die Art der Ankömmlinge verrät, als die Art ihres Fluges und ihr ganzes sonstiges Benehmen. Es ist schon oft beobachtet worden, dass solche Raubgesellen, die sich bei ihrem Versuch ängstlich prüfend an einen fremden Stock heranmachen, bereits in der Luft von den Hütern des Stocks gepackt werden, noch ehe der Eindringling das Flugloch erreicht hat. Hier kann eine Geruchsreaktion nicht in Frage kommen.

---

[1] Dathe, Lehrbuch der Bienenzucht, Bensheim 1892, 5. Aufl., S. 183, zitiert bei v. Buttel-Reepen, a. a. O.

Dagegen sehen wir, dass wenn ein kühner und geriebener alter Räuber seinen Flug glatt ins Flugloch nimmt, eine Abwehr kaum stattfindet. Lässt man ferner einen weisellosen Schwarm, dessen Nestgeruch man durch Wasser oder schwachen Alkohol entfernt hat, in einen fremden Stock einlaufen, so wird er, sofern er nur mit gehöriger Dreistigkeit und fröhlich summend Einzug hält, was man dadurch erreichen kann, dass man ihm durch Narkotisieren die Erinnerung an seinen eignen Heimatstock raubt, fast immer freudig aufgenommen.

Weiterhin widerspricht v. Buttel lebhaft der Anschauung Müllenhoffs, der die Körperform der Biene auf die Form der Zelle, in der sie sich entwickelt hat, zurückführt. Andrerseits pflichet er aber, unter gewissem Vorbehalt freilich, Müllenhoff bei, wenn dieser die polygonale Form der Wabenzellen nicht als das Resultat der Kunstfertigkeit der Bienen, sondern als Resultat rein mechanischer, die Kompression des Wachses bewirkender Kräfte ansieht. Ich selbst möchte indessen die Frage einstreuen, ob Müllenhoff durch dasselbe Spiel rein mechanischer Kräfte auch die regelmässige polygonale Form derjenigen Zellen erklären zu können glaubt, die Wespen aus Papier zu konstruieren verstehen?

Ich glaube vielmehr, dass diese Form sich ganz allmählich von selbst beim Bauinstinkt dicht nebeneinander liegender Zellen ausgebildet hat, weil sie die rationellste ist und den Platz am besten ausnützt, dass sie aber instinktiv reproduziert wird und nicht mechanisch von selbst entsteht, bei Bienen so wenig wie bei Wespen.

v. Buttel lenkt ferner unsre Aufmerksamkeit auf gewisse Spiele, die von Bienen starker und gut besetzter Stöcke an schönen Sommerabenden aufgeführt werden. Man sieht dann ganze Reihen von Bienen sich „in eigentümlich rhythmischer Weise hin- und herwiegen. Der Kopf wird dabei gesenkt gehalten; es sieht aus, als ob der Boden im Takte abgenagt oder abgeleckt werden solle; doch geschieht nichts dergleichen. Ein ganz besonders behagliches Schnurren wird dabei hörbar." Der Bienenzüchter kennt dieses rhythmische Spiel sehr gut und bezeichnet es als „Schaukeln" oder „Hobeln".

Die Wundtschen Ausführungen über den Bienenstaat[1] zu widerlegen, wird v. Buttel nicht schwer; sie beruhen in vielen Punkten auf ungenauen und irrtümlichen Beobachtungen, und Wundt selbst hat später viele von seinen damaligen Ausführungen zurückgezogen.

[1] Wundt, Vorlesungen über die Menschen- und Tierseele, II. Aufl., 1902, S. 453.

In bezug auf das Geruchsvermögen der Bienen muss ich mich im Anschluss an das im Anhang zur IX. Studie Gesagte nochmals mit v. Buttel auseinandersetzen. Er hält mir noch entgegen, dass Bienen manchmal Honigmassen entdecken, die in einem Zimmer versteckt liegen, was doch nur durch Ferngeruch möglich sei. Dem gegenüber bemerke ich erstens, dass ich nicht leugnen will, dass der intensive Geruch grösserer Honigmassen, die wir selbst von ferne riechen, schliesslich derart durch ein Fenster ausdünsten kann, dass vorbeifliegende Bienen ihn wittern. Von kleinen Quantitäten gilt dies aber keinesfalls, während Wespen solche, sowie Obst, Zucker etc. von weitem und überall wittern.

Warum finden die Bienen und Hummeln, die eine Zeitlang auf blauem Papier Honig holten, denselben nicht mehr, wenn das blaue Papier leer ist und wenige Zentimeter daneben der Honig auf weissem Papier liegt, während die Wespen ihn rasch entdecken? Da sollte doch die Zwangsvorstellung schliesslich aufgehört haben. Nun habe ich jetzt ungefähr mein im Anhang zur Studie IX vorgeschlagenes Experiment ausgeführt: Ich habe Honig in einen Drahtkäfig so eingeschlossen, dass Bienen durch die Löcher ihn ganz gut mit dem Rüssel erreichen konnten. Den Käfig steckte ich auf die Spitze eines Rohrstabes (ca. 1 m hoch) ungefähr 6 m vor den Fluglöchern von etwa zehn nebeneinanderstehenden Bienenstöcken, nachmittags 1½ Uhr, am 29. August. Hunderte von Bienen, die sicherlich nicht alle von Zwangsvorstellungen beherrscht waren, flogen drei Stunden lang dicht daran vorbei. Nicht eine einzige setzte sich darauf, und um 5 Uhr lag der Honig noch unversehrt in seinem Behälter. Freilich war die Quantität klein.

v. Buttel-Reepen bleibt uns den Beweis eines guten Geruchsvermögens, d. h. einer Fähigkeit der Bienen, aus der Entfernung auch kleinere oder mässige Quantitäten von Honig oder verwandten Substanzen zu wittern, schuldig. Ich habe diese Fähigkeit für sehr kleine Entfernungen (1 cm und weniger) festgesetzt, werde mich aber gerne und gleich belehren lassen, sobald man mir beweist, dass ich mich geirrt, resp. die Tatsachen falsch gedeutet habe.

Zeitgedächtnis; Urteilsvermögen.

Die Existenz von Ortsgedächtnis bei den sozialen Insekten, insonderheit bei den Bienen, habe ich, wie aus den obigen Ausfüh-

21*

rungen hervorgeht, teils durch eigne Experimente, teils durch die Angaben vortrefflicher und zuverlässiger andrer Forscher nachgewiesen, und zwar mit einer über jedem Zweifel stehenden Bestimmtheit; mit kaum minderer Bestimmtheit habe ich nachzuweisen vermocht, dass der Geruchssinn bei den Bienen schlecht entwickelt ist. Diese sind z. B. nicht imstande, mässige Quantitäten Honig, und sei es aus einer Entfernung von nur wenigen Zentimetern, zu entdecken, wenn nicht ein Gesichtsreiz oder irgendein Gedächtniseindruck (z. B. eine Geschmackserinnerung) ihnen von dem Vorhandensein dieser Lieblingsspeise Kunde gibt. Nun hat mir aber 1906 eine zufällige Beobachtung die schlagendsten Beweise geliefert, dass die Bienen auch Zeitgedächtnis besitzen.[1]

Seit mehreren Jahren nahmen wir unsre Mahlzeiten (in Chigny, wo ich bis 1907 wohnte) im Sommer im Freien auf einer Veranda ein. Des Morgens, also zwischen 7 Uhr 30 Min. und 9 Uhr 30 Min. standen dabei Konfitüren auf dem Tisch, denn, da die Kinder frühzeitig zur Schule gingen, die Erwachsenen aber gelegentlich spät aufstanden, so stellte das Frühstück eine dehnbare Mahlzeit dar. Mittags kam nichts Süsses auf den Tisch oder höchstens ein süsser Nachtisch, mit dem schnell aufgeräumt wurde. Nachmittags um 4 Uhr hingegen tauchten wiederum Konfitüren auf, und zwar für einen Zeitraum von ca. $^3/_4$ Stunden.

Nun befand sich ein Bienenstock, der mir im Jahre 1901 zu Experimenten gedient hatte und damals ungefähr 90 bis 95 Schritte von unserem Esstische stand, seit 1905 an einem neuen Platz, 120 Schritte von der Veranda, also um ein Viertel der Entfernung weiter als vordem.

Nie war es den Bienen in den vorhergehenden Jahren, noch auch in diesem Jahre 1906 eingefallen, unsere Konfitüren zu besuchen, obwohl sie sich in grosser Menge auf den nahe benachbarten Blumenbeeten und auf einer dicht bei der Veranda stehenden Linde tummelten. Von den Wespen dagegen waren die Konfitüren stets belagert. Dies ist wieder ein schlagender Beweis für das mangelhafte Vermögen der Bienen, aus der Entfernung zu wittern. Am 17. Juni 1906 jedoch fiel es einer benachbarten Pächtersfrau ein, Kirschen einzumachen; diese setzte sie in ihr offenes Fenster, das, von Blumen umgeben, zwischen dem Standort des Bienenstocks und unsrer

---

Veranda gelegen war. Nun scheint es, dass eine der Bienen durch Zufall diese Kirschen entdeckte, denn mehrere Stunden lang wurden sie von Bienenschwärmen geradezu belagert und geplündert. Von dieser Stunde an lenkten die Bienen ihre Aufmerksamkeit auf die Fenster sowie auf die Baulichkeiten überhaupt. Sie entdeckten auf diese Weise eine Portion Konfitüren, die in einem Glase auf einem auf unsre Veranda mündenden Fenster stand. Einige Tage später fand eine der Bienen die auf unserem Tisch befindlichen Konfitüren und kehrte wiederholt zu diesen zurück. Am nächsten Tage kam sie in Begleitung von ein oder zwei Gefährten wieder. Wir sehen in diesem Vorgang eine — wenn auch etwas primitive — logische Schlussfolgerung durch Analogie. (Fund von Süssigkeiten an Fenstern und Glasbehältern und deshalb Suchen an solchen.)

Eingedenk meiner alten Experimente, prophezeite ich, dass sich bald der ganze Schwarm auf unsern Tisch stürzen, und dass es mit unserer Frühstücksruhe aus sein werde. Und in der Tat: Die Zahl der Bienen vermehrte sich sehr rasch und stark. Sie stürzten sich auf Tassen und Teller, suchten überall nach Konfitüren und füllten sich, sobald sie solche entdeckten, weidlich damit an.

Nun aber kommt das Erstaunliche: Nachdem unsre Tierchen ein oder zwei Tage lang dem Mittagstisch vergebliche Besuche abgestattet hatten, wobei sie nichts Verlockendes fanden, stellten sie diese Besuche gänzlich ein, um dagegen morgens zwischen 7½ und 9½ Uhr aufs zahlreichste zu erscheinen, und auch zwischen 4 und 5 Uhr nachmittags, wenn auch in geringerer Menge, uns einen Besuch abzustatten. Am 17. Juli früh kam ein derartiger Schwarm von Bienen angezogen, dass wir unser Mahl im Stich lassen und uns samt unseren Konfitüren ins Innere des Hauses flüchten mussten. Ich möchte hier nochmals betonen, dass die Konfitüren früh morgens viel länger auf dem Tisch zu stehen pflegten als nachmittags.

Am Mittag dieses Tages erschien keine Biene, um 4 Uhr kamen welche, jedoch in erträglicher Zahl, so dass wir unsern Tee samt Konfitüren geniessen konnten, ohne allzusehr gequält zu werden.

Ich gab nun die genaue Anweisung, am nächsten Tag (also am 18. Juli) den Tisch wie sonst auf der Veranda zu decken, jedoch keine Konfitüren darauf zu stellen. Das geschah. Um 7½ Uhr früh beobachtete ich den Tisch und fand ihn von einer grossen Menge Bienen besetzt. Um 8 Uhr begab ich mich zum Frühstück und sah, wie eine Anzahl Bienen, etwa 12 bis 15 oder mehr, den Tisch umschwärmten, sich auf Kaffeetassen, Teller, Brotlaib, Butternapf, Kaffeekanne und Milchkrug niederliessen und alle diese Gegenstände mit grösster Hartnäckigkeit einer gründlichen Untersuchung unterzogen, die jedoch gänzlich resultatlos verlief. Sie untersuchten dabei besonders genau jedes Stück, das nur einigermassen eine Ähnlichkeit mit den Gegenständen hatte, denen zu derselben Stunde an den vorhergehenden Tagen Konfitüren angehaftet hatten, so z. B. Teller, Gläser, Töpfe, Messer, Löffel. Um 10 Uhr hörten ·die Bienen aber auf, den Tisch zu besuchen, und während unsres Mittagsmahls kam nur eine einzige Biene an den Tisch geflogen. Um 4 Uhr kamen wohl eine oder zwei Bienen an den Tisch heran, doch zeigten sie keine besondere Hartnäckigkeit und entfernten sich bald wieder. Am Morgen des 19. kam zwischen 7 Uhr 30 Min. und 9 Uhr 30 Min. wieder eine gewisse Anzahl Bienen an den Frühstückstisch, doch waren es viel weniger als am Tag zuvor. Auch liessen sie sich fast gar nicht auf das Frühstücksgeschirr nieder, und wenn sie es taten, blieben sie nur kurz sitzen. Mittags kamen hingegen mehr Bienen als am vorigen Tag; es war, als ob die Abwesenheit der Konfitüre beim Frühstück sie veranlasst hätte, zu einer anderen Tageszeit nachzusehen. Auch um 4 Uhr kamen einige Bienen, und als man diesen Konfitüren vorsetzte, lockte dies noch mehrere von ihren Gefährten herbei. Am 20. Juli war zwischen 8 und 10 Uhr früh die Sachlage dieselbe wie am 19. Ich legte einige rote Blütenblätter von Geranium auf einen Teller; doch schenkten die Bienen diesem keinerlei Aufmerksamkeit. Dann klebte ich einen dicken Tropfen Konfitüre in die Innenseite eines Trinkglases und stellte dies umgekehrt auf den Tisch. Viele Bienen flogen daraufhin nach dem Glas, und zwar nach der Stelle, wo sie den Tropfen Konfitüre sahen; als sie jedoch bei näherer Untersuchung nur das Glas spürten, flogen sie wieder weg. Keine von ihnen begab sich, wie es Wespen tun, nach dem unteren Rande des Glases, also nach der einzigen Stelle, wo sie allenfalls den Geruch des süssen Tropfens hätten wittern können. Um 10 Uhr hatten sich alle davongemacht.

Diese lehrreichen Beobachtungen zeigen uns, dass Bienen nicht nur eine Erinnerung an Örtlichkeiten, sondern auch an Zeit besitzen. Ist es doch Tatsache, daẞ sie nur zu denjenigen Stunden, zu denen sie früher Konfitüren gefunden hatten, zu dem betreffenden Ort zurückkehrten und eine Untersuchung der aufgestellten Gegenstände vornahmen, mit Ausnahme eines einzigen Males, wo

sie, nachdem früh morgens nichts zu holen gewesen war, mittags
noch einmal Umschau hielten. Ich möchte noch bemerken, dass diese
Dinge sich bei angenehmem Wetter abspielten, so dass es ausgeschlossen ist, dass etwa die starke Mittagshitze die Bienen vom Erscheinen um diese Zeit abhielt. Übrigens würde schon ihre Wiederkehr um 4 Uhr eine solche Vermutung widerlegen.

Nichts konnte amüsanter sein, als zuzusehen, wie die Bienen das
leere Kaffeegeschirr nach allen Richtungen hin untersuchten, und
zwar ebensogut das weisse wie das blaue. Etwas häufiger begaben sie
sich vielleicht zu dem letzteren, ist ja doch auch nach Lubbock
wie nach H. Müller Blau die Farbe, die sie bevorzugen. Natürlich
konnte dieses Resultat nur durch die regelmässige Periodizität des
Auflegens der Konfitüren an bestimmten Stunden auf dem Tisch erzielt
werden. Bei meinen früheren Experimenten hatte ich mich begnügt
Honig auf bestimmte, verschieden geformte, gefärbte und in verschiedener Weise aufgestellte Gegenstände zu kleben, um die Orientierungsfähigkeit der Bienen in bezug auf Richtungen und Farben
zu prüfen. Es waren das ähnliche Versuche, wie auch Lubbock sie
gemacht hat, doch habe ich mich dabei genauer wie er mit den
Einzelheiten befasst.

Nun noch einige anschliessende Beobachtungen:

Zunächst verachteten die Bienen den Zucker, dessen süsse Qualitäten ihnen wegen der Trockenheit der Zuckerwürfel verborgen
blieben. Doch im Laufe des fortgesetzen Herumstöberns fand endlich
eine untersuchende Biene, indem sie ihren Rüssel über die Oberfläche
eines Zuckerstücks hingleiten liess, den süssen Geschmack dieser
Materie heraus, fand ferner, dass, wenn sie den Zucker ein wenig
mit Hilfe des Rüssels befeuchtete (ob die Biene zu diesem Zweck
ihren Mageninhalt benutzte, konnte ich nicht feststellen), sich etwas
Schönes, Süsses erbeuten liesse. Kurz und gut, sie und ihre Gefährten
hatten den Trick bald genug heraus, und nun belagerten die Bienen
die Zuckerschale in hellen Haufen — es blieb uns nichts übrig, als
sie schliesslich zuzudecken.

Aus Sympathie mit den Bienen stellte ihnen meine Frau Zucker-
wasser und Konfitüren zur Verfügung; infolge dessen gaben sie es
bald auf, nur zu den Zeiten unsrer Imbisse zu erscheinen, und das
Experiment war dadurch verdorben. Indessen lernten sie auf diese
Weise immer besser die verschiedenen Gegenstände zu erkennen
sowie auch die Umstände, unter denen Konfitüren, Zucker und

Kuchen für sie erreichbar waren. Sie beobachteten wohl noch jeden neuen Gegenstand, der auf den Tisch gestellt wurde, und besonders auch jeden Menschen, der dort Platz nahm, aber dies geschah ganz rasch und sie verschwanden sofort wieder, wenn es nichts zu holen gab. Ja, selbst der Topf mit den Konfitüren wurde verlassen, sobald er mit einem Teller bedeckt war. Andrerseits konnten wir bemerken, dass, sobald eine einzelne Biene einige Spuren von Konfitüre an einem Löffel oder Teller entdeckt und sich darüber hergemacht hatte, dieser einen nach wenigen Minuten ganze Scharen ihrer Genossinnen folgten.

Den Tisch einige Meter tiefer in die Veranda hineinzurücken nützte uns gar nichts, denn die Bienen folgten überallhin. Diese Beobachtung scheint in Widerspruch mit den von Bethe zitierten Tatsachen zu stehen; flogen doch bei ihm die Bienen nicht nach ihrem plötzlich einige Meter fortgerückten Stock, sondern nach genau demselben Punkt im Raum, an dem sich früher das Flugloch befunden hatte. In Wirklichkeit findet sich hier, wie schon v. Buttel-Reepen und ich gesagt haben, kein Widerspruch zwischen den Tatsachen, wohl aber wird die Theorie Bethes durch unsre Beobachtungen widerlegt. Im Betheschen Fall wurden die Bienen zu einem bestimmten Punkt im Raum hingezogen — dem Flugloch ihres Stocks; und dieser Zug war, das wissen wir jetzt, nicht durch eine „unbekannte Kraft", sondern durch lange Gewohnheit zu einem automatischen Vorgang geworden. Sie flogen zu diesem Punkt ohne nachzudenken, ohne zu suchen, einzig und allein zu ihrem Stock geleitet mittels ihres starken, übersichtlichen Sinns für die Topographie. In unsrem Falle dagegen wurden, wie aus dem vorhergehenden ersichtlich, im Verlauf weniger Tage, sowohl in Beziehung auf die Zeit wie auch auf die verschiedenartigen und verschieden aufgestellten, mit einem Lockmittel versehenen Gegenstände abwechslungsreiche Versuche angestellt, und wir erreichten dadurch, dass die Bienen ihre Fähigkeit zur Unterscheidung und zur Erzeugung verschiedener Assoziationen, mit anderen Worten, ihre plastischen Fähigkeiten, betätigten, ehe noch eine einzige dieser Handlungen zu einer ganz automatischen Gewohnheit werden konnte.

Auch zeigte v. Buttel, dass das Fortrücken des Stocks die Bienen nur für kurze Zeit täuschen kann, denn bald genug entdecken sie seine neue Aufstellung und begeben sich zu ihm hin. Ebenso gewannen unsre Bienen eine immer grössere Übung im Auffinden der

Konfitüren und wussten bald jedes Partikelchen davon zu entdecken
und von anderen, von Kaffee, Butter usw. herrührenden Flecken
zu unterscheiden. Kurz, sie schärften ihr Auge (resp. ihr Gehirn-
sehen) durch Übung. Immerhin kam es vor, dass sie auch Kaffee-
flecken einer sehr kurzen Besichtigung unterwarfen.

All die Personen, die mit mir zugleich diese Vorgänge beobachteten, konnten die allmähliche Veränderung in dem Benehmen
der Bienen bestätigen, d. h. die im Laufe von zwei bis drei Wochen
stattfindenden Fortschritte im Suchen und Auffinden der Konfitüren,
Fortschritte, die nicht mit Hilfe des Geruchssinns, sondern mit Hilfe
der Assoziation von Gesichtseindrücken, der wiederholten Engraphie
und Ekphorie, bewerkstelligt wurden.

Über das Zeitgedächtnis der Bienen hatte ja v. Buttel-Reepen
auch schon eigene Studien angestellt, es sind dies die auf Seite 317
von mir wiedergegebenen Beobachtungen jenes Forschers über das
Verhalten der Bienen gegenüber dem blühenden Buchweizen.

Das, was die Bienen als besonders geeignet für eine analytische
Untersuchung dieser Fragen erscheinen lässt, ist gerade die Schwäche
ihres Geruchsvermögens, die es verhindert, dass sie den Geruch von
Honig, Konfitüren und dgl. aus einem Abstand von mehr als einem
Zentimeter überhaupt verspüren. Sie werden also lediglich geleitet
von ihrem Gesichtsgedächtnis in Verbindung mit ihrem Geschmacks-
gedächtnis und vollführen ihre Beutezüge mit Hilfe instinktiver Analogieschlüsse. Von dem Augenblick an, wo sie zu einer bestimmten
Zeit und an einem bestimmten Ort etwas gefunden haben, dessen
süsser Geschmack ihnen zusagt, kehren sie wieder dorthin zurück
und untersuchen dabei auch aufs gründlichste Gegenstände ähnlichen Aussehens in der näheren und sogar auch in der weiteren
Umgebung. Sie wiederholen diese Untersuchungen während längerer
Zeit, stellen sie aber alsbald dort und zu der Zeit ein, wo
sie nichts finden, um ihre Aufmerksamkeit ganz auf diejenige Zeit
und denjenigen Ort zu konzentrieren, wo ihr Suchen von Erfolg begleitet war. Die Gesichtserinnerung an Farben und Formen setzt
sie in den Stand, sowohl ihren Weg als auch den Gegenstand, der
die süsse Kost enthielt, wiederzufinden, endlich auch andre diesem
analoge Gegenstände zu entdecken. Der Geschmack aber ist dasjenige, was auf dem Wege des Affekts das Bild des Süssigkeiten
enthaltenden Gegenstandes in ihnen besonders gut fixiert. Sind sie
dann einmal bis zu einem Abstand von ca. 1 cm herangekommen,

so hilft ihr Geruchssinn ihnen, die chemischen Qualitäten des gesuchten Objekts zu wittern und zu unterscheiden.

Solange das betreffende Objekt die begehrten Süssigkeiten enthält, kehrt die Biene zu allen Stunden des Tages ohne Unterbrechung zu ihm zurück, wobei ihr immer zahlreichere Gefährtinnen folgen, besonders wenn jener Ort nicht zu weit von dem Bienenstock entfernt ist. Wenn aber die Anwesenheit der Süssigkeit auf dem betreffenden Gegenstand einer regelmässigen, täglichen Periodizität unterworfen ist, konzentriert sich die Biene, da sie zu andern Zeiten dort nichts findet, auf diejenigen Stunden des Tages, an denen, wie ihr Gedächtnis ihr sagt, sie stets etwas gefunden hat. Mit anderen Worten: sie besitzt Zeitgedächtnis und assoziiert ganz wie wir selbst ihre Gesichts- und Geschmacks-„Engramme" (Semon) sowohl in bezug auf ihre zeitliche Anordnung, das heisst Sukzession, bezw. Simultaneität, als auch innerhalb dieser Simultaneität in bezug auf ihre räumliche Verteilung. Wie alle Tiere und wie wilde Menschen misst sie die Zeit nur instinktiv, durch das Zeitgefühl organischer Abläufe (siehe Semon: Die mnemischen Empfindungen 1909, S. 190). Die Höhe der Sonnenlage (Grad des Tageslichts) hilft ihr jedenfalls auch dazu.

Wespen (Vespa germanica), die einen wohlentwickelten Geruchssinn in ihren Antennen besitzen, lassen sich sehr schlecht zu derartigen Experimenten benutzen, entdecken sie doch das, was sie brauchen, schon aus der Ferne mit Hilfe ihrer Geruchswahrnehmungen. Nur Wespen, denen man die Antennen abgeschnitten hat, benehmen sich ungefähr so wie die Bienen.

Vergleichende Psychologie ist ein bisher noch nahezu unerforschtes und nur wenigen vertrautes Gebiet, und zwar aus dem Grunde, dass man ihr bisher noch nicht von der richtigen Seite beizukommen verstanden hat, nämlich von der Seite sorgfältiger Beobachtungen und Experimente. Sie ist allzuviel teils durch mechanistisch-metaphysische Dogmen (siehe Bethe und andere), teils durch einen seichten Anthropomorphismus verdunkelt worden, der die ererbten Instinkte und Automatismen mit dem auf Gedächtnis und Erinnerungsassoziationen |fussenden, erworbenen, plastischen Urteilsvermögen des Individuums zusammengeworfen hat.

Warum, frage ich, sind so viele unsrer modernen Gelehrten so hartnäckig in ihrer Abneigung, der vergleichenden Psychologie die ihr gebührende Stellung einzuräumen? Und dies noch heute, wo die Histologie immer deutlicher die Einheitlichkeit in den Grundlagen der Struktur und Funktion des Nervensystems für das gesamte Tierreich einschliesslich des Menschen erwiesen hat, während die Psychophysiologie mit stets zunehmender Klarheit dartut, dass jede psychologische oder introspektive Erscheinung beim Menschen nichts an und aus sich selbst ist, sondern nur die innere Spiegelung einer nervösen oder neurokymischen Tätigkeit seines Gehirns, mit der sie eins und dasselbe ist.

Lassen wir uns ferner immer mehr von der Wahrheit durchdringen, dass jede Spezies, ja selbst eine jede polymorphe Tierform einer und derselben Art ihre spezielle Psychologie besitzt. Die Grundlage der vergleichenden Psychologie bilden einerseits die Entwicklung und die Funktionen der Muskeln und Sinnesorgane, andrerseits die Entwicklung des Gehirns. Das Studium der vergleichenden Psychologie kann allein Hand in Hand mit dem Studium jener letztgenannten morphologischen und physiologischen Grundtatsachen bei jeder einzelnen Art mit Erfolg unternommen werden.

Zwölfte Studie.

Seele und Reflex.

Ist eine vergleichende Psychologie zulässig und existiert eine solche?

Unsere Studien über die Sinne der Insekten haben uns allmählich bis ins innerste Gebiet der Seelentätigkeit dieser Tiere, besonders der sozialen Insekten, geführt. Nun wir im besten Zuge sind, werden wir plötzlich durch die Werke verschiedener deutscher Autoren, wie Bethe, Beer, Uexküll, Loeb und andrer, aufgehalten, die im Namen der exakten Wissenschaft die Existenzberechtigung einer vergleichenden Psychologie in Zweifel ziehen. Wenn es nach ihnen ginge, so müssten wir von vorne wieder anfangen, denn alles was wir bisher erforscht zu haben glaubten, war Anthropomorphismus vom reinsten Wasser. Wir haben — so sagen sie — nicht das Recht, Gefühle, Wahrnehmungen oder Erinnerungen bei Tieren anzunehmen. Wir sehen bei ihnen nur Reflexe, die, in geringerem oder stärkerem Masse kombiniert, Instinkte bilden. Es ist unbedingt notwendig, unsre ganze, infolge ihres Anthropomorphismus morsch gewordene Nomenklatur von Grund aus umzumodeln. Von Gesicht, von Geruch etc. dürfen wir, wofern es sich um Tiere handelt, nicht mehr sprechen, sondern einzig von Photoreflex und Chemoreflex. Der Geruch des Nests wird zum „Neststoff", die den Geruch eines Stocks ausmachende Kombination des letzteren mit den Gerüchen von Individuum, Familie und Königin muss daher zu einer Substanz des Individuo-regino-familio-nido-chemoreflexes werden. Das, was wir als Erinnerungen und Assoziationen zu erkennen glaubten, wird in die unbekannte Kraft A. B. C. D. etc. verwandelt. Zweifellos werden wir auf diesem Wege sehr exakte Formeln (mathematischen? chemischen? Charakters) des Tierlebens erhalten, unsre eignen biologischen Werke aber werden unsern Nachfolgern in demselben Lichte erscheinen, wie die Alchimie verstaubter Epochen dem Chemiker des 19. und 20. Jahrhunderts. Zugegeben, dass das neue Programm etwas Imposantes an sich hat! Mit einem Hiebe haut es, alle Zweifel vergangener Zeiten wegblasend, eine Gasse durch den dicht verschlungenen, doch von Poesie und lauterer Schönheit erfüllten Urwald der Induktionen, den man bis zum Auftreten Bethes und seiner Anhänger als „Naturwissenschaft" bezeichnet hat. Es schenkt uns eine mathematische Genauigkeit, die, wenn auch ein wenig trocken, uns dafür gestattet, alle Dinge vom Kubikinhalt unsres Schlafzimmers bis zu der Entfernung der Fixsterne ohne jeden Irrtum zu berechnen. Dies alles ist so überwältigend schön, dass es sich kaum fassen lässt, doch wird Bethe, als Anwalt der absolutesten Genauigkeit (wenigstens in der Theorie), es uns am wenigsten verdenken, wenn wir seine Ansichten auf dem Schmelztiegel der Kritik einer genaueren Analyse unterziehen.

Stellen wir zunächst fest, dass Bethes Arbeiten bereits durch Wasmann und v. Buttel-Reepen kritisiert worden sind. Die Kritik des letzteren Forschers habe ich in der vorigen Studie in allem Wesentlichen referiert.

Wasmann[1] hat Bethes Werk einer scharfen aber berechtigten Kritik unterworfen, die ich hier nicht ausführlich wiedergeben will, da sie über die Grenzen unsres Themas, des Sinneslebens der Insekten, hinausgeht. Einige wichtige Teile derselben kann ich mir indessen nicht versagen, an dieser Stelle mitzuteilen. Bethe glaubt bewiesen zu haben, dass die Ameisen sich nur auf Grund eines „Nest- oder Familienstoffs" erkennen. Er hatte eine bestimmte Spezies (Camponotus) in einer mit den Körpern einer feindlichen Spezies (Tetramorium coespitum) hergestellten Lauge gebadet und fand, dass die Tetramorium hiernach aufhörten, die Camponotus anzugreifen, diese vielmehr als Freunde behandelten. Wasmann hat daraufhin mehrere Kontrollexperimente gemacht, die er in verschiedener Richtung variierte; doch fand er im Gegensatz zu Bethe, dass die „gebadeten" Ameisen immer noch angegriffen und getötet wurden, d. h. also, dass der Gegner den Feindesgeruch unter dem Deckmantel des Freundesgeruchs nach sehr kurzer Zeit erkannte. Allerhöchstens, dass beim Beginn der Begegnung einige Augenblicke der Gleichgültigkeit zu bemerken waren.

---

[1] Wasmann, Die psychischen Fähigkeiten der Ameisen. Stuttgart 1899, Verlag von Erw. Naegele.

Wasmann hat des weiteren mit Sorgfalt eine Behauptung Bethes widerlegt, die mir so absurd, so jeder beobachteten Tatsache zuwiderlaufend erschien, dass ich sie der Widerlegung für unwert hielt. Bethe glaubte nämlich, durch eine oberflächliche Beobachtung festgestellt zu haben, dass „die Spur, die z. B. von einem Nest zu einem Baum läuft, der Ameise nicht helfen kann, von dem Baum zu dem Nest zu gelangen" (und umgekehrt). Hätte Bethe die Gewohnheiten von Formica und Polyergus gekannt, so würde er sich wohl gehütet haben, solche Ungeheuerlichkeiten zu behaupten, denn diese Insekten orientieren sich, man kann wohl sagen stets, bei dem Rückweg mit Hilfe der auf dem Hinweg erzeugten Spur, freilich, wie wir sahen, im Sinne des topochemischen Geruchssinns. Wie Wasmann sehr richtig bemerkt, wäre die Rückkehr einer Armee von Polyergus rufescens, wären die Umzüge von Formica undenkbar, wenn Bethe recht hätte. Wasmann richtet seine Aufmerksamkeit auf die „Form" der Geruchsspur, die er als das Unterscheidungsmerkmal zwischen auslaufender und einlaufender Spur für die Ameise ansieht. Diese Auffassung entspricht ungefähr meiner eignen Theorie des topochemischen Geruchssinns. Ferner zeigt Wasmann durch weitere, die Betheschen Experimente kontrollierende eigne Versuche die Irrtümer der Betheschen Schlüsse und betont dabei, ebenso wie ich selbst, den Fehler, den Bethe gemacht hat, indem er seine Erfahrungen an Lasius und dessen Orientierungsweise auf die Ameisen im allgemeinen ausdehnte. Wasmann zeigt, dass es assoziierte Erinnerungsgebilde sind, mit Hilfe derer z. B. Polyergus noch nach mehreren Wochen seinen Rückweg zu finden vermag.

Des weiteren macht Wasmann darauf aufmerksam, dass Formica die Umgebungen ihres Nestes so genau kennt, dass selbst die Entfernung der obersten Erdschicht mit einer Schaufel das Tierchen nicht desorientiert. Ich verweise auch auf das, was ich bei Gelegenheit der Besprechung Fabres gesagt habe; es genügt hier die allgemeine Richtung und der Gesichtssinn. Diese Tiere sind ihrer Sache zu sicher, und zwar ist es, wie Wasmann ausdrücklich betont, die Erinnerung an die betreffenden Örtlichkeiten, die ihnen diese Sicherheit verleiht.'

Wasmann gibt einige hübsche Beweise für das Sehvermögen von Formica und für die Beziehungen zwischen dem Gesichtssinn der Ameisen und den mimetischen Eigenschaften der myrmecophilen Insekten. Er beweist aufs deutlichste die Mitteilungsfähigkeit (oder falsche Sprache) der Ameisen, ebenso wie ich selbst in den „Fourmis de la Suisse" für diese eingetreten bin und seitdem auch v. Buttel-Reepen; Wasmann führt zahlreiche neue Beweise dafür ins Treffen. Er gibt, ebenso wie ich, zu, dass es sich dabei um sehr verschiedenartige Signale handelt, deren Verständnis sowohl als auch ihre Ausführung durch Instinkt fixiert ist, und fügt seinen Auseinandersetzungen einen recht vollständigen Katalog dieser Zeichensprache bei.

Schliesslich möchte ich an dieser Stelle meiner eignen Erfahrungen gedenken, wie ich sie in den „Fourmis de la Suisse", 1874 (VI, 3; VI, 4; VI, 5; VI, 6 und V, 2) niedergelegt habe. Es geht daraus hervor, dass die Ameise sich sowohl guter wie schlechter Behandlung, sei es selbstausgeübter oder seitens ihresgleichen erlittener, erinnert. Ihre Freundschaften und Feindschaften, ihre Sympathien und Antipathien werden stark von diesen Erfahrungen beeinflusst, ja solche zufällige Erlebnisse tragen zuweilen über die instinktiven Geruchs-Sympathien und Antipathien (Bethes Familien-Chemoreflexe) den Sieg davon.

Wasmann versteht, obwohl er naturgemäss von dem Standpunkt eines Jesuitenpaters ausgeht, sich gegenüber allem, das nicht den Menschen betrifft, eine bemerkenswerte wissenschaftliche Objektivität zu bewahren. Er widerlegt Bethe teilweise an der Hand von bereits veröffentlichten Experimenten von sich selbst, Lubbock, Janet und mir mit einer unerbittlichen Logik. Es ist indessen nötig, den grundlegenden Ideen der Wasmannschen Kritik nachzugehen, weil dieser Autor wegen seines religiösen Dualismus Klippen andrer Art nicht zu umgehen vermag.

Aus diesem Dualismus heraus gibt Wasmann zunächst Bethe dort recht, wo dieser den „Panpsychismus Haeckels" angreift. Machen wir uns einmal diesen Punkt ein wenig klar. Der Panpsychismus Haeckels[1] ist ebenso wie der Polypsychismus von Durand de Gros[2] im wesentlichen nichts anderes als der Monismus von Giordano Bruno, Spinoza und anderen, also ein metaphysischer Monismus, auf den wir noch zurückkommen werden. Haeckel ist indessen nicht ganz konsequent in der Art, in welcher er diese Anschauungen entwickelt, und gibt daher der Kritik eine bequeme Handhabe. Ich werde meine eigene Ansicht über diesen Punkt weiter unten darlegen,

[1] Ernst Haeckel, Die Welträtsel, 1899.
[2] Durand de Gros, Electrodynamisme vital, 1855, und Essais de physiologie psychologique, 1866, Paris, Ballière.

und diese Ansicht dürfte gleichzeitig als Widerlegung sowohl von
Bethe als auch von Wasmann aufzufassen sein.

Bethe bezeichnet als „Modifikationsvermögen" dasjenige, was
ich selbst als plastische Tätigkeit der Nervenzentren im Gegensatz zu ihrer reflektorischen (oder automatischen) Tätigkeit bezeichnet
habe. Dies Modifikationsvermögen ist in seinen Augen — und hier
stimme ich völlig mit ihm überein — die Bedingung für jegliches
Ansammeln von Erfahrung wie für jede individuelle Lerntätigkeit.
Alles dasjenige aber, was nicht auf diese Weise „gelernt" werden kann,
ist für ihn „Reflex". Wasmann macht ihn darauf aufmerksam, dass
zwischen diesen zwei Extremen das ganze Reich der Instinkte gelegen
ist, das heisst der ererbten Nerventätigkeiten und Reaktionen, die im
Laufe der Zeit zur Erreichung komplizierterer Wirkungen zu komplizierten Handlungen verflochten werden. Bethe rümpft zu alledem
die Nase; er beseitigt diese Einwände mit einem kühnen Federstrich und wirft alles zusammen in den einen grossen Sack der
„Reflexe".

In seinen zweiten Sack aber (und für ihn gibt es nur diese beiden
Säcke) steckt er alles das, was er als „psychische Qualitäten"
bezeichnet und dem besagten „Modifikationsvermögen" zuschreibt.
Dieser Ausdruck ist schlecht gewählt, denn auch Instinkte sind
modifizierbar; ich selbst ziehe die Bezeichnung der plastischen (oder
individuell anpassungsfähigen) Gehirntätigkeit vor. Diese „psychischen
Qualitäten" also spricht er den Insekten kurzweg ab und beruft sich
dabei auf ebenso oberflächlich angestellte wie falsch ausgelegte Experimente, Experimente, die von A bis Z zeigen, dass Bethe ausserordentlich wenig Kenntnisse über die Insekten besitzt, von denen er
spricht. Ich glaube diesen Punkt in der vorhergehenden Studie gebührend beleuchtet zu haben. Wer jedoch in dieser Angelegenheit
trotzdem noch nicht klar genug zu sehen glaubt, dem empfehle ich
die Lektüre des obengenannten Werkes von Wasmann sowie meiner
eignen „Fourmis de la Suisse" (1874: Nouv. Mémoires de la Soc.
Helvet. des Sci. Nat., Genf bei H. Georg).

Es kann unbedingt behauptet werden, dass Insekten imstande sind,
Wahrnehmungen zu machen, zu lernen, sich zu erinnern, sowie ihre
Erinnerungen zu assoziieren und zur Erreichung bestimmter Zwecke
mittels einfacher Analogieschlüsse davon Gebrauch zu machen. Sie
besitzen Affekte verschiedenster Art; auch ist ihr Wille durchaus nicht
ausschliesslich instinktiv, sondern zeigt den vorliegenden Verhältnissen

angepasste individuelle, plastische Modifikationen. Gerade in diesem Punkte fühle ich mich völlig eins mit Wasmann, der zur Demonstrierung dieser Tatsache mit erbarmungsloser Logik zu Felde zieht. Es entbehrt in der Tat nicht der Pikanterie, wie gerade ein Jesuitenpater kommen musste, um den Dualismus Bethes zu unterminieren! Bethe krönt seinen Dualismus, indem er seine „psychischen Qualitäten das heisst das Bewusstsein" wie einen Deus ex machina bei den Vertebraten plötzlich ausschlüpfen oder hervorwachsen lässt.

Indessen möchte ich mir gestatten, Wasmann darauf aufmerksam zu machen, dass, wenn es ein Fehler von Bethe war, mit seinem dualistischen Messer die Seele (das Bewusstsein) vom Gehirn der Wirbellosen abzutrennen, es ein ebensolcher Fehler von dem Jesuitenpater Wasmann ist, mit seinem dualistischen Messer etwas höher oben, nämlich zwischen Seele und Gehirn des Menschen einen ebensolchen Schnitt auszuführen und den höheren Wirbeltieren sowie selbstverständlich auch den niederen und den Wirbellosen die Seele überhaupt abzusprechen. Dieser Gegenstand bedarf noch einiger erklärender Worte.

Zunächst muss betont werden, dass Bethe einen Fehler begeht, wenn er eine feste und starre Grenze zieht zwischen plastischen und automatischen Fähigkeiten — also dem, was er als „Modifikationsvermögen" und als „Reflex" bezeichnet. Die graduellen Übergänge zwischen der bewussten plastischen Tätigkeit des Menschen und seinen sekundären automatischen Tätigkeiten oder Gewohnheiten liefern uns tägliche Beispiele aller nur möglichen Schattierungen zwischen diesen beiden Begriffen, aus denen Bethe, in Anlehnung an Descartes, in willkürlicher Weise Gegensätze formuliert. Aber auch die ererbten Instinkte zeigen ja alle möglichen Grade von Fixiertsein, von automatischem Charakter, ja dies gilt selbst für die einfachen Reflexe, so dass wir schon hier gewisse Übergänge zu plastischer Tätigkeit beobachten können. Jene Instinkte und Reflexe sind eben nach den Umständen mehr oder weniger hemmbar oder modifizierbar und mit plastischen oder „willkürlichen" Tätigkeiten mehr oder weniger verbunden.[1]

[1] Hier möchte ich den Leser noch besonders auf die beiden grundlegenden Werke R. Semons: Die Mneme als erhaltendes Prinzip im organischen Geschehen (2. Aufl. 1908) und Die mnemischen Empfindungen (1909), beide bei W. Engelmann in Leipzig, hinweisen. Von den in diesen Werken eingenommenen Standpunkten ergibt sich die Unzulässigkeit aller künstlichen Schnitte im Hirn- und Geistesleben, im organischen Leben überhaupt als etwas Selbstverständliches.

Nachdem er zunächst angenommen hat, dass bei den Ameisen alles nur Reflex sei, sagt Bethe, dass Hunde und Affen ebenso wie der Mensch alles lernen müssen, ja sogar das Gehen und das Fressen. In dieser Hinsicht begeht Bethe (und in gewissem Grade auch Wasmann) eine allerliebste Konfusion. Ich will versuchen, die Frage auf sehr einfache Art durch zwei Beispiele zu erläutern. Das neugeborne Kaninchen vermag sich kaum von der Stelle zu bewegen, ebensowenig seine Augen zu öffnen; das Meerschweinchen dagegen rennt mit grösster Gewandtheit vom Moment seiner Geburt an herum. Nach Bethe wird also das Kaninchen das Gehen und Sichorientieren zu „lernen" haben, das ganz nahe verwandte Meerschweinchen dagegen nicht. Das Gehen wäre somit Reflex beim Meerschweinchen, erlernt beim Kaninchen. Dies erscheint sehr unwahrscheinlich und in der Tat verhält es sich auch durchaus nicht so.

Der Grund dieser scheinbar widersprechenden Tatsachen ist der, dass das Kaninchen auf einer viel embryonaleren ontogenetischen Stufe zur Welt kommt als das Meerschweinchen; sein Gehirn ist noch zu unfertig, seine Nervenfasern zu wenig mit Mark versehen, um zu funktionieren. Diese einfache Tatsache zeigt uns, dass Bethe geschrieben hat, ohne nachzudenken. Viele Tätigkeiten des Nervensystems treten bei einem bestimmten Alter von selbst auf, und zwar auf Grund rein phylogenetisch-erblich bedingter ontogenetischer Abwicklung, und daraus entsteht dann bei vielen Leuten der Bethesche Irrtum, sie seien „erlernt" worden. Ganz dasselbe findet beim Menschen statt, und so bilden wir uns z. B. ein, unsern Kindern eine ganze Menge „gelehrt" zu haben, was ihnen ganz von selbst zufällt. Übrigens will ich durchaus nicht in Abrede stellen, dass auch bei Affen und Hunden die „Mama" ihre Kleinen bei der ersten Ausübung verschiedener Tätigkeiten unterstützt. Wasmann erinnert selbst daran, dass die ersten Gehübungen des menschlichen Kindes „zum grössten Teil" in der Ausübung von „Reflexen", er dürfte getrost sagen „gänzlich", in der Einübung erblicher automatischer Anlagen bestehen. In allen menschlichen und tierischen Tätigkeiten befindet sich eben ein gewisses Element, das wir als „Prädisposition" oder „Anlage" bezeichnen. Und wenn man sich die Mühe gibt, die vorliegenden Tatsachen einmal näher ins Auge zu fassen, so wird man finden, dass sich zwischen einem fix und fertig ererbten Instinkt, der keiner Lehrzeit bedarf, und den höchsten Äusserungen menschlicher Intelligenz eine ununterbrochene Kette von Zwischengliedern hinzieht.

Bei diesem Punkt trennen sich meine Anschauungen von denen Wasmanns. —

Es ist Tatsache, dass das menschliche Kind mit einem noch fast nur aus grauer Substanz bestehenden Grosshirn geboren wird, das, weil in höchst embryonalem Zustand, noch kaum funktionsfähig ist. Nur das Rückenmark und die Ganglien des sogenannten Hirnstammes besitzen eine genügende Ausrüstung mit Markscheiden, um ihre Reflex- und automatischen Funktionen ausüben zu können. Nun stehen aber beim Menschen diese niederen Zentren in äusserster Abhängigkeit vom Grosshirn, das ihre Tätigkeit (die bei den übrigen Säugetieren verhältnismässig unabhängiger ist) mittels der psychomotorischen Pyramidenbahnen dissoziiert resp. hemmt und reguliert. Dies ist der Grund, warum das neugeborne Kind so unbeholfen, so völlig ungeschickt und unfähig ist. Nur auf Grund der Ausbildung der Markscheiden im Laufe des ersten Lebensjahres wird das Grosshirn in Stand gesetzt, ganz allmählich die Eindrücke seitens der Sinnesorgane in sich aufzunehmen und die Muskeln geordnet in Aktion zu setzen. Dies geschieht auch nicht direkt, sondern mittelbar durch den Einfluss des Grosshirns auf die Reflexzentren des Rückenmarks und der niederen Hirnteile oder Stammganglien mittels der beim Menschen so mächtigen, von der Hirnrinde direkt zu allen motorischen Reflexzentren des Stammes und des Rückenmarks führenden und sich um deren Zellen erschöpfenden sog. Pyramidenbahnen. Ausserdem wächst in der aufsteigenden Serie der Säugetiere die Abhängigkeit der medullären, bulbären und andrer Zentren vom Grosshirn im Verhältnis zum wachsenden relativen Umfang des letzteren und der Pyramidenbahnen.

Die alte scholastische Philosophie kannte das menschliche Gehirn überhaupt nicht. Ausgehend von einer, aus Unkenntnis ihrer organischen Unterlagen missverstandenen Psychologie und von metaphysischen Spekulationen, begründete jene Philosophie Axiome und Wesenheite, die in Wirklichkeit nicht existieren, sondern nur menschliche Abstraktionen, d. h. Artefakte mit Worten darstellen. Doch weiss ja jeder, dass diejenigen Worte, die unsere Begriffe (sowohl die wahren wie die falschen, wie die zur Hälfte wahren, zur Hälfte falschen) repräsentieren, eine fortwährende Tendenz zeigen, in unserm Verstande materialisiert zu werden, und dort, nicht nur der Form nach, sondern in Wirklichkeit, die Begriffe zu ersetzen, die sie zunächst nur versinnbildlichen sollten. Es ist dies eine der grössten Schwächen des

22*

menschlichen Verstandes, die Kehrseite jener Vorteile, die uns die Abstraktionen unserer Sprache und die niedergeschriebenen Enzyklopädien unsres Wissens bieten. Sprache und Bücher aber strotzen von abstrakten Worten, die für Dinge ausgegeben und als solche aufgefasst werden, und denen wir so zu guter Letzt Wesenheit als etwas ganz selbstverständliches zuschreiben.

Diesem Dilemma steht Wasmann verständnislos gegenüber und an ihm scheitert er. Er gewährt dem höheren Wirbeltier sowohl wie dem Insekt die Fähigkeit sinnlicher Wahrnehmung, die Fähigkeit zu lernen, nachzuahmen, Affekte zu empfinden — bis hierher befinden wir uns in völliger Übereinstimmung. Was er diesen Geschöpfen aber abspricht, ist „Intelligenz". Wie definiert er nun aber diese Eigenschaft?

Der Mensch, so lehrt uns Wasmann,[1] besitzt einen intelligenten Willen. Er ist imstande, aus alten Erfahrungen Schlüsse in bezug auf neue Umstände herzuleiten. Dies Wasmanns Definition der menschlichen Intelligenz. Er teilt ferner die Fähigkeit des Lernens oder des individuellen Wissens in sechs Formen ein, die er zwei Hauptgruppen unterordnet:[2]

I. Selbständiges Lernen:
1. Durch instinktive Einübung angeborner Reflexmechanismen, welche durch die Muskelgefühle des Tiers ausgelöst werden.
2. Durch sinnliche Erfahrung, indem durch dieselbe neue Vorstellungs- und Triebassoziationen unmittelbar gebildet werden (sinnliches Gedächtnis).
3. Durch sinnliche Erfahrung und intelligentes Schliessen von früheren auf neue Verhältnisse (sinnliches Gedächtnis und wirkliche Intelligenz).

II. Lernen durch fremden Einfluss:
4. Durch Anregung des Nachahmungstriebes, welcher von dem Beispiel andrer ausgeht.
5. Durch Dressur (Abrichtung), durch welche der Mensch andern sinnlichen Wesen neue Vorstellungs- und Empfindungsassoziationen nach seinem intelligenten Plane einprägt.

---

[1] Erich Wasmann, S. J., Instinkt und Intelligenz im Tierreich. Freiburg i. Br. 1899.
[2] a. a. O. S. 118, 119.

6. Durch intelligente Belehrung (Unterricht), durch welche ein intelligentes Wesen ein anderes lehrt, nicht bloss neue Vorstellungsassoziationen unmittelbar zu bilden, sondern auch neue Schlüsse zu ziehen aus früheren Erkenntnissen.

Alle diese sechs Kategorien schreibt Wasmann dem Menschen zu, ihm ausschliesslich aber Kategerie I. 3. und II. 6. Den Tieren spricht er, je nach ihrer Entwicklung, die Kategorie I. 1. allein oder I. 1. und II. 4., oder I. 1. und II. 4. und I. 2. und II. 5. zu. Indessen traut er sich nicht, Kategorie I. 1. den Protozooen zu garantieren. Seine Kategorie II. 5. setzt natürlicherweise einen intelligenten Lehrer voraus.

Die erste Kritik, die ich hier zu machen habe, ist die, dass die Natur keine solche wohldefinierten Kategorien kennt. Wasmann teilt dort von Gottesgnaden ab, wo es überhaupt keine Abteilungen, sondern nur Abstufungen gibt. In der Wirklichkeit entwickelt sich eins aus dem andern, sowohl im Leben des Individuums wie in dem der Art. Der menschliche Embryo fängt bei der Zeugung damit an, einem Protozoon (einzelligen Tier) zu gleichen, und vom befruchteten Ei aus erhebt er sich durch die Reihe der Embryonalstufen bis zum Menschen in ähnlicher Weise wie er sich an der Hand der phylogenetischen Stufenleiter allmählich dazu seit Urzeiten entwickelt hat. Daher ist es ein fundamentaler Irrtum von Wasmann, wenn er, von ausgesprochenen Kategorien ausgehend, die er selbst ad hoc zugeschnitten hat, absolute Unterschiede aufstellt, die gar nicht existieren.

Wasmann gibt zu, dass man bei den höheren Wirbeltieren durch Dressur sehr bedeutende intellektuelle Wirkungen erzielen kann, die bei Insekten (Ameisen etc.) nicht zu erreichen sind. Er kann auch wirklich nicht umhin, dies zuzugeben, denn ich meine, es würde ihm gewisse Schwierigkeiten kosten, einer Ameise oder einer Wespe die Dinge zu lehren, die man einem Affen oder einem Hunde beizubringen pflegt. Sein Hauptirrtum bezieht sich aber auf seine Kategorien I. 2. und II. 5. Er unterschätzt allzusehr die Fähigkeit der Entwicklung und der individuellen Erfahrung bei den höheren Säugetieren. Viel zu sehr imprägniert mit Cartesianischen Ideen, erblickt er (wie z. B. auch Netter) in der Wirkung jener Dressuren nur die menschliche Intelligenz, die hier ein Echo findet, und zieht dabei die spontanen individuellen Erfahrungen, die von den höheren Tieren, mit denen er sich nicht beschäftigt hat, gemacht werden, viel zu wenig in Betracht.

Die Experimente v. Buttel-Reepens an Bienen sowie auch mein eignes in Nachprüfung von Plateau unternommenes Dahlienexperiment (s. oben (S. 196) haben ganz besonders klar erwiesen, mit welcher Schnelligkeit die sozialen Insekten lernen, besonders wenn es sich um ein Gebiet handelt, das in der Richtung ihrer ererbten Instinkte liegt. Gleichzeitig darf man aber nicht, so wie dies Wasmann passiert, ihre „furchtbare Dummheit" gegenüber allem, was nicht mit ihren Instinkten verknüpft ist, vergessen, diese Dummheit, die von Fabre so meisterhaft beschrieben worden ist; freilich nähert sich seine Beschreibung schon ein wenig der Grenze der Karikatur! Die höheren Wirbeltiere mit ihrem entwickelten Hirn machen sich solcher Dummheit nicht schuldig, weil sie viel besser verstehen, viel besser ihre Erfahrungen verwerten, ihre Erinnerungen kombinieren und die Schwierigkeiten umgehen. Sie werden nicht wie Fabres Bembex ihre eigenen, neben ihnen liegenden Jungen übersehen, um das Eingangsloch zu dem zerstörten Nest zu suchen. Ich brauche hier nur den Hund zu nennen, dessen Intelligenz wohl jeder zur Genüge kennt. Sobald man sich aber etwas näher mit den Gewohnheiten der wilden Wirbeltiere befasst, so entdeckt man, dass sie viel besser imstande sind, persönliche Erfahrungen zu machen und auszunützen als diejenigen denken, die das Leben dieser Geschöpfe nicht kennen. Jeder Jäger weiss über diese Dinge Bescheid und wird mir recht geben. So hat z. B. Prinzessin Therese von Bayern in ihrem sehr bemerkenswerten Buch über ihre brasilianische Reise[1] ohne jede Voreingenommenheit und mit der grössten Objektivität das Wesen eines Nasenbären oder „Coati" Nasua socialis Wied), den sie vier Jahre lang beobachtete, beschrieben. Ähnliche psychologische Studien an Wirbeltieren möchte ich jedermann empfehlen. Prinzess Therese bemerkt in ihrer Studie ganz mit Recht, wie sehr man durch das Gefangenhalten der Tiere (meiner Ansicht nach auch durch übertriebene Dressur) die volle Entfaltung ihrer natürlichen Intelligenz hemmen kann. (Übrigens lässt sich genau dasselbe beim Menschen bemerken!) Prinzess Therese gestattete ihrem Coati die vollste Freiheit und dies verleiht ihren Beobachtungen über das erstaunliche Gedächtnis, die Unterscheidung von Personen, die verschiedenen Sympathien und das ganze Benehmen dieses interessanten Tiers besondern Wert.

---

[1] Therese, Prinzessin von Bayern, Meine Reise in den brasilianischen Tropen; Berlin 1897, Verlag von Dietrich Reimer, S. 495 u. ff.

Ich verweise an dieser Stelle auch auf die Auseinandersetzungen von Romanes[1], Lloyd Morgan[2], sowie auf eine Bemerkung, die ich selbst[3] in der 6. Auflage meines Vortrages „Gehirn und Seele" gemacht habe. Unser Hund (irländischer Setter) geht furchtbar gern mit meiner Frau spazieren. Nun hat er beobachtet, dass diese zu Hause Sandalen, beim Ausgehen aber Stiefel trägt. Sieht er sie nun im Haus mit Stiefeln, so wird er unruhig. Er schliesst auf einen beabsichtigten Spaziergang, den er mitmachen möchte. Solche bei Hunden sehr häufigen Vorkommnisse klingen bereits an Wasmanns Kat. I. 3.

Es ist mir unmöglich, in den vorliegenden Studien auf die gehirnphysiologische Seite der menschlichen Psychologie näher einzugehen. Was ich auch hier wieder betonen möchte, ist, dass ein Studium dieser Dinge in unzweifelhafter Weise dartut, dass die menschliche Seele nichts weiter ist als eine phylogenetische Weiterentwicklung der tierischen. Diese Weiterentwicklung wird noch ausserordentlich unterstützt durch zwei hinzukommende fundamentale Momente: die mündliche Weitergabe und die schriftliche Überlieferung. Diese beiden Dinge sind wiederum die Folge des mündlichen und schriftlichen Sprachvermögens, dieses aber die Folge einer fortgeschrittenen Gehirnentwicklung, deren Wurzel und erste Anfänge wir schon bei den höheren Tieren beobachten können. Wäre es uns gegeben, den Pithecanthropus erectus mit seiner Schädelkapazität von 570 ccm und den Neandertaler Menschen mit einer Kapazität von 920 ccm zum Leben zurückzurufen und ihr Wesen zu beobachten, so würden wir einige Hauptetappen der phylogenetischen Entwicklung der Sprache vor uns haben. Der Kulturmensch der Gegenwart besitzt eine Schädelkapazität von 1100 bis 1300 ccm, während die grossen anthropoiden Affen nur eine solche von 280 bis 290 ccm besitzen.

Im Jahre 1877, als ich mich als Privatdozent an der Universität München habilitierte, stellte ich als siebente These folgendes auf: „Sämtliche Eigenschaften der menschlichen Seele können aus Eigenschaften der Seele höherer Tiere abgeleitet werden". Von dieser These möchte ich heute nicht das kleinste Jota zurücknehmen. Ich habe zwei mit diesem Gedanken in Verbindung stehende Aufsätze

[1] G. J. Omanes, Die geistige Entwicklung im Tierreich. Leipzig, 1885.
[2] C. Lloyd Morgan, Instinkt und Gewohnheit. Leipzig und Berlin, 1909.
[3] Aug. Forel, Gehirn und Seele, 1899, Verlag v. Emil Strauss, 6. Aufl. S. 34 u. ff.

in zwei Zeitschriften veröffentlicht, „Die Faktoren des Ich" in Maximilian Hardens „Zukunft" vom 6. und 13. Juli 1901, und „Perfectibility" in dem amerikanischen Blatt „International Monthly", August 1901, Macmillan & Co., New York. In dem letzteren Artikel habe ich gezeigt, wie das, was uns jetzt als komplexe Erscheinung vorliegt, die wir als menschliche Intelligenz bezeichnen, sich nicht einfach auf dem Wege der gewöhnlichen phylogenetischen Evolution — etwa parallel der körperlichen Evolution des Gehirns — aus tierischen Urzuständen herausgebildet hat, sondern dass zu dieser natürlich auch vorhandenen Entwicklung noch zwei besondere Faktoren hinzukommen: die mündliche Tradition und die schriftliche Überlieferung mit ihrer Enzyklopädie.

Es ist nicht schwer zu bemerken, wie unsre Dualisten stets bestrebt sind, die tierische Routine mit den allerentwickeltsten Fähigkeiten hervorragender Menschen zu vergleichen, Fähigkeiten, die sämtlich aus dem Boden der geschriebenen oder gedruckten Überlieferung herausspriessen; diese eben ermöglicht es dem Menschen, sein Gehirn in einer geradezu unerhörten Weise auszunutzen. Dank dieser Überlieferung stellen wir uns auf die Schultern aller unsrer grossen Vorfahren, und dieser erhöhte Standpunkt verführt uns nur zu leicht zur Selbstüberschätzung. Übrigens kann man die tierischen Wurzeln unsrer höheren geistigen Fähigkeiten am deutlichsten aufspüren, nicht indem man Goethe oder Sokrates und das, was wir von ihnen wissen, sondern indem man einen bäurischen Analphabeten der arischen (also unsrer eignen) Rasse und einen gebildeten Menschen einer niederen Rasse mit den Tieren vergleicht. Der erstere besitzt wohl in seinem Hirn die für die Erreichung höherer Kenntnisse nötigen erblichen Energien; doch sind sie nicht ausgebildet worden. Er ist uns gegenüber wie der undressierte Affe oder Hund gegenüber dem dressierten Affen oder Hund, aber der Unterschied ist bei ihm viel grösser. Der gebildete Buschmann, vielleicht sogar Wedda wird in den Augen eines oberflächlichen Beobachters sicher dem ungebildeten Arier noch überlegen erscheinen. Dieser Eindruck wäre indessen sehr trügerisch. Selbst der Neger gehört für den, der ihn genau genug studiert, noch so ziemlich zu der Kategorie II. 5. von Wasmann. Das, was er mittels „Dressur" erlernt hat — und sein Lernen steht ja der tierischen Dressur noch viel näher als der papageiartige Unterricht vieler unsrer Schulen —, hält nur so lange vor, wie er in Kontakt mit dem Weissen bleibt. Sobald man ihn sich selbst überlässt, verwildert er wieder in geradezu rapider Weise und ist vor allen Dingen ausserstande, an seine Nachkommen unsre Zivilisation zu übertragen; man denke an Haïti und Liberia, zwei Negerkolonien, bei deren Gründung obendrein nur Neger von besonders intelligenten Rassen verwendet worden sind. Der Neger, und besonders der Wedda oder der Akka, besitzt Wasmanns Kategorien I. 3. und II. 6. nur in merklich beschränkterem Masse, ungleich weniger als Arier, Semiten oder Mongolen. Andrerseits bestreite ich die Behauptung Wasmanns, der den höheren Affen und den Hunden absolut den Besitz seiner Kategorie I. 3. abstreiten will. Gewiss sind die dort genannten Fähigkeiten bei diesen Tieren äusserst rudimentär, verglichen selbst mit denen der allerniedrigsten, jetzt noch lebenden menschlichen Rassen, und dies darf uns nicht wundernehmen, wenn wir das menschliche Gehirn mit dem ihrigen vergleichen. Doch vorhanden sind sie. Der Hund, der seinen Herrn liebt und sich geduldig von ihm einer chirurgischen Operation unterziehen lässt (ich kenne dies aus eigner Erfahrung), während er einem Fremden misstraut, besonders wenn dieser ihm früher einmal Unfreundlichkeit oder Antipathie gezeigt hat, dieser Hund, sage ich, zeigt deutlich, dass er von alten Erfahrungen auf neue Beziehungen zu schliessen vermag. Er sieht voraus, was geschehen wird, falls er dies oder jenes tut oder lässt. Selbstverständlich ist dies, verglichen mit unsern eignen Fähigkeiten der Voraussicht und Umsicht ein nicht eben komplizierter Denkprozess. Auch kann der Hund uns diesen nicht auf sprachlichem Wege auseinandersetzen, da sein Gehirn mangels genügend entwickelter Windungen solchen sprachlichen Ausdrucks nicht fähig ist. Doch sind die Elemente zu Mitteilungen und die Rudimente einer mimischen Sprache tatsächlich vorhanden. Bethe und Wasmann unterscheiden sich in dem Sinne, dass der erstere die Verwandtschaft zwischen dem Verstand der höheren Säugetiere und dem des Menschen übertreibt, dafür aber eine künstliche scharfe Linie zwischen solcher Art von Verstand und dem der Insekten zieht; während Wasmann im Gegensatz hierzu die Verwandtschaft zwischen dem Verstand der Insekten und dem der höheren Tiere übertreibt, um den Verstand dieser letzteren sodann mittels seiner künstlichen Definition der Intelligenz scharf von dem des Menschen abtrennen zu können. Die Wahrheit liegt auch hier in der Mitte. Aber die Psyche der Insekten unterscheidet sich von der des Säugetiers besonders in bezug auf ihre Qualität, und zwar handelt es sich dabei sowohl um die

von uns in diesen Studien analysierten qualitativen Unterschiede der
Sinne wie auch um Eigentümlichkeiten des Instinktlebens der Gliedertiere überhaupt.

Ihre Instinkte sind höchst komplizierter Natur und verknüpfen sich
mit einer Fähigkeit, äusserst geschwind durch Erfahrungen hinzuzu-
lernen, während andrerseits die individuelle plastische Anpassungsfähigkeit an irgend etwas, das nicht direkt in das Gebiet des Instinkts
der Art fällt, bei diesen Tieren äusserst gering ist. Beim Säugetier
hingegen steht die plastische Adaptabilität auf einer viel höheren Stufe,
während die Instinkte viel einfachere sind. Dies erschwert einen Vergleich zwischen den beiden Typen. Zwischen dem Menschen aber und
dem höheren Säugetier, insbesondere dem anthropoiden Affen, ist der
Unterschied vor allem ein quantitativer. Und obwohl das Gehirn
eines unkultivierten Wilden dem unsern viel näher steht als das des
höchststehenden lebenden Affen, ähnelt doch sowohl sein Benehmen
wie sein intellektueller Horizont dem eines Orang-Utang zum grossen
Teil mehr als dem eines hervorragenden und hochkultivierten Menschen. Ein grosser Teil der Bewohner unserer Städte und Dörfer
lebt und denkt viel ähnlicher einem Vieh als einem Menschen
von Herz und Verstand, der geistig viel gearbeitet hat. Diese Dinge
hängen stark mit der Ausbildung resp. Nichtausbildung des Gehirns
durch überlieferte Kenntnisse zusammen. Setzt man nun alle Voreingenommenheit und jedes Vorurteil beiseite, so wird man gerade
in diesem Umstand eine Bestätigung der evolutionistischen und monistischen Anschauungen über alle in das zerebrale Gebiet fallende
Verhältnisse sehen. Freilich ist, um dieser Bestätigung gewahr zu
werden, ein tiefes Studium des menschlichen Gehirns und seiner sowohl normalen wie pathologischen Funktionen vonnöten. Um diesen
so überaus komplizierten Gegenstand von Grund aus zu überblicken,
bedarf es eines Eindringens in die Psychiatrie, in die Probleme der
verminderten Zurechnungsfähigkeit, in die kriminelle Anthropologie,
in die Pädagogik, in die hypnotische Suggestion, in die physiologische
Psychologie, in die sozialen Gesetze und in die Ethnologie der menschlichen Rassen. Je tiefer man aber in alle diese Gebiete eindringt,
um so deutlicher wird der innige Zusammenhang zwischen der Seele
des Menschen und der seiner nächststehenden Nachbarn im Tierreich,
vorausgesetzt, dass man sich des Ausblicks nach dem Horizont nicht
durch künstliche Grenzen, das heisst durch die hohe, undurchsichtige
Wand des Vorurteils mutwillig beraubt.

Es darf auch nicht vergessen werden, dass abstraktes Denken nur mit Hilfe jener konventionellen Symbolik, die wir Sprache nennen, möglich wird. Wenn es irgendeinen genauer umschriebenen Unterschied zwischen dem Menschen und dem höheren Affen gibt, so liegt dieser Unterschied nur in der Sprache und in der durch sie gegebenen Möglichkeit der Abstraktion und der Kultur, nicht aber in dem Schlüsseziehen von alten Erfahrungen auf künftige. Sprachrudimente finden wir jedoch bereits bei den höheren Säugetieren, und eine recht rudimentäre Sprache bei den niedrig stehenden Menschen. Und sowohl der höhere Affe wie der Hund besitzen zweifellos die allgemeinen konkreten Begriffe, welche als die primäre Basis aller abstrakten Begriffe dienen.

Läge es so, dass der Monismus den niederen Tieren komplizierte Eigenschaften, deren Existenz weder erwiesen noch wahrscheinlich ist, zuschriebe, so würde man diesen Standpunkt ganz mit Recht angreifen müssen. Tatsächlich aber stellt der Monismus keine derartigen Behauptungen auf. Er begnügt sich damit, eine Entwicklung festzustellen, die das Kompliziertere aus dem Einfachen hervorgehen lässt, und er vermeidet es durchaus, Grenzen zu ziehen, die nicht existieren. Wenn er auf Analogiegründen fussend eine introspektive Spiegelung, resp. ein „Bewusstsein" auch einfachen Hirnprozessen zuschreibt, so kommt dies daher, dass er den Begriff des „Bewusstseins" ganz anders auffasst als der Dualismus es tut. Für den Monisten ist dieser Bewusstseinsbegriff in keiner Weise komplizierter als eben die in ihm sich reflektierende Gehirntätigkeit selbst. Ebensowenig hat es mit dem Erkennen und dem Inhalt des Erkannten als solchem zu tun. Es ist einfach die Selbstspiegelung jeder Nerventätigkeit, ob einfach oder kompliziert.

Wasmann fühlt endlich ganz gut, dass, wenn er der Seele, die er vom Gehirn trennen will, Energie zuschreibt, er sich selbst ad absurdum führt, weil er dadurch seine „Seelensubstanz" wieder materialisiert und sie einfach zu einer anderen Form der Weltenergie stempelt. Dadurch würde er durch die andere Türe zum Monismus wieder eintreten. Deshalb spricht er der Seele die „Energie" ab (siehe weiter unten).

Für ihn ist die Seele „ganz etwas anderes", etwas vom Begriff der Energie und von dem Gesetz ihrer Erhaltung völlig Unabhängiges. Wie aber ist unter diesen Umständen eine Wechselwirkung zwischen Seele und Körper möglich ohne Verlust oder Steigerung von Energie, ohne dass wir Ursachen ohne Wirkungen, Wirkungen ohne Ursachen, Aktion ohne Reaktion und umgekehrt beobachten, was aber doch nicht der Fall ist? Wasmann antwortet hierauf: „dies ist wohl der Fall, und zwar in den Wundern!" In den „Stimmen aus Maria Laach" Freiburg i. B., 1900, Heft 2, „Eine plötzliche Heilung aus neuester Zeit", beschreibt er uns selbst eine von der hl. Jungfrau von Lourdes vollzogene plötzliche Heilung einer alten, bisher ungeheilten komplizierten Fraktur mit Pseudarthrose, eine Heilung, die von so und so vielen Ärzten und Zeugen regelrecht bestätigt worden ist. Er stellt sogar die wiedervereinigten Knochen des Patienten, Peter de Rudder, bildlich dar. Hier zeigt nach der Auffassung Wasmanns der persönliche Schöpfer, dass er über den natürlichen Gesetzen steht, indem er diesen bei Gelegenheit einen Stoss zu geben beliebt!

Wasmann wird mich gütigst entschuldigen, wenn ich davon Abstand nehme, ihm auf den Boden des Wunders zu folgen. Die „Beweise", die er bezüglich des Rudderschen Wunders anbietet, haben mich nicht im mindesten zu überzeugen vermocht. Bis zum heutigen Tage haben sich alle „Wunder" immer wieder ins Nichts verflüchtigt, d. h. sie sind Stück für Stück von der Fackel der Wissenschaft aufgehellt worden, und alle Gründe sprechen dafür, dass dies auch in alle Zukunft ihr Los sein wird. In seiner neuesten Auflage will nun Wasmann Seele und Leib als zwei Teilsubstanzen einer Wesenseinheit gelten lassen, bei Tieren wenigstens. Beim Menschen aber besitze die Seele selbständige Substantialität. Dies können wir kurzweg als metaphysischen Galimathias bezeichnen und dürfen darüber ruhig zur Tagesordnung übergehen. (Forel 1909.)

Wir haben sowohl diejenigen Schlussfolgerungen zurückgewiesen, die Bethe aus seinen Experimenten zieht und aus denen er eine Art von mechanischer, vergleichender Psychologie konstruiert, wie auch diejenigen Wasmanns, in denen er einen Dualismus zwischen der seiner Meinung nach vom Kausalgesetz und Energiegesetz unabhängigen menschlichen Seele und der des Tiers konstatieren will. Es ist nun unsre Aufgabe, die tatsächlichen Schwierigkeiten dieser Frage zu beleuchten, und das soll auf den folgenden Seiten in möglichster Kürze geschehn.

Bethe[1] rühmt die Exaktheit der physiologischen Methoden und beschuldigt Wasmann und mich eines zu grossen Anthropomorphismus

---

[1] Albrecht Bethe, Noch einmal über die psychischen Qualitäten der Ameisen. Pflügers Archiv für die gesamte Physiologie, Bd. 29, S. 39. Bonn 1900.

und Subjektivismus. Prüfen wir einmal seine Exaktheit und seine Terminologie auf ihren wirklichen Wert.

Es gibt nur eine wirklich exakte Wissenschaft, das ist die Mathematik. Diese aber ist nur deshalb exakt, weil ihre Wahrheiten auf viele Gleichungen hinauslaufen.

Ob ich nun sage:

$$2 \times 2 = 4; \text{ oder } V = \pi h \left(\frac{2d + d^1}{6} \right)^2 \text{ oder } 25 = 25 \text{ oder, falls es der}$$

Leser vorzieht: „Herr v. Lapalisse lebte noch eine Viertelstunde vor seinem Tode" oder „da Herr von L. noch lebendig war, war er noch lebendig" oder „lebendig sein = lebendig sein" — so kommt dies vom Standpunkt der Logik aus alles auf dasselbe heraus. Mathematische oder absolut genaue Wahrheiten sind nichts als eine andere Art, das Gleiche auszudrücken. Sie dienen nur dazu, durch Abstraktionen in Form von Zeichen komplizierte Gleichungen zu entwirren. Sie geben uns nur die Beziehungen zwischen den Sinnbildern der Abstraktionen und nehmen den realen Wert ihrer Begriffe als erwiesen an, oder besser gesagt, sie kümmern sich nicht darum.

Wenn ich sage $2 \times 2 = 4$, oder $4 = 4$, so ist dies absolut exakt, denn „4" ist nichts als eine Abstraktion ohne Inhalt, und 2×2 ist nur eine andere Art, 4 auszudrücken. Wenn ich aber sage: 4 Fr. in geprägtem Silber sind gleich 4 Fr. in anderem geprägten Silber, so ist dies schon nicht mehr exakt, weil es voraussetzt, dass die einen Frankstücke absolut den anderen Frankstücken gleichen, was nie der Fall ist. Wir dürften daher die Mathematik, die einzige Vertreterin absolut exakter Wissenschaft, keine Aussagen machen lassen, zu deren Abgabe sie in keiner Weise befähigt ist.

Die Physiologie hingegen kann nicht einmal in ihrem rechnerischen Departement als eine exakte Wissenschaft bezeichnet werden; wissen wir doch absolut gar nichts über die physikalischen und chemischen Formeln des Protoplasma-Lebens, das doch den eigentlichen Gegenstand der physiologischen Forschung ausmacht. Wir kennen nur seine Manifestationen, soweit sich uns diese bemerkbar machen. Die Physiologie kann deswegen nur auf den Namen einer „Natur"-Wissenschaft Anspruch machen, d. h. einer Wissenschaft, die auf Beobachtung und Experiment beruht. Wollte man das subjektive Element aus allen auf Beobachtung und Experiment basierenden Wissenschaften gänzlich beseitigen, so hiesse das Unmögliches verlangen und würde zu nichts als zu Absurditäten führen. Es soll gar nicht bestritten

werden, dass die Mathematik dem Physiologen auf manchem Gebiet
sehr gute Dienste leistet und ihm hilft, das Detail gewisser Probleme
zu lösen. Da jedoch die Basis der Physiologie keine mathematische
ist, so ist notwendigerweise die mathematische Genauigkeit der Physiologie durchaus Stückwerk.

So wie die Dinge also liegen, gehört wirklich eine beträchtliche
Einbildung dazu, will jemand sich anmassen, alle Begriffe und Ausdrücke der Physiologie und erst recht der Biologie sowie der vergleichenden Physiologie der Nervenzentren zu „objektivieren" und
ins Exakte zu übertragen, oder mit anderen Worten: anzunehmen,
dass man die vergleichende Physiologie und Psychologie in einen
sog. objektiven Mechanismus der „Reflexe" umwandeln könne, indem
man mit einem Federstrich alles das beseitigt, was sich in diesen
Rahmen nicht hineinpressen lässt. Die mechanistische Richtung setzt
des weiteren eine vollständige Kenntnis der physikalischen und
chemischen Gesetze des Protoplasma-Lebens voraus — eine Kenntnis, die wir keineswegs besitzen. Von diesem Ausgangspunkte aus
glaubt sie die verwickeltesten Probleme der Biologie, die kompli-
ziertesten Manifestationen der tierischen Gehirntätigkeit bestimmen
zu können! Mit so mangelhaftem Rüstzeug versehn, rümpft sie in
ihrer Verblendung die Nase über eine jede Beobachtung, die sich
ihren angeblichen Gesetzen nicht einfügt, obwohl doch manche dieser
Gesetze — wie z. B. das Fechner-Webersche [1] — in der Wurzel morsch
sind. Sie untersagt jeden Vergleich zwischen den Handlungen der
Tiere und den psychologischen Studien, die wir an uns selber, am
Menschen also, machen, Studien die unendlich viel fruchtbarer sind
als aller mechanische Formelkram, der notwendigerweise verfrüht
sein muss, solange wir so weit davon entfernt sind, in den Mechanismus der Lebenserscheinungen einen klaren Einblick zu besitzen.

---

[1] Fechner war der erste, der zugab, dass sein psychophysisches Gesetz,
das er bescheidenerweise als Webersches Gesetz bezeichnete, gar kein Gesetz sei, sondern nur ein unzulänglicher Versuch, die Formel eines Gesetzes
zu finden; enthielten doch die Grundlagen selbst noch viel zu viel des Unbe-
wiesenen, um ein Gesetz darauf gründen zu können. Er selbst erkannte die
Mängel und die zahlreichen Ausnahmen von diesem „Gesetz" an, es sind viel eher
seine Jünger, besonders aber Wundt und seine Schule, die die Bedeutung
desselben überschätzt haben. Die zwischen dem Feld des Oberbewusstseins
und den messbaren Reizungen oder Muskelreaktionen liegenden unkontrollier-
baren unterbewussten Gehirntätigkeiten fälschen beständig und notwendig das
Fechner-Webersche Gesetz.

Diese mit Exaktheit prunkende Richtung glaubt ganz naiv, ihre mechanistischen Ausdrücke an Stelle aller derer setzen zu können, durch welche die menschliche Psychologie die vergleichende Physiologie bereichert hat. Alles dies ist nichts als die purste Facheinseitigkeit. Um konsequent zu sein, müsste man einsehen, dass, da jeder Mensch eine subjektive Kenntnis nur von sich selbst besitzt, alle „anthropomorphistischen" oder „egozentrischen" Ausdrücke zu verwerfen sind, und zwar nicht nur sofern sie auf Tiere, sondern auch sofern sie auf andre Menschen angewendet werden. Übertragen wir doch, sobald wir annehmen, dass andre Menschen dieselben Empfindungen haben wie wir, auf diese (und das ohne exakten Beweis!) unsern eignen Subjektivismus. Wenden wir uns aber, konsequent im Sinne Bethes verfahrend, endgültig von diesem Subjektivismus ab, so dürfen wir auch nicht mehr sagen: „Meine Frau hat Kopfschmerzen". Wir müssen uns statt dessen folgendermassen ausdrücken: „Dieser tierische Mechanismus, den ich als meine Frau ansehe, vollführt gewisse Zuckungen der Fazialismuskulatur und gibt gewisse tönende, artikulierte Laute von sich, die denen entsprechen, die ich selbst produziere, wenn ich Kopfweh habe: daher ist es zwar möglich, dass sie ähnliche Empfindungen erleidet wie es die meinigen in solchem Falle sind, doch habe ich deswegen noch nicht das Recht, jene als „Kopfweh" zu bezeichnen, nenne sie deshalb Gesichtsreflexe verbunden mit Phonoreflexen."

Wenn Bethe des weiteren klagt, dass ihn Wasmann als „wissenschaftlichen Hanswurst" behandle, so gestehe ich, dass ich mich umsonst nach Ausdrücken umsehe, die Wasmann hätte brauchen sollen, um im Betheschen Sinne die vermutete Denkungsweise eines andern in einer wahrhaft mechanischen und objektiven Art zu bezeichnen. Diese Anschauung entspringt eben einzig der Seele Wasmanns, die nicht Bethes eigene Seele ist, und die er im übrigen auch nicht verstehen zu können scheint. Wenn einem das Recht abgestritten wird, von „Nestgeruch" zu sprechen, wenn man die vermuteten olfaktorischen Empfindungen der Ameisen bezeichnen will, so muss man schon Bethe selbst ersuchen, die „Substanz" dessen zu finden, was dem Ausdruck „wissenschaftlicher Hanswurst" zugrunde liegt, was er also aus den Gedanken Wasmanns über ihn, Bethe, als objektiven Restbestand extrahieren zu können glaubt. Scherz beiseite — ich selbst sehe mich ausserstande, diesen Ausdruck zu finden. Selbst auf einem dem vorliegenden fernerstehenden Gebiet, wie z. B. bei der Psychologie der Weddas aus Ceylon, des Pithecanthropus erectus oder auch meines Hundes dürfte es Bethe schwerfallen, mechanische und objektive, dem Ausdruck „Neststoff" entsprechende Ausdrücke zu finden, die alle die aktiven und passiven biologischen Manifestationen dieser Wesen einschlössen. Wie schwer müsste es z. B. halten, allein schon das Gedächtnis und die Empfindungen eines Hundes in solche Formeln zu fassen! Doch bleibt Bethe, wenn er jeden Vergleich und jede Bezeichnung aus der eigenen Gefühlswelt vermieden sehen will, absolut nichts übrig, als eine derartige Terminologie zu schaffen. Tut er das nicht, so macht er sich des „Bethomorphismus" schuldig, sei es gegenüber dem Hund, dem Wedda, den eignen Kindern oder der Frau, denn auch diese denken, jeder nach seiner Weise, recht verschieden von uns erwachsenen und hochgelahrten Männern; sie fassen auch die Ausdrücke der konventionellen Verkehrssprache anders als wir auf. Ja, man kann sogar behaupten, dass keine zwei gebildeten Männer gleich denken und die Ausdrücke der Sprache in identischer Weise auffassen. Braucht man doch nur die Bethe-Wasmannsche Polemik zu studieren, um dies zu erkennen. Um also wirklich absolut exakt und objektiv zu sein, müsste man, wenn man von den Betheschen Voraussetzungen ausgeht, jede als selbstverständlich geltende Annahme unterdrücken, 'die da voraussetzt, alle Menschen besässen einen gleichen oder ähnlichen Subjektivismus. Man müsste alsdann aber die ganze Terminologie auf diesen Gesichtspunkt einstellen.

Bethe wird, wenn er konsequent bleibt, um diese Umgestaltung nicht herumkommen. Er wird sie jedoch nicht durchführen können. Denn wenn man alle psychologischen Ausdrücke durch physiologische ersetzen will, so muss man in der Tat die ganze Sprache umkrempeln, die ganze Kultur und Geschichte auslöschen und sie neu schreiben in Ausdrücken, welche die Existenz des Subjektivismus in den andern Menschen nicht zur Voraussetzung haben. Es wäre sogar unbedingt nötig, für die Dinge zwei verschiedene Sprachen zu gebrauchen, eine für das Ich, eine andre für das Nicht-Ich. Dies eben dürfte selbst Bethe schwerlich durchführen.

Gewiss bin ich weit entfernt davon, der „Humanisation" der Tierseele, mit anderen Worten dem Hineintragen menschlicher Gedankengänge in das Seelenleben des Tiers das Wort zu reden. Ich habe im Gegenteil wiederholt gegen diesen Standpunkt angekämpft. Wenn wir aber auch fortwährend auf die Unzulänglichkeit und die Ungleichwertigkeit unsrer vorhandenen Terminologien aufmerksam machen müssen, so ist das noch kein Grund, uns jedes Vergleichs zwischen den auf Grund von Analogien angenommenen Subjektivismen anderer Wesen zu enthalten und so die Grundlage jeder vergleichenden Psychologie zu untergraben. Es kann überhaupt keine wissenschaftliche allgemeine Psychologie ohne Vergleichung einzelner Psychologien geben. Die Physiologie der Nervenzentren aber gleicht ohne Psychologie einem Durcheinander von Gliedern, denen der leitende und ordnende Kopf fehlt. Es ist daher — man mag sagen, was man will — absolut nötig, Psychologie und Hirnphysiologie in ihren Beziehungen zueinander zu studieren, ihre Resultate zu vergleichen und eine möglichst exakte Deckung zwischen den in ihnen enthaltenen Ideen und den Ausdrücken, durch die dieselben dargestellt werden, anzustreben, selbst wenn man dabei hie und da in einen gewissen Anthropomorphismus zurückfallen sollte. Sobald wir nur diese Gefahr kennen und ohne Unterlass dagegen ankämpfen, auch unsere Ausdrucksweise dauernd zu verbessern suchen, werden wir von einem korrigierten Irrtum zur nächsten Verbesserung fortschreitend, langsam aber sicher zu der relativen Wahrheit gelangen, der einzigen, die uns erreichbar ist.

Fassen wir dagegen nur eine einzige Seite der Dinge ins Auge und bestehen wir darauf, von einem Augenblick auf den andern ein sogenanntes objektives mechanistisches Weltgebäude zu errichten, für dessen Aufbau im organischen Leben uns die Fundamente fehlen, so werden wir unfehlbar ad absurdum geführt und erreichen nicht das mindeste.

Dies meine Antwort auf Bethe und seine Schule. In seiner obengenannten Schrift („Noch einmal über die psychischen Qualitäten der Ameisen") versucht Bethe, sich gegen Wasmann zu verteidigen; doch ist seine Verteidigung so lahm, dass sie kaum dazu hinreicht, seine Niederlage zu maskieren. Ich verzichte folglich auf eine Analyse dieser Arbeit. Bethe kann nicht umhin, darin einen Teil seiner Irrtümer zuzugestehen, und deckt seinen Rückzug mit einem Angriff auf die, religiösen ¡Theorien ¡Wasmanns, der beste Beweis, dass er sich zu einer Niederlage auf dem eignen Gebiet bekennt.

Was mich selbst betrifft, so bevorzuge ich die Anwendung einer gemischten Terminologie, die zwar allerdings von der menschlichen Psychologie hergeleitet ist, aber so deutlich wie nur denkbar jeden definierbaren Unterschied zwischen menschlicher und tierischer Psychologie unterstreicht. [1]

Psychophysische Identität und Parallelismus.

Es ist meine Ansicht, dass das Identitätsprinzip des Monismus der Hypothese des Parallelismus, die mehr den Charakter eines Kompromisses trägt, vorzuziehen ist. Besonders muss ich die Benennung selbst, nämlich das Wort „Parallelismus" und die durch dieses Wort gekennzeichnete Trennung zweier Gebiete verurteilen, weil es zu einem Missverständnis geradezu einladet, das einer dualistischen Auslegung der Erscheinungen ohne weiteres Vorschub leistet.

Gleich zu Anbeginn möchte ich feststellen, dass die psychophysische Identität (womit ausgedrückt werden soll, dass die psychologische Erscheinung und die korrespondierende physiologische Erscheinung nur zwei Anschauungsweisen einer und derselben Wirklichkeit sind) nicht mittels der Syllogismen der deduktiven Methode, sondern nur durch Induktion zu beweisen ist. Bei diesem Beweise haben wir wissenschaftlich das Recht, so zu verfahren, dass wir zuerst die betreffende Theorie aufstellen und alsdann prüfen, ob die Tatsachen mit ihr übereinstimmen oder nicht. Dagegen besteht für uns keine Notwendigkeit, die syllogistischen Beweise für dieselben abzuwarten. Die wissenschaftlichen Tatsachen des Gehirns und der Seele stimmen nun wohl mit der monistischen, nicht aber mit der dualistischen Hypothese überein.

Unter Identität verstehe ich nicht die Identität der introspektiven Qualitäten für unser direktes subjektives Empfinden, sondern die indirekt nachgewiesene Identität des Geschehens, das sich unter zwei verschiedenen Erscheinungskomplexen, einem physiologischen und einem psychologischen, verbirgt. Bedenken wir aber wohl, dass diese beiden Erscheinungskomplexe wie all unser Wissen überhaupt subjektiv sind. Der erstere aber (der physiologische) kann mittels unsrer verschiedenen Sinne sowie auch durch andre Menschen kon-

---

[1] In dieser Beziehung ist uns R. Semons Mneme (l. c.) und seine neutrale Terminologie, besonders mit Bezug auf die mnemischen Empfindungen von grosser Hilfe überall da, wo gemeinsame Gesetze zwischen Psychologie und Physiologie erkennbar sind. Ich kann daher die Anwendung der Ausdrücke: Engramm, Ekphorie, Homophonie etc. auf diesen Gebieten nicht genug empfehlen. (1909.)

trolliert und korrigiert werden, was für den letzteren (wenigstens in direktem Sinne) nicht zutrifft. Das ist der Grund, warum wir die physiologische Anschauung der nervösen Erscheinungen und ebenso auch die Anschauung der Aussenwelt, die uns unsre Sinne übermitteln (und zwar streng genommen fälschlicherweise) als „objektiv" bezeichnen. Dies kann nicht oft genug betont werden, da es gar zu leicht vergessen wird.

In ganz analoger Weise sind z. B. auch die gesehenen, gehörten und mit dem Tastsinn gefühlten Schwingungen einer gleichen Stimmgabel nur eine und dieselbe in drei verschiedenen Weisen angeschaute (empfundene) Wirklichkeit.

Diese verschiedenen Anschauungen oder Erscheinungen der gleichen Schwingung sind aber durchaus nicht parallel. Sie entsprechen sogar ganz verschiedenen Einwirkungen der gleichen Schwingungen auf verschiedene Teile meines Gehirns. Aber der Ton, den ich dabei höre und die entsprechende Schwingung der Nervenelemente des Hörzentrums meines Gehirns sind in diesem meinem Gehirn an sich eine ebenso identische resp. einheitliche Wirklichkeit, wie es die gehörte, gefühlte und gesehene Schwingung in der Stimmgabel ist. Was da parallel sein soll, sind das Hören des Tones und die Schwingungen der Nervenelemente. Dies erweckt aber einen falschen Begriff, denn Ton und Schwingung im Nervenelement sind eins und dasselbe, einmal direkt introspektiv wahrgenommen (Ton), einmal indirekt physiologisch erschlossen (Molekularschwingung). Was für ein Parallelismus da übrig bleibt, ist bei Überlegung unerfindlich. Das Wort ist aber sehr diplomatisch und wohl geeignet, bei ängstlichen Seelen den Schein der Möglichkeit eines Kompromisses zwischen Monismus und Dualismus fortbestehen zu lassen.

Der wissenschaftliche Irrtum, den wir bekämpfen, besteht darin und hat stets darin bestanden, dass man die Erscheinungen des inneren Sehens oder des Bewusstseins, die als die inneren Spiegelungen unserer Gehirntätigkeit aufzufassen sind, von eben dieser Gehirntätigkeit und damit auch von der äusseren Welt, die durch die Sinne auf das Gehirn einwirkt, dualistisch loslöst. Wir bekämpfen mit einem Wort jede Trennung des Bewusstseins (als eines zweiten selbständigen Etwas, als „Seele") von der Gehirntätigkeit und bezeichnen deshalb beide Begriffe auch nicht als parallel, weil dieser Begriff bereits eine räumliche Trennung zur Voraussetzung hat.

23*

Dieser unglücklichen dualistischen Auffassung, die im Grunde einem Spiel mit Worten entspringt, setzen wir den Standpunkt der monistischen Identität entgegen, dessen erste Anschauung wir bereits bei Giordano Bruno, Spinoza, Burdach und andern finden, und welcher der einzige Standpunkt ist, der sich mit den seitdem erreichten Resultaten der modernen Gehirnkunde vereinigen lässt. Die älteren Gelehrten, die ein nur sehr verschwommenes Wissen vom Gehirn und seinen Funktionen besassen, haben aus dem Monismus eine metaphysische Lehre gemacht und seine wissenschaftliche Bedeutung nur ganz ungenügend erfasst. Spinoza hat in seinem Dogma der Attribute die physischen und psychischen Tatsachen als zwei, aus einem einzigen monistischen Absoluten hervorgehende Serien von verschiedenen Realitäten mit verschiedenem Inhalt betrachtet. Dies ist ein metaphysischer Monismus, der durch Gabelung zu einem Dualismus zwischen Seele und Körper führt. Unser Monismus ist dies, wie Heymans (s. weiter unten) sehr richtig gezeigt hat, nicht. Wir wähnen keineswegs aus unserm Monismus eine Religion oder ein metaphysisches Dogma zu machen. Indem wir das vermutete „Absolute", das rein metaphysisches Produkt ist, beiseite lassen, beschränken wir uns darauf, den Identitätsgedanken oder den psychophysischen Monismus auf die uns zugänglichen Erscheinungen der uns bekannten Welt anzuwenden und ihn mit deren Hilfe zu prüfen. — Durch die Anerkennung dieser Identität vereinigen wir gerade dort, wo Spinoza trennte. Ohne, wie gesagt, eine Religion oder ein Dogma schaffen zu wollen, behaupten wir ganz einfach, dass bei Annahme der genannten Identität Tatsachen, die widersprechend und unvereinbar schienen, sich ohne Mühe erklären lassen, ein Umstand, der für die Stichhaltigkeit unsrer Hypothese ausserordentlich ins Gewicht fällt. Es handelt sich hierbei nicht um ein Wort, das den Anspruch erhebt, eine Essenz des Weltalls zu geben. Sondern die Hypothese oder Theorie der monistischen Identität besagt nichts weiter als das Folgende:

Es gibt keine Seele ohne Nervenzentrum und kein lebendes Nervenzentrum ohne Seele, ebensowenig wie es Energien ohne Stoff oder Stoff ohne Energien gibt. Die zwei Ausdrücke bezeichnen nicht zwei Wirklichkeiten, sondern zwei Anschauungsarten derselben Wirklichkeiten, desselben Seins, und zwar unterscheiden sich diese Anschauungsweisen nur für die speziellen qualitativen Energien unsrer Sinne, weil wir bei jeder derselben nur verschiedene Sinnbilder

der gleichen Realität (wie bei der obenerwähnten Stimmgabel-schwingung) erhalten. Da sich dies so verhält, kann auch keine Einwirkung der Seele auf das Gehirn oder des Gehirns auf die Seele, noch vom Geistigen auf das Körperliche oder vom Körper-lichen auf das Geistige stattfinden. Diese eingebildete Wechselwirkung ist nichts als ein dualistisches Quid-pro-quo. Das was man für eine derartige Wechselwirkung angesehen hat, betrifft nur die Einwirkungen gewisser höherer zerebraler Funktionen auf die Funktionen niederer Nervenzentren und umgekehrt, also Wechselwirkungen zwischen zwei verschiedenen Portionen des Nervensystems. Was aber den Irrtum noch verschärft hat, ist der Umstand, dass unsre Fähigkeit, die ver-schiedenen Hirntätigkeiten unter sich bewusst zu assoziieren, sehr begrenzt ist. Die meisten Assoziationen geschehen unterbewusst. Meistens werden nur die von Aufmerksamkeitskonzentration be-gleiteten Maxima scharf bewusst assoziiert und erscheinen uns als geistige oder seelische Arbeit im Gegensatz zum „Körperlichen" resp. Unterbewussten.

Von der Aussenwelt gewahren wir nur die genannten, mehr oder minder synthetischen oder analytischen Teilbilder, welche die von ihr ausgehenden Reizkomplexe mittels unsrer Sinne und der Nerven-wellen oder Neurokyme[1] der Sinnesnerven unserem Grosshirn als Engrammkomplexe (Semon) übertragen. Was wir in der Physio-logie als Neurokymkomplex bezeichnen, heisst in der Psycho-logie Empfindungskomplex oder Wahrnehmung, resp. (mnemisch) Vorstellung.

Aus dem Gesagten kann man ersehen, dass die Wahrnehmung der Aussenwelt durch unser Hirn sich nicht wesentlich von den lediglich internen psychologischen Phänomenen unterscheidet. Nur dass es sich bei den letzteren um eine rein intrazerebrale Dynamik der Neurokyme handelt, bei welcher eine aktuelle Teilnahme der Sinnesorgane nicht stattfindet. Das ist der ganze Unterschied.

Grosshirn-Physiologie und Psychologie sind deshalb nur zwei Anschauungsweisen unsrer hauptsächlichsten Gehirnvorgänge. Und das, was wir als Bewusstsein bezeichnen, ist daher nicht etwa eine spezielle Tätigkeit der Seele, zu wissen, sondern nur die Gesamtheit der einen der von uns angeführten Anschauungsweisen, nämlich der

---

[1] Als Neurokym habe ich die molekulare dynamische Welle bezeichnet, welche in den Neuronen des Nervensystems die Reize überträgt.

psychologischen.   Da jedoch diese direkte psychologische An-
schauungsweise oder Introspektion nur eine Selbstspiegelung der
Grosshirntätigkeit ist, so kann sie nicht aus dem Gebiet des
Grosshirns und der ihm zugeführten Reizkomplexe hinaus. Es ist
daher unsinnig, aus der Tatsache, dass nur wir selber uns bewusst
fühlen, den Schluss zu ziehen, dass wir andern Nervenzentren das
Bewusstsein absprechen dürfen.

Dieser Unsinn ist bis zur höchsten Potenz von den alten spriri-
tualistischen Scholastikern verfochten worden, die, ihre Logik bis ins
Extrem verfolgend, derartig gefolgert haben: „Die Welt existiert
für mich nicht anders als durch die Tätigkeit meiner Seele; daher
existiert nur diese letztere allein, und die Aussenwelt und mit ihr
meine sogenannten Mitmenschen existieren nicht". Auf dieses Dogma
antwortet der Humorist Molière sehr richtig durch den Stecken, den
er auf dem Rücken des Spiritualisten tanzen lässt. Eine ebenso-
grosse Ungereimtheit vertreten die „Materialisten", die ein Bewusstsein
an sich, d. h. ohne Inhalt, also eine Abstraktion aus Atomen (ebenfalls Abstraktionen) aufbauen zu können glauben. Das eine leere
Wortgebäude ist des anderen wert.

Meiner Meinung nach ist es durchaus unrichtig, auch den Tieren
und dem, was in unsern eignen Nervenzentren scheinbar unbewusst
vor sich geht, das Bewusstsein (die Introspektion) abzusprechen.
In der Tat zwingt die Macht der Tatsachen uns, nach Analogien zu
schliessen, und somit eine solche Introspektion auch unsren Mitmenschen zuzusprechen, und zwar Männern, Frauen, Negern, Weddas, Geisteskranken, ja selbst Idioten; würde ja doch sonst die
Psychologie, auf ein einziges individuelles Ich beschränkt, zum reinsten Schemen! Müssen wir das Bewusstsein dann nicht aber auch
dem Neandertaler Menschen, dem Pithecanthropus erectus,
dem Gorilla, dem Hunde zusprechen? Wo sollen wir aufhören?
Können wir es aber dann, wenn wir es dem Kaninchen und dem
Fische zugestehen, unserm Rückenmark absprechen?

Doch dies ist noch nicht alles. Der grösste Irrtum ist der, dass
immer wieder der abstrakte Begriff des Bewusstseins, d. h. der abstrakte Begriff, den wir aus den direkten Erscheinungen unsrer
Introspektion abgeleitet haben, mit den „introspizierten" Grosshirn-
tätigkeiten (ekphorierten Engrammkomplexen) verwechselt wird!

Das was in unsrer Seele das Komplizierte ist, das ist das Spiel
der Gehirnkräfte selbst und nicht ihre Selbstspiegelung, das Bewusst-

sein, als solche.[1] Um die Sache noch klarer zu machen, möchte ich an die psycho-physiologischen Experimente von Höffding erinnern, die uns zeigen, dass das, was uns bei der Introspektion als etwas Einheitliches, z. B. als die Empfindung „rot" erscheint, physiologisch gesehen das Resultat komplizierter Kräfte ist.

Seele ist deshalb ein Wort mit zwiefachem Sinn, das aber eigentlich nur die introspizierte Gehirntätigkeit im monistischen Sinne der Identität wiedergeben sollte. Aber die Manie des Menschen, mit Worten statt mit Gedanken zu operieren, hat es fertig gebracht, die aus direkten psychologischen Erscheinungen abgeleitete Abstraktion, die man „Bewusstsein" getauft hat, gewissermassen mit „Kopf und Füssen" auszustatten. Man hat diesem „Bewusstsein", dieser Introspektion, Qualifikationen erteilt. Manche, so z. B. unsre dualistisch-materialistischen Zeitgenossen wie Bethe u. a., haben aus ihr eine Seelenkraft geschaffen, sozusagen ein Etwas, das zu einer bestimmten Zeit in der Tierreihe auftritt, ähnlich wie die materialisierten Geister, welche der moderne Spiritismus mittels der Halluzinationen seiner Gläubigen heraufbeschwört, oder die Gespenster und Phantome, die in der guten alten Zeit und zuweilen heute noch die Türme alter Burgen bevölkern. Descartes dagegen hat, um in seinem Dualismus konsequent zu bleiben, erklärt, dass die Tiere Maschinen seien, und dass die menschliche Seele, von ihrem Sitze in der Zirbeldrüse aus, den Körper mit Hilfe der zwei Bündel weisser Fasern lenke, die man diesem Amt zu Ehren bis zum heutigen Tage „habenulae" das heisst „Zügel" getauft hat.

---

[1] S. Forel, Der Hypnotismus, Stuttgart bei F. Enke, 2. Aufl. 1891 und 3. Aufl. 1895, S. 1—15. Ausserdem Forel, Un aperçu de psychologie comparée, Année psychologique de Binet, 1896, und Nochmals das Bewusstsein, Zeitschrift f. Hypnotismus 1894. Ohne meinen ersten Gesichtspunkt verstanden zu haben, beantwortet Claparède (s. unten) die Frage „Besitzen Tiere Bewusstsein?" mit den Worten: „Ich weiss es nicht, auch kümmert es mich wenig". Man sieht, dass unsre Anschauungen sich recht nahe stehen, und gerade die Art, wie wir den Begriff des Bewusstseins und der psycho-physiologischen Identität auffassen, lässt die Diskussion, ob Tiere mit „Bewusstsein" begabt sind oder nicht, ziemlich überflüssig erscheinen. Aber einfach zu sagen „ich weiss es nicht", heisst doch ein wenig zu weit gehen, es sei denn, dass Claparède nichts von Bewusstsein bei andern Menschen ausser sich selbst zu wissen wünscht. Es finden sich hier alle Grade von Sicherheit, mit denen wir das Vorhandensein von Bewusstsein bei andern Geschöpfen ausser uns selbst bejahen, bis zu Unsicherheit und Zweifel, mit denen wir es in andern Fällen nur als wahrscheinlich hinstellen können. Es genügt, den Hypnotismus zu studieren, um sich davon zu überzeugen.

Was mich am meisten in Erstaunen setzt, ist, dass die moderne wissenschaftliche Psychologie diesem Fehler durch die Bezeichnung Parallelismus Vorschub leistet, eine Bezeichnung, die die Existenz zweier Dinge, ja eventuell eines weiteren dritten zwischen den zweien, suggeriert, während wir es doch in Wirklichkeit nur mit einem zu tun haben. Jene Autoren, die dabei beharren, auf diesem Kompromissbegriff berumzureiten, der, angeblich ohne präjudizieren zu wollen, doch stark zugunsten eines dualistischen Missverständnisses präjudiziert, vergessen fortwährend, was die Introspektion (das Bewusstsein) bedeutet (s. oben). Die Physiologie wiederum vermag nicht in das Wechselspiel der intrazerebralen Neurone einzudringen und beharrt, indem sie an ihren einseitigen Methoden festhält, dabei, die Beine der Frösche nach bestimmten elektrischen und anderen Reizen tanzen zu lassen, oder, wie Goltz es tat, grobe Läsionen des Gehirns zu erzeugen und daraus unberechtigte Schlüsse zu ziehen, oder schliesslich die Zahl dessen, was sie als „Zentren" oder „Reflexe" bezeichnet, zu vermehren.

Solange aber die Physiologen ihr Arbeitsfeld derartig eng begrenzen, ohne Anatomie, Histologie, menschliche und vergleichende Hirnpathologie voll zu berücksichtigen, ohne ferner aus verschiedenen dieser Disziplinen kombinierte Experimente nach den Methoden von Waller und Gudden zu pflegen, ganz besonders aber ohne die biologische und psychologische Beobachtung damit zu verbinden, solange werden wir zu keiner Verständigung und auch zu keinem Verständnis gelangen. Wer nur einen Augenblick über diese Dinge nachdenkt, muss erkennen, dass wir noch himmelweit davon entfernt sind, einen wahren „Parallelismus" zwischen den sogenannten psychologischen und den physiologischen Erscheinungen aufstellen zu können, da zwischen den Erscheinungen der beiden Seiten, die uns zugänglich sind, sich ungeheuer komplizierte Apparate zur Aufspeicherung der Kräfte, zu ihrer Hemmung sowie auch zu ihrer Entladung (Hirnstamm, Kleinhirn, Rückenmark, Hirnrinde, soweit sich in letzterer unterbewusste Prozesse abspielen) befinden, die für beide Methoden unzugänglich sind.

Alle diese Tatsachen sind von einer solchen Art, dass sie uns nur in unserer Annahme der monistischen Identität bestärken können. Die gegenwärtige Unmöglichkeit, die Psychologie auf ihre physiologischen „Korrelate" zurückzuführen, entspricht nicht einer Verschiedenheit des Wesens der beiden Erscheinungsreihen, sondern der bisher unübersteiglichen Schwierigkeit, die dem Studium der (sogenannten unterbewussten) Funktionen eines sehr ausgedehnten Teils der Nervenzentren entgegensteht. Diese Schwierigkeit liegt darin, dass diese Teile sowohl der direkten Introspektion wie auch der physiologischen Methode, also der Psychologie ebenso wie der Physiologie unzugänglich sind, ein Umstand der sie zu ganz unberechenbaren Grössen stempelt. Wir befinden uns hier in der Lage eines Astronomen, dessen Berechnungen eine Störung zeigen, die ihn auf die Existenz eines bisher unbekannten Sterns schliessen lässt. Doch ist die Lage jenes Astronomen immerhin viel einfacher als die unsrige; vermag er doch den betreffenden Stern mit Hilfe eines Teleskops an der Hand seiner Berechnungen aufzufinden, während die Funktionen unsrer mittleren Hirnzentren uns noch viel zu viel des Unerforschten bieten, um darüber „Gesetze" wie das Weber-Fechnersche aufzustellen. Dieses Gesetz ist — wie bereits gesagt — für mich kein Gesetz. Wenn wir von der Annahme ausgehen, dass die Erscheinung der Introspektion mit jeder Nerventätigkeit verbunden ist, dass sie sich zum Neurokym verhält etwa wie die Konkavität einer idealen mathematischen Kurve zu deren Konvexität (Fechner), und dass, da sie an sich nichts ist, sie weder wissen, noch kompliziert sein kann, noch irgendeiner Aktion fähig ist, erst dann werden wir voll erkennen, dass das, was in uns „weiss" oder „nicht weiss", die zerebrale Tätigkeit selbst ist und nicht etwas von ihr Trennbares, also nicht die Abstraktion, die wir Bewusstsein nennen. Dort wo sie uns plastisch und hochentwickelt, wo sie uns mit einer Tendenz entgegentritt, zahlreiche Tätigkeiten zu dissoziieren, um sie neu zu verknüpfen, und neue, sensorische oder affektive Gebilde daraus zu schaffen, wird diese Tätigkeit zur Phantasie, zur Mutter des Genius. Dort hingegen, wo sie mehr dazu neigt, von aussen kommende Reizkomplexe zu assimilieren und zu reproduzieren, wird sie als rezeptives Talent von uns angesprochen werden. Eine starke Tendenz, durch plastische Kombinationen lange Zeit im voraus Handlungen der Zukunft geordnet und konsequent vorzubereiten, ergibt das, was wir als starken Willen bezeichnen, eine hohe Entwicklung sympathischer Gefühle und sozialer Instinkte das, was wir Gewissen oder Pflichtgefühl nennen. Ist die Nerventätigkeit dagegen auf ihren primitivsten Ausdruck reduziert, steigt sie durch die Stufenleiter des Automatismus der Instinkte und der Gewohnheiten zum blossen Reflex und noch weiter zur Reaktion einer amöboiden Zelle herab, so besitzt eine

solche primitiv protoplasmatische Nerventätigkeit natürlich nur eine
introspektive Spiegelung, die ihrer eigenen verhältnismässigen Einfachheit entspricht und demgemäss verglichen mit der unsrigen als
infinitesimal bezeichnet werden muss.

Daran, dass diese Induktionen richtig sind, werde ich selbst so
lange festhalten, als mir niemand die Existenz einer komplizierten
Seele ohne ein lebendiges Gehirn demonstriert. Denn wenn
tatsächlich unsre sogenannten Bewusstseins- oder introspektiven Erscheinungen in bezug auf die komplizierten Spiegelungen, die sie
darbieten, an die Existenz von komplizierten Neuronen gebunden sind,
so geht hieraus hervor, dass es eben diese letzteren Neuronen und
ihre komplizierten Funktionen sind, die unsre Seele ausmachen. Alle
diese Erscheinungen führen uns zur Annahme absoluter Identität
des Wesens zwischen Nervenenergie und Bewusstsein für alle lebenden
Nervensysteme. Logisch führt dieser Monismus zu einer monistischen,
die ganze, auch die anorganische Natur „beseelenden" Metaphysik.
Doch sind dies zwecklose Spekulationen. Immerhin müssen wir
daran festhalten, dass die dualistische Metaphysik die Natur durchaus
willkürlich in zwei Hälften: Geist und Materie, zerschnitten hat, die
beide keine Wesenheit besitzen, sondern Artefakte des menschlichen
Abstraktionsvermögens sind.

Ich möchte zur Erläuterung dieser Frage noch einige Beispiele
anführen. Wenn ich den klaren Himmel am Tage anschaue, habe
ich die Empfindung „Blau". Dies ist eine Erscheinung der Introspektion. Gleichzeitig lehrt mich die Physiologie, dass die Empfindung
„Blau" durch eine Reizung der Netzhaut durch sogenannte Lichtwellen
von bestimmter Länge ausgelöst wird, dass sie aber nur dann in mir
erfolgt, wenn jene Wellen den Neuronen eines bestimmten Gebiets
der Hirnrinde zugeführt werden. Die Neuronenerregung und die
Empfindung „Blau" sind nun aber absolut miteinander eins; sie können
ohne einander nicht existieren. Kein Blau ohne entsprechende kortikale
Molekularbewegung, keine kortikale Molekularbewegung jener bestimmten Art und Stelle ohne die Empfindung „Blau". Ja mehr. Jede Berührung oder Reizung der Netzhaut (Druck z. B.) ruft stets nur Farben-
empfindungen hervor, ein Beweis, dass die entsprechenden Rinden-
zentren, resp. ihre Dynamik introspektiv nur Farben spiegeln. Auf Grund
der Erscheinungen der Hemmung, Amnesie und des Hypnotismus[1]

---

[1] Ich verweise in bezug auf diese Frage auf einen sonderbaren Fall, den
ich selbst beobachtet habe und der von Max Naef in einer Doktordissertation

könnte man diesen Satz angreifen und scheinbare Ausnahmen anführen. Dem ist aber erstens entgegenzuhalten, dass wenn wir

beschrieben worden ist (Max Naef, Ein Fall von temporärer, totaler, teilweise retrograder Amnesie, durch Suggestion geheilt. Zeitschrift für Hypnotismus, Leipzig, Ambros. Barth, 1898). Ein Herr (hysterisch), der mehrere Monate in Australien gewesen war, hatte dort an einem leichten Denguefieber gelitten, das am 6. Mai zu einem somnambulistischen Anfall mit partieller, von entsprechendem Dämmerzustand begleiteter geistiger Dissoziation führte. In diesem Zustand kehrte er in einer Art Halbtraum, doch im übrigen beinahe genesen nach Europa zurück, wo er alle seine Verpflichtungen, da sie von ihm vergessen waren, versäumte; auch wusste er nicht, wohin er ging und weshalb er überhaupt da sei. Er landete in Neapel und begab sich dann nach Zürich, wo er mehrere Wochen lebte, ohne zu wissen, was mit ihm vorgegangen war, und ohne seine bekümmerte Familie, die ihn für verloren hielt, von seinem Aufenthaltsort zu unterrichten. Um diese Zeit fiel eine Zeitung in seine Hände; er las darin seine eigne Geschichte und schloss aus der Übereinstimmung des Namens mit dem Namen auf dem Pass, den er selbst in der Tasche trug, dass dies „er selbst" sein müsse. In Verzweiflung kam er zu mir, der ich ihn sofort in die von mir damals geleitete Anstalt aufnahm. Bis zu diesem Moment hatte er seinen Aufenthalt in Australien und eine längere Zeit vor und nach diesem, im ganzen 8 Monate seines Lebens, total vergessen. Es war dies im Juli. Mit Hilfe hypnotischer Suggestion gelang es mir, zuerst unter grosser Mühe, ihm das, was bei seiner Abreise aus Europa mit ihm vorgegangen war, in Erinnerung zu rufen. Mittels täglicher hypnotischer Sitzungen gewann ich ihm seine vor dem 6. Mai liegenden Erinnerungen zurück; bis zu diesem Datum wurden dann alle seine Erinnerungen normal und absolut logisch und genau. Weiter aber brachte ich ihn nicht. Alsdann versuchte ich es in umgekehrter Richtung, indem ich mit seiner Ankunft in Zürich (Juli) anfing, und nun gelang es mir, unter grösster Anstrengung, ihn in hypnotischen Sitzungen bis zu seinem somnambulistischen Zustand im Mai und Juni zurückzuleiten. Diese Erinnerungen aber waren ohne logische Verknüpfung; sie waren dissoziiert wie Träume, unzusammenhängende, von ihm falsch ausgelegte Episoden. Man konnte also in seiner Amnesie zwei Perioden unterscheiden: die erste, vom November bis 6. Mai, während welcher ein normales Oberbewusstsein mit einem normalen Gehirnzustand korrespondierte (retrograde Amnesie); und eine zweite, vom 6. Mai bis zum Juli, wo mit einer dissoziierten Gehirntätigkeit (Dämmerzustand somnambulistischer Art) ein dieser entsprechendes Unterbewusstsein korrespondierte. Beide Zustände waren indessen so völlig von ihm vergessen gewesen, dass während der ersten Zeit seines Aufenthaltes in der Anstalt die ihm vorgelegten, von ihm selbst aus Australien geschriebenen Briefe Herrn X. keine andere Assoziation zu erwecken vermochten, als dass es in der Tat seine Schrift sei, sowie Staunen und Verzweiflung. Er verliess mich geheilt. Bezüglich näherer, interessanter Einzelheiten verweise ich auf das Original, das sich auch in meinem Buch über den Hypnotismus (Stuttgart, bei F. Enke) befindet.

zum Beispiel eine Hemmung des Auftretens der Blau-Empfindung beobachten, wir anzunehmen gezwungen sind, dass dann die korti- kale Molekularbewegung selbst gehemmt oder ganz unterdrückt ist. Dieses trifft für manche Fälle zu. Aber es handelt sich oft um etwas ganz anderes. Die Fälle von doppeltem Bewusstsein haben uns nämlich gezeigt, dass wir fortwährend Erscheinungen der Dissoziation und der Amnesie fälschlich für Fälle von „aufgehobenem Bewusstsein" halten. Kurz gesagt, das Fechner-Webersche oder psycho- physische Gesetz wird beständig durch Einschaltung von Hemmungen und Bahnungen im unterbewussten Gebiet der Gehirntätigkeit ge- fälscht. Zwischen den Sinnesreizkomplexen und ihrer Projektion in das oberbewusst uns selbstgespiegelte „seelische" Gebiet werden viele Energien gehemmt und andre zu andern Zeiten umgekehrt ausgelöst, so dass ein oft sehr bedeutendes Plus oder Minus in dem- jenigen Bewusstseinsinhalt erscheint, der unmittelbar einem ent- sprechenden Reizkomplex folgt. Wenn trotzdem das sogenannte psycho-physische Gesetz oft einigermassen stimmt, so betrifft dies die Fälle, wo die genannten Einschaltungen auf ein Minimum reduziert sind. Die meiste jener Einschaltungen sind traumhafter (suggestiver), affektiver und automatischer Natur.[1] Sie können bis zur totalen Hemmung des Reizkomplexes und umgekehrt bis zur Entstehung scheinbar ganz spontaner Seelenzustände führen. Unsre Messungen bewegen sich immer viel zu ausschliesslich an der Peripherie. Die Hemmungen und Bahnungen der intermediären oder mittleren Hirn- zentren fälschen unsre Berechnungen, abgesehen davon, dass eine direkte Messung der interkortikalen und intrakortikalen Tätigkeiten für uns überhaupt ausserhalb des Bereichs der Möglichkeit liegt. Alle diese Tatsachen tragen nur immer mehr zur Befestigung unsrer Anschauung bei, dass die Erscheinungen der Psychologie nichts andres sind als die introspektiv oberbewusst selbstgespiegelten, kortikalen, attentio- nellen, physiologischen Erscheinungen, ja, dass sie völlig identisch

---

[1] Beispiele: 1. Ich erkläre einem Hypnotisierten, er werde nach dem Erwachen seine vor ihm sitzende Frau weder sehen, noch fühlen. Er erwacht, sieht und fühlt seine Frau nicht, dafür aber den in Wirklichkeit von ihr ver- deckten Stuhl. 2. Ich erhalte ein Telegramm von sechs Worten, das mir den plötzlichen Tod eines lieben Freundes meldet. Die an sich ganz unbedeutende Reizung meiner Netzhaut durch die sechs Worte, die ich lese, entfesselt in meinem Hirn (mittels mnemisch latenter Engramme) einen tiefen Affektsturm. (1909).

mit diesen 'sind. Der Hypnotismus zeigt uns sattsam, dass diese introspektive Spiegelung eine Unmenge Grosshirnerscheinungen in sich schliesst, die für gewöhnlich von uns unbemerkt bleiben, und zwar nicht deshalb, weil sie an sich unbewusst sind, sondern, weil die (bewussten) Spiegelungen der verschiedenen Gehirntätigkeiten sich zerteilen und sich nicht gleichzeitig im Lichtpunkt der oberbewussten Aufmerksamkeit heraufbeschwören lassen, überhaupt auch nicht alle innerhalb unsres gewöhnlichen Wachbewusstseins von uns erinnert werden können. Daher die Tatsache der unterbewussten oder sekundären Persönlichkeiten. Aber diese sind doch, für unser direktes subjektives Erkennen, auf das Gebiet derjenigen zerebralen Tätigkeit beschränkt, die immerhin gelegentlich oder bei Anwendung bestimmter Hilfsmittel mit denjenigen Tätigkeiten in assoziative Beziehung gebracht werden können, die durch unser gewöhnliches Bewusstsein gespiegelt werden, das heisst, die von unserem oberbewussten Gedächtnis erinnert werden können. Die Qualität des Unterbewusstseinsinhalts muss dann stets derjenigen der entsprechenden Hirntätigkeit gleichen. Ist diese dissoziiert (Traum, Somnambulismus), so erscheint sie verworren im Feld des Unterbewusstseins. Ist sie dagegen automatisch gut geordnet, so erscheint sie als geordneter Leierkasten in ihrer unterbewussten Spiegelung (alte fixierte Gewohnheiten etc.). Zweifellos existieren dagegen für die niederen Zentren introspektive Spiegelungen oder Unterbewusstseinszustände, deren Inhalte aus den bereits oben angeführten Gründen a fortiori niemals mit denen unsres höheren oder gewöhnlichen Bewusstseins assoziiert werden können.

Die psychophysische Identität lässt sich äusserst einfach erklären, indem man für alle Nerventätigkeiten und nicht nur für diejenigen, die gewöhnlicher- oder zufälligerweise in das Gebiet unsres Oberbewusstseins fallen, unterbewusste introspektive Spiegelungen, d. h. solche, die nicht mit dem genannten Oberbewustsein assoziiert sind, annimmt.

Jede Modifikation desjenigen Teils unsrer kortikalen Tätigkeit, der für gewöhnlich von Bewusstsein begleitet ist, zieht eine entsprechende Modifikation unsrer Bewusstseinszustände nach sich (man denke an den in der Anmerkung S. 362 beschriebenen Fall). Es kann kein Zweifel darüber walten, dass die maniakalischen Aufregungen und die melancholischen Hemmungen geisteskranker Personen pathologischen Beschleunigungs- und Verlangsamungszuständen der Tätigkeit der kortikalen Neurone entsprechen. Während des durch den Schlaf dargestellten relativen Ruhezustands beobachten wir eine entsprechende Dissoziation in Gestalt unsrer Träume. Der Halluzination muss eine kortiko-fugale Mitreizung derjenigen Neurone entsprechen, die von dem sekundären Zentrum zu dem kortikalen Zentrum des halluzinierten Sinnesgebietes führen, also für den Gesichtssinn eine kortiko-fugale Reizung der Neurone, die von dem äusseren Kniehöcker (Corpus geniculatum externum) zu der Rindenpartie des sogenannten Cuneus führen, und die normalerweise nur kortiko-petale Reize übermitteln. Das Studium der Aphasie und aller mit dieser zusammenhängender Erscheinungen (Kussmauls Gruppe der dyssymbolischen oder dyssemischen Symptomkomplexe), überhaupt das der Sprachstörungen im allgemeinen, lässt uns die psychophysische Identität geradezu mit Händen greifen. Ebenso tut dies auch das Studium des Hypnotismus, mit dessen Hilfe es uns gelingt, die Spiegelungen des Bewusstseins und die Funktionen, die unser Ich repräsentieren, durch einfaches Eingeben geeigneter suggestiver Vorstellungen in das Hirn auf dem Wege der Sinne willkürlich zu modifizieren. Den Hypnotismus könnte man als ein psychophysiologisches Spiel bezeichnen. Er ist kein rein psychologischer Vorgang, denn in Wahrheit kann keine Seele auf die andre anders als durch den Kanal der Sinne wirken, deren Wesen physiologisch ist. Wahr ist aber andrerseits auch, dass durch diesen Kanal mit Hilfe der sprachlichen Symbole oder Worte im Hypnotisierten Vorstellungen, Gefühle, Willensregungen, abstrakte Gedanken usw. erweckt oder gehemmt werden. Diese sämtlichen, durch assoziierte Worte, das heisst durch die Münze des Denkens hervorgerufenen psychologischen Erscheinungen können aber einzig und allein vermittelst aktueller oder früherer (mnemischer) sinnlicher Reize erweckt werden. Nihil est in intellectu quod non prius fuerit in sensu.

Mit einem Wort: wir sehen, wie uns das Bewusstsein stets und überall ganz einfach als eine Spiegelung der Gehirntätigkeiten entgegentritt. Sein Inhalt schwankt und verändert sich je nach der Art der Intensität, der Ausdehnung und der Dauer der genannten Gehirntätigkeiten. Sobald diese Tätigkeiten aufhören, verschwindet auch ihre Spiegelung. Es handelt sich daher in keiner Weise um einen Parallelismus sondern um eine Identität. Man ist demnach gezwungen zuzugeben, dass die nervösen Tätigkeiten, die uns unbewusst erscheinen, in Wahrheit doch eine unterbewusste Spiegelung be-

sitzen, und wir sollten schon deshalb nicht von Parallelismus sprechen
weil die eine der Parallelen, die psychische, introspektiv fortwährend
unterbrochen erscheint, während die andre weiterläuft und ferner,
weil die Intensität einer Gehirntätigkeit in keiner bestimmten Beziehung
zu der Klarheit des Bewusstseins steht, mit der wir sie empfinden.
Die monistische Hypothese betrachtet also das Bewusstsein nicht
als etwas an sich Bestehendes, sondern nur als die introspektive
Seite (Spiegelung) aller Nerventätigkeit, eine Spiegelung, die im
besonderen Falle unsrer Psychologie sich auf ganz natürliche Weise
entsprechend der Ausdehnung und Verknüpfung der attentionellen
Konzentrierung der kortiko-zerebralen Neurokym-Arbeit gleichfalls
ausdehnt und verknüpft. Sie hat somit keine Schwierigkeit, die
psychologischen Erscheinungen als die introspektiven Synthesen der
physiologischen Erscheinungen anzusehen. Von diesem Gesichtspunkt aus stellt das „Bewusstsein" keine spezielle, geheimnisvolle
oder irgendwie rätselhafte Kraft dar, es bereitet uns nun seine Unter-
bringung nicht mehr die geringste Schwierigkeit. Vor allem aber
steht der monistische Standpunkt in vollster Harmonie mit dem
Kausalitätsgesetz und spezieller mit dem Gesetz von der Erhaltung
der Energie, während der Dualismus deren reinste Negation bedeutet.

Die monistische Hypothese gestattet uns ferner, die vergleichende Psychologie ungehindert in Angriff zu nehmen,
gleichzeitig aber sowohl den Anthropomorphismus wie
den Betheschen Dualismus zu vermeiden. Dies ist das Ziel,
das wir im Auge hatten und auf das wir zugesteuert sind.

Der Parallelismus vermeidet es ängstlich, dieselbe Tatsache ab-
wechselnd physiologisch und psychologisch zu betrachten, weil dies,
wie seine Anhänger sagen, zu Irrtümern führen könnte. Sie ziehen
es deshalb vor, den beiden „Serien" ein absolut getrenntes Studium
zu widmen. Dass ihre Absichten hierbei äusserst lobenswert sind,
bezweifle ich keineswegs. Wir Monisten aber fürchten unsrerseits,
dass, wenn man à la Bethe die zwei Anschauungsweisen einer
offenbarer Einheit durch Worte, ja durch ganze Terminologien
trennt, man schliesslich dahin kommt, wieder in den Dualismus und
damit in die gröbsten Missverständnisse und in Irrtümer aus Einseitigkeit zurückzusinken. Aus allzugrosser Furcht vor dem Anthropomorphismus fällt man unversehens in das entgegengesetzte Extrem. Will
man nur einigermassen konsequent bleiben, so wird die Durch-
führung der sogenannten physiologischen Terminologie Bethes zur

Unmöglichkeit. Denn so oft nur ein Tier unverkennbare Zeichen von Angst, Freude, Ärger, Erinnerung oder Liebe von sich gäbe, müssten wir sofort irgendeinen griechischen Ausdruck suchen, und ihn dem Worte „Reflex" ankoppeln, setzen wir 'uns doch andernfalls der Gefahr aus, Anthropomorphisten gescholten zu werden. Statt dessen sagen 'wir aber rundweg, dass überall, wo eine zentrale Nervenphysiologie vorliegt, eine entsprechende Introspektion vorhanden 'sein muss, und wir 'bemühen uns, deren Eigentümlichkeiten mit allen Hilfsmitteln und immer wachsender Genauigkeit zu erforschen, ihre 'physiologischen oder biologischen Bedingungen, die unsrer Beobachtung unterliegen, zu prüfen und sie an der Hand sorgfältiger Experimente mit der Lebensweise des betreffenden Tiers zu vergleichen. Gleichzeitig sollten wir uns bemühen, von der so gewonnenen Basis aus mit Hilfe von Analogieschlüssen die psychologische Beschaffenheit anderer tierischer Individualitäten zu ergründen und zwar besonders, inwiefern sie der unsern ähnlich, inwiefern von der unsren verschieden sind.

Oswald Külpe[1] stellt die Dialektik eines Logikers der alten Schule in den Dienst sowohl des Parallelismus wie auch des Dualismus. Er wendet sich gegen Höffding und andere, die dem ersteren eine monistische Tendenz zusprechen wollen, und behauptet im Gegenteil, dass der Parallelismus gar nichts präjudiziere. Wir aber haben bereits gesehen, dass er, je nach der Art, wie man ihn auffasst, zu viel oder zu wenig präjudiziert. Külpe stimmt der Ansicht Boltzmanns, dass der Begriff von Ursache und Wirkung durch den der 'Umwandlung der Energie oder der Aktion und Reaktion zu ersetzen sei, nicht bei. Er macht darauf aufmerksam, dass, wenn es in der Mathematik möglich ist, ersteren Begriff durch den der „Funktion" zu ersetzen, den man in indifferenter Weise auf Ursache wie Wirkung anwenden kann, dies nicht der Fall ist in der Naturwissenschaft, wo der Zeitbegriff es mit sich bringt, dass stets der frühere Faktor von dem auf ihn 'folgenden unabhängig ist. Recht so, aber wenn das Gesetz von der Erhaltung der Energie richtig ist, so finden sich die jeweilig späteren Faktoren im ganzen betrachtet (unter Umständen freilich in umgewandelter Qualität) in ihren Vorgängern wieder und der Unterschied der Stellung des

---

[1] O. Külpe. Über die Beziehungen zwischen körperlichen und seelischen Vorgängen, Zeitschrift fürHypnotismus, Bd. 7, Heft 1 u. 2, 1898.

Späteren in Beziehung auf das Frühere besteht nur in einem Wechsel der Qualität. Was diese Qualität betrifft, so kann das Spätere sie in ihrer früheren Gestalt in einem noch späteren Zeitpunkt wieder herstellen. Freilich ist der Kausalitätsbegriff umfassender, weil er auch die Qualität mit einbezieht, was beim Begriff der Erhaltung der Energie, wie Mach richtig betont, nicht der Fall ist. Indessen ist hier nicht der Ort, um sich in eine Diskussion über erkenntnistheoretische Fragen einzulassen. Der Hypothese der Identität kann nur die Hypothese des Dualismus, der Wechselwirkung zwischen „Seele" und „Körper" entgegengestellt werden, falls man nicht überhaupt eine der beiden Kategorien von Erscheinungen, sei es die physische (wie der Spiritualismus tut), sei es die psychische (wie der Materialismus tut) ableugnet oder wenigstens die einen durch die andern zu erklären sucht, was schliesslich zu Tautologien, resp. zu einem circulus vitiosus führt.

Der Parallelismus sucht nun jedes Vorurteil sowohl gegenüber dem Dualismus wie gegenüber dem Monismus zu vermeiden, lässt beiden ein Hintertürchen offen und nimmt so die unanfechtbare Pose eines unbegrenzten Waffenstillstands an. Doch liegt in diesem Falle die Gefahr darin, dass man in diesem Waffenstillstand ein erreichtes Ziel sieht, eine Lösung, der zufolge die beiden alten Geleise gemütlich nebeneinander weiter laufen und sich weiter missverstehen. Die monistische Identitätshypothese verträgt sich dagegen so gut mit allen Tatsachen, sowohl der zerebralen wie der biologischen Forschungsgebiete, sie ist — selbst wenn wir sie zunächst nur als Provisorium auffassen — so überaus fruchtbar an Induktionen, die der weiteren Kontrolle durch das Experiment zugänglich sind, dass wir viel besser tun, diese Hypothese so lange zum Fundament unserer Arbeiten zu machen, als man nicht eine unwiderlegbare Tatsache vorbringt, die ihre Unrichtigkeit dartut. Külpe behauptet zwar, wir besässen kein bestimmtes Mittel, um zu erkennen, ob eine psychische Erscheinung zeitlich mit der entsprechenden physischen resp. physiologischen zusammenfällt, oder ob die eine vor der andern eintritt. Wenn jedoch die eine der andern vorausginge (oder in der gewöhnlichen Bedeutung des Worts, ihre „Ursache" wäre), würde dies längst bewiesen worden sein. Da aber beide Erscheinungen nur ein und dieselbe Realität darstellen, so kann weder die eine der andern zeitlich vorangehen, noch die „Ursache" der andern sein. Es liegt da offenbar eine

Verwechslung mit der Ungleichzeitigkeit des Sinnesreizes und der Empfindung vor, die jedoch auf der für die Nervenleitung zum Gehirn nötigen Zeit beruht. Um die Existenzmöglichkeit des Dualismus zu retten, weil er diesen für seinen Parallelismus braucht, gesteht Külpe zu, dass der Begriff der Energie als ein integrierender Bestandteil des Begriffs der Seele festgehalten werden müsse, weil sonst die Wechselwirkungen eine Herabsetzung oder Vermehrung anstatt einer Erhaltung der Energie herbeiführen würden. Was ist aber dann diese „Energie der Seele", wenn nicht ein blasses Wortspiel, eine Seele, die man, nachdem man sie durchaus künstlich von dem natürlichen und realen „Körper" losgelöst hat, nun wieder aufs neue materialisiert? Dies schmeckt in verdächtiger Weise nach den „materialisierten Geistern" der Spiritisten; und gibt meiner Meinung nach Mach und Höffding in ihren Schlussfolgerungen vollkommen recht. Es ist ein Zurückgreifen auf den Begriff des Bewusstseins als einer besonderen Kraft, wie ja auch einige Autoren, wie z. B. Bethe, das Bewusstsein an irgendeinem Punkt der tierischen Entwicklungsreihe aus dem Nichts heraufzubeschwören belieben. Ich frage mich, wozu all diese dialektischen Hilfsmittel, da uns ja die monistische Lehre eine so einfache und natürliche Erklärung der Tatsachen an die Hand gibt? Die vom Gesetz der Erhaltung der Energie oder gar vom Gesetz der Kausalität unabhängige Seele (s. Wasmann und weiter unten Uexküll) ist zwar auch eine Illusion, aber trotzdem weniger unlogisch als Külpes Theorie.

Endlich, wenn man sich absolut darauf versteift, die beiden Erscheinungsreihen real zu trennen, so gelangt man schliesslich auf den von Lipps auf dem Psychologenkongress in München vertretenen Standpunkt, welcher die Disziplin der Psychologie von der Gehirn- und Nervenphysiologie vollkommen getrennt zu sehen wünscht und den Vertretern der einen nicht erlauben will, sich mit der andern zu befassen. Ich finde einen solchen Grundsatz verhängnisvoll. Denn in der Tat kann der engherzige Subjektivismus einer solchen Spezialisation, die die systematische Trennung des Studiums der beiden Anschauungsweisen einer und derselben Tatsache notwendig zu einer unversöhnlichen gestaltet, die bereits herrschenden Missverständnisse nur noch schärfer und unsinniger machen. Wenn man schon den unverzeihlichen Fehler begangen hat, die Neurologie von der Psychiatrie zu trennen, das heisst also, das Gehirn sozusagen irgendwo zwischen dem Hirnstamm und der Corona radiata entzweizuschneiden,

so wird man diesen Fehler dadurch noch verdoppeln, dass man
das Studium der Funktion der Grosshirnneuronen in „Psychologie“ und Gehirnphysiologie zu trennen versucht. Um ganz sicher
zu sein, dass nicht wir in dieser Sache uns auf falscher Fährte befinden, ist es nützlich, sich von Zeit zu Zeit die Argumente näher
anzusehen, die uns die Psychologen von Fach entgegenhalten, wenn
sie uns der Ehre ihrer Beachtung würdigen. In einem Artikel
der Revue philosophique (1901) widmet mir Ed. Claparède in Genf,
nachdem er diverse andre Autoren (manche wie Loeb allerdings
mit Recht) einer gründlichen Kritik unterzogen hat, folgende Sätze:
„Forel glaubt, Licht in diese ganze Sache zu bringen, indem er
einen dem genannten (Durand de Gros) analogen Polypsychismus
annimmt. Wir fühlen uns indessen der Notwendigkeit überhoben,
die Ansichten Forels zu diskutieren, da diese, vom Geiste des Parallelismus weit entfernt, nicht derartig sind, dass wir die ersehnte
Erleuchtung von ihnen erhoffen dürfen. Wäre der Polypsychismus
der Herren Durand de Gros und Forel auch hundertmal erwiesen,
so wäre uns das Warum dieses Bewusstseins-Untergrundes auch noch
nicht um ein Atom näher gerückt. Jene Anschauung drängt nur die
Schwierigkeit, vor der wir, solange es sich um die Gehirnrinde
handelte, die Waffen streckten, nach den niederen Gehirnzentren
zurück; es bleibt somit immer noch der Einfluss jener „Medullar-
Seele“ auf das Rückenmark (!) zu erklären, und gerade hier stehen
wir noch vor einer offenen Frage. Aber selbst gesetzt, dass dieser
Einfluss besteht, so müsste unbedingt gezeigt werden, woher die Seele
weiss, dass sie auf diesen bestimmten Reiz in einer bestimmten Art
reagieren und auf welche Weise sie das machen muss. Dies hat
man aber, und mit gutem Grund, nicht gezeigt. Die Seele wird
also in der Art eines Deus ex machina heraufbeschworen, das heisst
soviel als dass die Wissenschaft über die Ursachen unsrer subjektiven
Zustände nicht Bescheid weiss.“

Diese unklaren Auslassungen richten sich selbst. Claparède hat
offenbar nur zwei kleine Artikel gelesen, die ich in der Revue von
Ribot und in der Année psychologique veröffentlicht habe und die er
nicht verstanden hat. Wenn er von dem „Einfluss der Medullarseele
auf das Rückenmark“ spricht, so legt er uns eben die dualistischen
Torheiten in den Mund, die wir selbst bekämpfen. Wir sprechen
ebensowenig von einem Einfluss der Medullarseele auf das Rückenmark, wie von dem Einfluss der Grosshirnseele auf das Gehirn.

24*

Lehnen wir doch die Lehre von der Wechselwirkung in dem einen wie dem anderen Falle gleich entschieden ab. Auch ist es nicht die Seele im Gegensatz zum Neuron, die „weiss", sondern die Einheit „Gehirn-Seele". Und diese ist auch nicht ein Deus ex machina, sondern ein Deus in natura. Ihr „Wissen" und ihr „Können" und „Wollen" sind nur der Ausdruck ihrer Komplikation, und können so wenig aus sich heraus wie ein Wurm aus seiner Haut. Wir selbst aber, die wir nur eine Hirn-Seele sind, massen uns nicht an, noch ist es uns je gelungen, das metaphysische „Warum" unsres Daseins zu erklären, ein „Warum", das für uns unergründlich ist, ob wir es nun von dem sogenannten objektiven oder physischen oder ob wir es vom psychologischen Gesichtspunkt aus betrachten. Dies ist eine alte philosophische Wahrheit, die eigentlich keiner wiederholten Betonung bedürfte. Die Hypothese der monistischen Identität soll, ich wiederhole es, sich in keiner Weise mit dem metaphysischen „Warum" befassen, sie soll nur Tatsachen der Natur, die wir von ihren beiden Seiten, der physischen und der introspektiven, betrachten, auf ungezwungene Weise erklären. Was meine Anschauungen über die Frage der Willensfreiheit und die Wissensgrenzen der Seele betrifft, so verweise ich Claparède auf einige meiner andern, in deutscher Sprache erschienenen Arbeiten über diese Fragen („Gehirn und Seele", XI. Aufl. 1909, „Zurechnungsfähigkeit", „Hypnotismus" etc). Es sollte doch heute ein Psycholog vom Fach, wie Claparède, keine Metaphysik mehr mit seiner Psychologie verweben.

Zum Schluss dieser, vielleicht schon etwas zu lang ausgesponnenen Betrachtungen möchte ich den Leser noch auf ein Werk von G. Heymans aufmerksam machen (Zur Parallelismusfrage, Zeitschrift für Psychologie und Physiologie der Sinnesorgane, 1898, 17. Band S. 62), in dem der Autor eine Lanze für den modernen Monismus bricht und sich bemüht, ihn in die Sprache der Psychologie zu übersetzen. Diese Arbeit ist äusserst klar und gut, und stellt die Inkonsequenzen, zu denen der Dualismus führt, so bald es sich um die Kenntnis der wirklichen Gehirnvorgänge handelt, ins rechte Licht. Heymans, dessen genannte Arbeit ich zur Lektüre empfehle, spricht von einem „parallelistischen Monismus". In dem Sinne, wie er dies letztere Adjektiv versteht, habe ich nichts dagegen einzuwenden, und besonders in Beziehung auf den Monismus scheinen mir seine Ansichten mit den meinigen identisch zu sein.

v. Uexküll.

Ich muss den Leser wegen meines langen Ausflugs in das Gebiet des Monismus um Verzeihung bitten. Doch hoffe ich, dass er die Notwendigkeit einsehen wird, sich über den Standpunkt, den man zu dieser fundamentalen Frage der Psychologie einnimmt, zu verständigen. Indem wir die dualistischen Ideen Bethes und Wasmanns zurückweisen und auf dem Prinzip der psychophysischen Identität als Ausgangspunkt unsrer Forschung fussen, öffnen wir der Psychologie die Tür zu ungeheuren, fruchtbaren Forschungsgebieten, eine Tür, die sich andernfalls bald genug vor uns wieder schliessen würde.

Im biologischen Zentralblatt, Bd. 20, Nr. 15, 1. August 1900 (Über die Stellung der vergleichenden Physiologie zur Hypothese der Tierseele), legt v. Uexküll aufs eingehendste seine ziemlich extremen, aber seiner Meinung nach konsequenten Ansichten nieder. Auch ist es ihm gelungen, Albrecht Bethe zu seiner eignen Ansicht herüberzuziehen, der nun, ein bekehrter Sünder, zugibt, nicht weit genug gegangen zu sein und der vergleichenden Psychologie zu viel Konzessionen gemacht zu haben, jetzt aber völlig den Ansichten Uexkülls zustimmt. Ich kann dies nur begrüssen, denn dadurch wird meine Aufgabe um so leichter.

Im folgenden werde ich versuchen, die Gedankengänge Uexkülls möglichst treu wiederzugeben.

Wenn man von der peripheren Nervenreizung des Tiers aus und durch alle die nervösen Zentren hindurch geht, gelangt man stets zum Muskel. Eine „Psychologie" findet sich auf diesem Wege nirgends. Folglich kann die Ursache einer Bewegung auch nur immer wieder eine Bewegung sein. Folglich kann weiterhin für den Naturforscher keine tierische Psychologie, sondern nur eine Nervenphysiologie existieren. Wenn wir bei uns selbst die molekularen Bewegungen mit einem Galvanometer verfolgen könnten, so würde genau dasselbe auch vom Menschen gelten. Nun setzt aber bei einem bestimmten Punkt unsres menschlichen Gehirns die Psychologie ein. Zwischen den beiden steht die psychologische Physiologie. Diese folgt den physiologischen Erscheinungen bis zu dem Einsetzen der psychologischen, die bis zu diesem Punkte noch nicht vorhanden waren. Doch stammen die hier plötzlich auftauchenden psychischen Erscheinungen nicht etwa aus den bis dahin beobachteten physiologischen, denn diese werden ja auch weiterhin, festen Gesetzen zufolge, produziert. Dies ist nun der Kardinalpunkt. Und wirklich:

wenn eine Bewegung nur eine Bewegung erzeugt, und die Kette von
Ursache und Wirkung vom Eintritt des Reizes im Sinnesorgan bis
zum Ablauf der Bewegung vollkommen geschlossen ist, so kann die
Bewegung nicht nebenbei zur Ursache einer psychischen Qualität
werden. Zwischen der Bewegung materieller Punkte im Raum und meiner
Empfindung gibt es keinen kausalen Zusammenhang [freilich keinen
andern Zusammenhang als zwischen Licht und Schatten oder
zwischen einer mathematischen Linie und den sie bildenden Punkten!
Forel]. Wer diesen Fundamentalsatz der psychologischen Physiologie
anzweifelt, für den — sagt Uexküll — sind alle weiteren Worte verloren.

Als eine neue Entdeckung teilt uns Uexküll mit, dass man einem
farbenblinden Menschen, und sei dieser ein noch so erfahrener
Psychophysiologe, die Vorstellung der Farbe, die ihm fehlt, nicht bei-
bringen kann. Dabei ist es bemerkenswert, dass v. Uexküll, trotz
seiner absolutistischen Konsequenzsucht nur die tierische, nicht aber
die menschliche Psychologie angreift. Aus dem Bestreben heraus,
absolut konsequent zu sein, begeht er eine ungeheuerliche Inkonsequenz. Für ihn sollte es ja nur eine Psychologie, die des S. v. Uexküll,[1]
geben können, denn bei allen andern Menschen kann er stets nur
vom Sinnesreiz durch das Gehirn zu den Muskeln gelangen!

Wir können, sagt v. Uexküll, nicht wissen, ob eine Ameise Blau,
Rot oder Salz in derselben Weise empfindet wie wir selbst. Deshalb dürfen wir ihr kein Gedächtnis, keine Empfindung, keine
psychischen Qualitäten zuschreiben. Wir wollen die Hinfälligkeit
dieser Schlussfolgerungen auf sich beruhen lassen, haben wir doch

---

[1] Übrigens beschränkt sich v. Uexküll so ziemlich darauf, eine von einer
gewissen amüsanten Arroganz beseelte negative und dogmatische Kritik zu
üben, die von Willibald Nagel (Zeitschrift für Psychologie der Sinnesorgane, 1896)
schon früher einmal treffend charakterisiert worden ist. Nagel legt den Finger auf
die Übertreibungen und Inkonsequenzen von Uexküll, auf seine Art, die Gedanken
und Ausdrücke der Autoren, die er kritisiert, zu verdrehen, und schliesslich auf
die Irrwege, zu denen ihn sein extremer Standpunkt führt. Uexküll dagegen
kritisiert wiederum in seiner Eigenschaft als Verfechter des Dogmas von der
absoluten spezifischen Energie eines jeden Sinnes Willibald Nagel, der nur zu
klar auf diejenigen Punkte hingewiesen hatte, wo die Grenzen dieses Dogmas
liegen. Uexküll vergisst eben vollständig, dass die sogenannten spezifischen
Energien sich phylogenetisch ganz allmählich aus noch nicht spezifisch differen-
zierten Energien haben entwickeln müssen, und zwar durch die Wirksamkeit
adäquater Reizeinflüsse, an die sie sich allmählich angepasst haben.

in unsrer Diskussion der Betheschen Theorie bereits mit genügender
Deutlichkeit darauf hingewiesen. Uexküll lehnt es schlechterdings ab,
Empfindung beim Insekt sei es zu bestätigen sei es abzuleugnen, da
seiner Meinung nach diese Probleme völlig ausserhalb unsres Horizonts liegt (sagen wir ausserhalb des Horizonts eines Spezialisten
der Physiologie, dessen Augen gegen alles, was ausserhalb seiner
Methoden liegt, blind sind).

Anstatt zu sagen: „In diesem Augenblick erregte eine Erinnerung
an den Nestgeruch die Aufmerksamkeit der Ameise", kann man nach
Uexküll nur sagen: „Die im Zentralorgan remanent gebliebene Reizung
durch den Neststoff wurde bei dieser Gelegenheit wieder wirksam".

Aus dem vorliegenden einfachen Fall zieht sich Uexküll mit seiner
physiologischen Sprechweise noch leidlich, wenn auch mit einer gewissen Schwerfälligkeit heraus, aber ich möchte den Leser bitten,
einmal zu versuchen, biologische Beobachtungen an Tieren in einem
entsprechenden physiologischen Jargon zu berichten, — er wird dann
schon selber sehen, wohin dies führt, selbst wenn er, à la Bethe,
10—12 Buchstaben, die die „unbekannten Kräfte" repräsentieren
sollen, in seine Darstellung einflicht. Ich selbst bin dazu jedenfalls
nicht imstande.

Schliesslich zieht Uexküll die Summe folgendermassen: „Irgend
etwas Positives zu leisten vermag die Seelenhypothese in der
vergleichenden Physiologie nicht. Eines aber vermag sie wohl;
das ist: heillose Verwirrung anstiften. Aus einem solchen Studium
kann alles mögliche werden, nur keine Wissenschaft. Wir haben
mit diesem alten Gerümpel kurzerhand aufgeräumt wie mit den
Kindermärchen der Astrologie und Alchimie. Die experimentelle
Wissenschaft braucht sich nur um das zu kümmern, was messbar
und wägbar ist. Beer, Bethe und ich haben uns denn auch konsequent [auf [diesen Standpunkt gestellt und in unsrem Aufruf an die
Fachgenossen aller Spekulation über Unerkennbares still aber energisch
den Stuhl vor die Tür gesetzt!"

Da haben wirs! Nach Uexküll sind unsere Forschungen nichts
anderes als ein Schweifen ins Unerforschliche! — Wasmann bestätigt
in [seiner Antwort auf diese Auslassungen zunächst Bethes volle
Bekehrung zu den Ideen Uexkülls. Dann aber wirft er sich ganz
dem Dualismus [in [die Arme und erklärt klipp und klar, dass
psychologische Erscheinungen dem Gesetz von der Erhaltung der
Energie nicht unterworfen seien (man vergleiche Külpe, der uns

das Gegenteil demonstriert!). Es fehlt wenig, so stimmen Wasmann und v. Uexküll in ihrem metaphysischen Dualismus völlig überein. Die ersten Schlussfolgerungen Uexkülls würden ganz richtig sein, wenn wir annehmen dürften, dass die Molekularbewegungen des Zentralnervensystems psychische Qualitäten erzeugen würden, die ein anderes Etwas wären als ihre kinetischen Wirkungen. Aber gerade eine solche Annahme wird ja durch uns, die Anhänger der psychophysischen Identitätslehre bekämpft, und v. Uexküll stützt uns folglich gerade da, wo er uns anzugreifen beabsichtigt. Ein und dieselbe Realität kann sich weder „erzeugen", noch kann sie ihre eigene Ursache sein: quod erat demonstrandum. Wozu aber den introspektiven oder psychologischen Methoden das Studium dieser Realitäten von ihrer Seite aus verbieten? Uexküll würde hierauf erwidern, dass der Physiologe hiermit nichts zu tun habe, bewiese aber damit nur die Engherzigkeit des Spezialisten, der darauf besteht, einzig und allein seine Seite der Frage gelten zu lassen. Als Waller und v. Gudden ihre bewundernswerte und so überaus fruchtbare anatomisch-physiologische Methode an Tieren und Menschen ins Leben riefen, die funktionell bedeutsamen Verbindungsbahnen zwischen peripheren und zentralen Nervenorganen mittels der sekundären Degenerationen und Atrophien zu studieren, die sich von dem einen Teil, den man operativ verletzte, über die ganze funktionell dazugehörige Zone zum andern fortsetzen, wurden ihre grundlegenden Resultate lange ignoriert. Und weshalb? Weil die Physiologen sagten „Das ist keine Physiologie!" und die Anatomen „Das ist keine Anatomie!" Diese Ablehnung erinnert mich an Uexküll, Bethe, Lipps und andre und entspringt nicht dem Geist der Wissenschaft, sondern der Engherzigkeit des Spezialistentums, die oft noch gefährlicher ist als der Geist der Alchimie.

Übrigens sind wir Bethe, Uexküll und Beer für ihren exklusivistischen Feldzug zu Danke verpflichtet. Hat dieser uns doch dazu veranlasst, unsre Definitionen und Methoden schärfer zu präzisieren, und dadurch die Daseinsberechtigung einer von beiden Anschauungsweisen ausgehenden Forschung zu beweisen, einer Methodik, welche die Grundlage aller Biologie und vergleichenden Psychologie bilden muss.

Ehe ich von Bethe und Uexküll sowie von ihren Hypothesen Abschied nehme, möchte ich einige Worte über ein Experiment Bethes sagen („Das zentrale Nervensystem von Carcinus maenas", Archiv f. mikr. Anat., 1897, S. 629). Bethe sagt dort, dass es ihm gelungen sei, die antennalen Nerven von Carcinus maenas von allen ihren zentralen Zellen zu trennen, und dass trotzdem Reflexbewegungen der Antenne nachher erfolgt seien. Er schliesst daraus, dass das Neuropil (die Fibrillen) ohne die Ganglienzelle des Neurons, zu dem es gehört, zu funktionieren vermag. Diese Tatsache würde in der Tat, falls bewiesen, von einschneidender Bedeutung sein. Bethe gesteht zu, dass das Experiment äusserst schwierig war und ihm nur zweimal gelang, doch sei das Resultat in diesen Fällen ein durchaus positives gewesen. Nun muss ich aber bekennen, dass die, sowohl von v. Buttel-Reepen als auch von mir selbst ausgeübte Kontrolle der Betheschen Experimente an Bienen und Ameisen das Vertrauen, das ich anfänglich zwar nicht in die Urteilsfähigkeit aber doch in die Exaktheit dieses Autors gesetzt habe, nicht unwesentlich erschüttert hat. Infolgedessen glaube ich Grund zu haben, in die Vollständigkeit jener unter so schwierigen Umständen von Bethe vorgenommenen Exstirpation einige Zweifel zu setzen.

Aber selbst gesetzt, dass die Bethesche Beobachtung richtig ist, gesetzt seine Exstirpation der Zellen sei vollkommen durchgeführt gewesen, so wird dadurch noch keineswegs das bewiesen, was Bethe zu beweisen glaubt, nämlich ein normales Funktionieren der Neurone, deren Ganglienzelle entfernt worden war. Es ist ja wahr, dass bei gewissen Spinnen und Insekten ein von dem Körper losgetrennter Fuss oder eine losgetrennte Antenne die Bewegung der Beugung und Streckung, die Bethe beobachtet hat, auszuführen imstande ist — dies ist eine alte und jedem Entomologen wohlbekannte Tatsache. Zuweilen treten auch bei Reizung der sensiblen Nervenendigungen solche Bewegungen ein. Die sensorischen Nervenendigungen der Antennen (das terminale antennale Ganglion) sind aber zellulär und nicht fibrillär wie die der Wirbeltierhaut. Daher hat Bethe nur die Zellen zentrifugaler Neurone, nicht aber die von zentripetalen Neuronen ausgeschnitten, welch letztere also unter der Cuticula der Antenne seines Carcinus noch weiter existierten! Ferner haben Arloing, Tripier und andere bei Wirbeltieren die Existenz einer rückläufigen Sensibilität entdeckt, die sich aus dem Vorhandensein von sensiblen Fasern in der Bahn der motorischen Nerven erklärt. Wer hat nun Bethe bewiesen, dass die von den zerebralen Zentren isolierten peripheren Zellen seiner Carcinus-Antenne nicht einige rückläufige fibrilläre Verzweigungen zu dem motorischen Nerven der gleichen Antenne aussenden? Dadurch würde alles auf ganz einfache Weise, unabhängig

vom Gehirn, durch intra-antennale Reflexe erklärt. Jedenfalls hat
Bethe durchaus nicht, wie er bewiesen zu haben glaubt, jede Ganglienzelle von der Mitwirkung an den von ihm beobachteten Reflexen
ausgeschaltet; nur sind es periphere Ganglienzellen und nicht zerebrale,
die mit einem Teil der vom Gehirn abgetrennten Fasern in Zusammenhang geblieben sein können.

Schliesslich aber ist es nicht unbedingt nötig, dass die von Bethe
beobachteten, auf die Reizung einer vom Gehirn losgetrennten Antenne
hin erfolgenden Beugungs- und Streckungsbewegungen der Antenne
gerade Reflexbewegungen gewesen seien. Gewiss erhält man, wie
jeder weiss, wenn man die Muskeln eines Froschbeins mitsamt ihrem
motorischen Nerven isoliert und die Schnittfläche des die Muskeln
versorgenden peripheren Nervenastes reizt, eine Muskelkontraktion,
auch dann, wenn der besagte Nervenast von seinen Ganglienzellen
getrennt worden war. Solange der Nerv noch nicht degeneriert ist
(sekundäre Degeneration), ist diese Reaktion möglich und erzeugt,
wenn die Knochen des Fusses noch mit den Muskeln zusammen-
hängen, eine Bewegung. Es handelt sich aber hierbei nicht um eine
Reflextätigkeit, sondern um den Ersatz einer solchen Tätigkeit durch
die direkte chemische oder physikalische Reizung eines Neuronenastes.
Wie mir scheint, hat Bethe in seinen Experimenten diese Möglichkeit
nicht genügend ausgeschaltet, und deshalb und aus den oben angedeuteten Gründen beweisen mir seine Experimente sehr wenig oder
nichts. Wenn wir uns weiter die jedermann bekannte Zähigkeit des lokalen Lebens in den Gliedstümpfen der Gliedertiere in Erinnerung rufen,
so bleibt als einziges staunenswertes Element dieser Versuche die
grosse Wichtigkeit, die Bethe ihnen beimisst, übrig. Übrigens hält
die Reizbarkeit der Antenne nicht lange an, ein Zeichen, dass der
durchschnittene Nerv ziemlich bald, wahrscheinlich mitsamt seinem
intra-antennalen Ganglion, degeneriert.

Von Bethes übrigen physiologischen Experimenten am Nervensystem spreche ich nicht, weil uns dies erstens zu weit von unserm
Gegenstand abführen würde, und zweitens weil dieselben Versuche zum
grossen Teil vor fast fünfzig Jahren schon von Yersin[1] an Grillen gemacht worden sind. Nur muss ich noch mein Erstaunen darüber ausdrücken, dass Bethe die Entdeckung der Fibrillen Apathy zuschreibt, wo

---

[1] Alexander Yersin, Recherches sur les fonctions du système nerveux dans
les animaux articulés. Bull. soc. vaud. des sc. nat. I, V. sc. 39—41, 1857, 1858.

doch Leydig, Max Schulze, Kufper, Solbrig und so manche andre sie schon viele Jahre früher beschrieben und abgebildet haben. Man lese darüber u. a. die Arbeit Solbrigs: Über die feinere Struktur der Nervenelemente bei den Gasteropoden (1872) nach. Apathy hat diese Untersuchungen ganz einfach weiter verfolgt und vor allem die Fibrillen viel klarer und schöner dargestellt.

Der Gewissenhaftigkeit halber muss ich auch noch die Arbeiten Loebs (Einleitung der vergleichenden Gehirnphysiologie, Leipzig 1899) kurz erwähnen. Loeb huldigt ähnlichen Ideen wie Bethe und dessen Gesinnungsgenossen. Er glaubt, die Instinkte auf die mechanischen Wirkungen physischer und chemischer Kräfte (Licht etc.) heute schon zurückführen zu können. Ebenso wie jene hat auch er seine bestimmten „Wörter". Bei ihm sind es „Tropismen" (Geotropismus, Heliotropismus usw.), die mehr oder weniger den „unbekannten Kräften" Bethes entsprechen. Und wie Bethe lässt er hieraus das „Bewusstsein", den „Psychismus" der höheren Tiere entstehen. Wollten wir die Analyse dieser und ähnlicher Werke noch weiter in annähernder Ausführlichkeit fortsetzen, so würde das zu ermüdenden Wiederholungen führen. Loeb unternimmt es, die mechanischen Gesetze des Lebens zu entwickeln, obwohl die nötige Basis für ein solches Unternehmen beim jetzigen Stande unsrer Kenntnisse noch lange nicht vorhanden ist; auch bringt er auf künstliche Weise dort, wo eine solche gar nicht existiert, eine Kluft in die Tätigkeit der Nervenzentren. Es wäre in der Tat viel näherliegend, wenn wir, um uns den hochmütigen Ausdruck Uexkülls zu eigen zu machen, es für angebracht erklärten, mit jenem Ragout von unbewiesenem vitalen Mechanismus und abergläubischem psychophysischem Dualismus reinen Tisch zu machen. Jedenfalls steckt in diesen Richtungen mehr Alchimistisches als in den einfachen und anspruchslosen biologischen Beobachtungsmethoden, selbst wenn bei deren Anwendung hie und da einmal ein anthropomorphistischer Irrtum mitunterlaufen sollte. Mit diesen Ausführungen will ich nur die Theorien, nicht aber die bekannten schönen Experimente und Ergebnisse Loebs bemängeln; das versteht sich von selbst.

Ich möchte noch kurz auf einige Arbeiten von A. Netter und H. E. Ziegler zurückkommen, die sich mit den uns hier beschäftigenden Fragen des Insektenlebens befassen.

Netter, ein Kartesianer von reinstem Wasser, hat schon im Jahre
1883 (Paris, E. Dentu) ein höchst interessantes Buch, betitelt
„L'Homme et l'Animal" herausgegeben, das sich stark gegen die
experimentelle Methode richtet. In diesem Buch wendet er all seine
Dialektik an, um zu beweisen, dass die Tiere weder Seele noch In-
telligenz besitzen, dass sie — kurz gesagt — nichts als Maschinen
sind. Das Buch ist das reinste Bravourstück und nicht frei von
Sophismen. Der Verfasser bemüht sich zu beweisen, dass die indivi-
duellen Erfahrungen der Insekten, die ich in meinen „Fourmis de la
Suisse" nachgewiesen habe, nichts weiter als die Wirkungen des reinsten
Mechanismus sind. Netter behauptet dasselbe auch in bezug auf
Hunde, kurz auf jedes Tier überhaupt. Die Vergleichung seines
Buchs mit den vorliegenden Studien ist äusserst lehrreich; setzt
sie doch den Leser in den Stand, Schritt für Schritt die falschen
Schlüsse der kartesianischen Lehre aufzudecken, deren scheinbare
Berechtigung von eben jenem Anthropomorphismus herrührt, den man
dazumal in den noch sehr oberflächlich verstandenen tierischen Instinkt hineintrug. Für den Kartesianer gibt es nur zwei Extreme.
Er springt von der Maschine (dem automatischen Instinkt) unmittelbar
zur menschlichen Seele hinüber, ohne die dazwischenliegenden Übergänge zu berücksichtigen, und schafft aus jenen beiden eine völlig
erkünstelte Antithese.

In späteren Jahren wendete Netter seine Anschauungen auf das
Leben der Bienen an.[1] Wenn ich seine Ausführungen wiedergebe,
so tue ich dies im Sinne eines Nekrologs, denn sein Artikel hat
sich selbst gerichtet. Es genügt, ihn mit unserm Resümee der
v. Buttel-Reepenschen Versuche zu vergleichen, um die völlige
Haltlosigkeit der Netterschen Gedankengänge zu erkennen. Netter
glaubt, in der geometrischen Form der Alveolen der Honigwabe ein
Echo des musivischen Sehens des Facettenauges zu erblicken, das
nach ihm gewissermassen den Plan für jene abgegeben haben sollte.
Andre wieder haben in der Honigwabe ein Produkt des einfachen
mechanischen Drucks gesehen. Oh diese Mechanisten! Hätte Netter
recht, wie kommt es dann, dass andre Insekten, deren Facetten
ebensolche Sechsecke bilden, je nach den Arten, runde, unregelmässige oder röhrenförmige Zellen bauen? Wäre es aber wirklich

[1] Albr. Netter, Examen des moeurs des Abeilles au double point
de vue des mathématiques et de la psychologie expérimentale.
Comptes rendus de l'Académie des sciences, 10. Dec. 1900.

der Druck, der die sechseckige Form der Wabenzellen der Biene
veranlasste, wie hätte man sich dann die ähnlichen sechseckigen
Bildungen der papierartigen Waben der Wespen und Hornisse zu
erklären?

Wir haben bereits oben die weiteren von Netter aufgeführten
sogenannten Beweise des Kartesianismus nach jeder Seite hin widerlegt, möchten aber wissbegierigen Lesern von der Lektüre seiner
Dialektik durchaus nicht abraten, weil wir überzeugt sind, dass ein
Vergleich der verschiedenen Anschauungen sie zu einer Würdigung
unsrer Gesichtspunkte und zu einem schrittweisen Erkennen der
Irrtümer bringen wird, zu denen die kartesianischen Syllogismen
unabweislich führen müssen.

Ich selbst getraue mich, die Prophezeiung auszusprechen, dass uns
an demselben Tage, wo wir den wahren Schlüssel zum Mechanismus
des protoplasmatischen Lebens, der Reflexe und der Instinkte entdeckt
haben werden, auch die Lösung der plastischen Tätigkeit der menschlichen Seele gefunden sein ,wird, denn heute schon können wir
unsre Seele aus der Tierseele ableiten, keineswegs aber noch das
Protoplasmaleben aus der Mechanik.

Nun zu den Zieglerschen Arbeiten, von denen ich vor allem zwei
„Über den Begriff des Instinkts"[1] und „Theoretisches zur
Tierpsychologie und vergleichenden Neurophysiologie"[2] im
Auge habe.

In der ersten dieser beiden Arbeiten schliesst sich Ziegler Weis-
manns Ideen in ihrem Gegensatz zu Darwin an. Er leugnet, dass ein
Instinkt aus der direkten Vererbung von Gewohnheiten hervorgehen kann
und erklärt sich seine Entstehung ebenso wie die der morphologischen
Gebilde aus einem Zusammenwirken der Keime und der Selektion.
Die Erörterung dieser Frage würde uns zu weit führen. In seiner
Mnemetheorie hat Semon in endlich annehmbarer Weise die Ver-
erbung erworbener Eigenschaften erklärt und damit Weismann wider-
legt. Man könnte freilich, wie Meynert, meinen, dass wenn erworbene
Gewohnheiten als Instinkte sich vererben könnten, der Mensch mit
Instinkten als höchste Gaben gespickt voll sein müsste. Dies ist freilich
nicht der Fall. Aber die Sache verhält sich auch nicht so, dass

---

[1] H. E. Ziegler, Über den Begriff des Instinkts. Vortrag gehalten
in d. Verhandl. d. deutsch. zool. Ges., 1892. Freiburg i. B.

[2] H. E. Ziegler, Theoretisches zur Tierpsychologie und vergleichenden Neurophysiologie. Biol. Zentralblatt, 20. Bd., 1900.

erworbene Gewohnheiten in toto als fertige Instinkte in die erbliche Mneme übergehen. Im grossen menschlichen Gehirn werden überhaupt keine fertigen Instinkte mehr erblich mnemisch aufgebaut, sondern nur Anlagen, die immer noch eine gewisse Plastizität besitzen und mehr oder weniger grosse individuelle Übung erfordern. Aber mit solchen Anlagen ist das Menschenhirn in der Tat auf das reichlichste ausgestattet.

Ziegler definiert den Instinkt ganz ähnlich wie wir selbst als einen Komplex von ererbten Reflexen. Wir haben dem nur hinzuzusetzen, dass der Instinkt, indem er aus aufeinanderfolgenden, koordinierten Handlungen besteht und einem bestimmten Zweck zustrebt, aus der Grenze des einfachen Reflexes heraustritt. Er wird zum komplizierten Automatismus, d. h. er besteht aus einer Reihe von sukzessiven, durch sinnliche Eindrücke und plastische Einschaltungen verbundenen Tätigkeiten. Ja, man kann ihn sogar als eine ererbte Serie von Automatismen bezeichnen, von denen wieder jede einzelne aus verschiedenen kombinierten und zur Erreichung eines bestimmten Zwecks koordinierten Reflexen besteht.

Ich habe verschiedentlich betont, dass die plastische oder adaptative Reaktion das Primäre und der Instinkt das Sekundäre sei. Ich betrachte den Automatismus jeder Art von Nerventätigkeit, sei er nun vererbt (Instinkt) oder individuell erworben (Gewohnheit), als eine sekundäre Erscheinung, die aus ursprünglich plastischen Tätigkeiten abzuleiten ist. Hinsichtlich der individuellen Gewohnheiten ist diese Tatsache ja offenkundig, und ein jeder kann sie an sich, an seinem Mitmenschen und selbst an Tieren beobachten. Haben wir doch in den vorliegenden Blättern gesehen, wie selbst die Insekten, Bienen, Ameisen usw. uns die Beweise dafür liefern.

Beim ererbten Instinkt ist der Beweis schon nicht ganz so leicht zu führen. Trotzdem können wir beobachten, wie es mehr oder weniger fixierte, mehr oder weniger unveränderliche Instinkte gibt. Und darüber, dass die fixiertesten, die unveränderbarsten Instinkte gleichzeitig die ältesten sind, kann kein Zweifel walten. Ich möchte zum Beleg hierfür den fixierten und vitalen sklavenraubenden Instinkt von Polyergus rufescens anführen, verglichen mit dem bisher noch nicht vitalen sklavenmachenden Instinkt von Formica sanguinea, der noch Ausnahmen (wenn auch relativ seltene) zulässt. Das Studium der Ameisen zeigt uns aber ganz deutlich, dass der Instinkt von Formica sanguinea der später entstandene ist. Eine zunächst wenig markierte Tendenz zu gewissen günstigen plastischen Anpassungen wird im Laufe zahlreicher Generationen, wenn arterhaltend, deutlicher und deutlicher entwickelt durch die Verbindung der natürlichen Zuchtwahl mit der Wiederholung und der kumulativen Vererbung mnemischer Vorgänge, bis sie zuletzt immer mehr den Charakter eines Instinkts annimmt.

Die allerprimitivste Form der motorischen Reaktion im Tierleben, die Zusammenziehbarkeit oder Erregbarkeit des Zellprotoplasmas ist weder als Reflex, noch als plastische Tätigkeit anzusehen, sondern ist zunächst etwas Undifferenziertes. Der Anfang aller eigentlichen organischen Bewegungstätigkeit jedoch kann kein andrer als ein plastisch adaptativer Vorgang sein; ist es doch ausgeschlossen, dass er irgendwie ursprünglich kompliziert automatisch oder fixiert gewesen sein könnte, sei es in bezug auf Individuum oder Spezies, sei es durch Gewohnheit oder Vererbung. Ich spreche natürlich hier nur vom organischen Leben mit dem ihm innewohnenden Vererbungsgesetz. Ererbte Automatismen können wir unmöglich mit chemischen Verbindungen und Kristallbildungen vergleichen. Wie sich aber die organische plastische Reaktion aus dem unorganischen Reich entwickeln mag, bleibt bis auf weiteres das reinste Rätsel. In diesem Punkt befinde ich mich wieder im Gegensatz zu Ziegler. Nichts hindert ja doch die plastische Tätigkeit, im Gehirn, dank der grossen Zahl seiner weder in Reflexen noch in Automatismen erstarrten Elemente, eine ungeheure Entwicklung zu erfahren. Ich für meinen Teil glaube, dass die Instinkte sich als eigener Ast für sich in der Phylogenie spezialisiert haben, und zwar zunächst als einfache Reflexe und Instinkte jener Nervenzentren, die mit den Neuronen der Sinnesorgane und Muskeln eng verknüpft sind. Die Zentren, die speziell der höheren plastisch-adaptativen und kombinatorischen Tätigkeit (nicht der primitiven Plastik der Zelle) dienen, stellen eine weitere höhere Stufe dar, indem sie Neurone bilden, die nur indirekt Sinnesreize empfangen und die aufgenommenen Erregungen nur indirekt den Muskeln zuschicken. Diese letzteren bewahren indessen die Fähigkeit, ihre eignen Tätigkeiten durch Wiederholung zu automatisieren, mit andern Worten Gewohnheiten zu bilden, während sie zugleich auf dem Wege der mnemischen Erwerbung und der Selektion die Erbschaft wenigstens bestimmter Dispositionen antreten. Diese Anschauung wird u. a. in frappanter Weise durch die grossen, unabhängigen Grosshirnhemisphären der Ameisenarbeiter, verglichen mit den rudimentären Hemisphären der männlichen Ameisen illustriert.

Das Eingreifen des Begriffs der Bewusstseinskraft in das Gebiet des Instinkts wie in die Tierpsychologie überhaupt lehnt Ziegler sehr richtigerweise ab; deshalb ist es unnötig, auf diesen Teil der Frage noch einmal zurückzukommen.

In dem zweiten der erwähnten Werke referiert Ziegler vor allem die Ansichten von ;Bethe, Beer, Uexküll, Apathy usw., wobei er, meiner Meinung nach, den ersten drei dieser Autoren zuviel Glauben schenkt. (Die histologischen Arbeiten Apathys brauchen uns hier nicht näher zu beschäftigen.) Übrigens benutzt Ziegler diese Gelegenheit, um einige neue, mir ziemlich überflüssig erscheinende Bezeichungen einzuführen. Statt „Erblichkeit" und „erblich" braucht er die Ausdrücke „Kleronomie" und „kleronom" und wendet diese Worte auf Reflexe und Instinkte an. Wozu aber diese griechischen Worte, wo doch ein einfaches und deutliches Wort der eignen Sprache genau und für alle verständlich dieselben Dienste leistet?

Bethe, Beer und Uexküll brauchen ferner den Ausdruck „Antiklise" und „Modifikationsvermögen" für das, was ich als „plastische Tätigkeit" oder „Plastizität" bezeichne. Auch hier sehe ich den Grund für Einführung neuer Namen nicht recht ein.

Das, was das Individuum im Laufe seines individuellen Lebens erwirbt, bezeichnet Ziegler als „enbiontisch". Ich selbst ziehe die alten Ausdrücke „individuelle Anpassung" oder „erworben durch die Einwirkung der Umgebung, Erziehung" usw. vor. Es erscheint mir mindestens ebenso einfach und klar, von ererbten und erworbenen wie von kleronomen und enbiontischen Charakteren oder Faktoren zu sprechen.

Ich selbst habe in meiner Arbeit Gehirn und Seele (1894) die bei einem molekularen Reiz entstehende „Nervenwelle" ohne Präjudiz ihrer Natur als „Neurokym" bezeichnet. Ziegler glaubt, statt dieses Ausdrucks das Wort „Neurokinese" brauchen zu müssen. Ausser der Tatsache, dass dieses Wort um eine Silbe länger als das andere ist, kann ich jedoch keinen besonderen Vorteil in dieser Änderung erblicken. Auch abgesehen von jeder Prioritätsfrage glaube ich, dass die Vervielfachung der Benennungen für dieselbe Sache nicht gerade dazu beiträgt, die Verständigung zu erleichtern und unsre Kenntnisse zu fördern.

Ich möchte am Schluss der deutschen Übersetzung dieser Studien
noch der Werke Richard Semons über die Mneme[1] gedenken,
über die ich nachträglich nur da und dort kurze Anmerkungen
anbringen konnte. Diese Werke eröffnen uns ganz neue Horizonte
und gestatten uns namentlich in einheitlicher Weise das organische
Geschehen morphologisch, physiologisch und psychologisch an Hand
neutraler Ausdrücke zu erforschen. Das Gesetz der Mneme (der
Engraphie, der Ekphorie und der Homophonie) umfasst die Gesetze
der Vererbung, des Instinkts und des Gedächtnisses, der Ontogenie,
der Phylogenie und der individuellen Erwerbungen in ihren ein-
heitlichen Grundzügen. Semon nennt die Mneme das erhaltende
Prinzip im Wechsel des organischen Geschehens. Das Gesetz der
Mneme deckt aber auch zugleich die Gesetze des Wechsels, der
Änderungen und daher der Evolution auf. Freilich zeigt es uns nur
das Wie, aber nicht das Woher und das Warum. Um letztere Fragen
haben sich aber nicht die echten Naturforscher, sondern nur die un-
verbesserlichen bewussten und unbewussten Metaphysiker unter
den Gelehrten zu kümmern, die stets wieder Verwirrung in der
Wissenschaft stiften. Wir wollen sie getrost im Glauben lassen, dass
sie das Unlösbare mit Worten lösen können. Ich aber bin fest
überzeugt, dass neue Studien und Experimente über unsre Frage
im Licht der Lehre von der Mneme sehr viel Neues und Interessantes
zutage fördern werden.

Ich glaube, die vorstehende Arbeit war nicht unnütz. Es ist mir,
wie ich glaube, gelungen, festzustellen, dass die Insekten im grossen und
ganzen die gleichen Reize empfinden wie wir, und dass ihre durch Licht,
Berührung, chemische Reize, Erschütterungen, Wärme, Kälte ausgelösten
Empfindungen den entsprechenden Empfindungen in uns selbst zwar
sicher nicht gleich aber wahrscheinlich von ihnen auch nicht fundamen-
tal verschieden sind. Nur über das Gehör konnten wir keine rechte
Klarheit gewinnen; eine Art unechtes Gehör durch Wahrnehmung der
Erschütterungen scheint das wahrscheinlichste. Der Bau des Gesichts-
und des Geruchsorgans bringt erhebliche Verschiedenheiten in der Art
und Qualität der Empfindungen der Insekten und in ihrer Verwertung
mit sich. Die Eigenheiten des musivischen Sehens je nach der Zahl
der Facetten und der Konvexität des Auges, sowie der topochemische

---

[1] Richard Semon, Die Mneme. 2. Aufl. Leipzig 1908. Die mnemischen
Empfindungen. Erste Fortsetzung der Mneme. Leipzig 1909.

Forel, Das Sinnesleben der Insekten   25

Geruchssinn legen beredtes Zeugnis davon ab. Den Nachweis des letzteren habe ich zuerst in diesen Studien (1886) erbracht.

Aber nicht weniger wichtig ist das Verständnis der Insektenpsychologie, das wir aus der Verwertung der Sinneseindrücke durch die Insekten, je nach der Entwicklung ihres Gehirns, gewinnen. Die Eigentümlichkeiten ihres Gedächtnisses, der Assoziationen ihrer Sinneserinnerungen, ihre rasche Bildung von Gewohnheiten, ihr Affektleben etc. sind äusserst lehrreich und anziehend. Durch fortgesetztes Studium kann man die Natur der Insektenseele allmählich bis zu einem gewissen Grade verstehen, ohne sie deshalb zu vermenschlichen. Dass diese Tierchen imstande sind, einfache Analogieschlüsse zu ziehen, geht zum Beispiel aus der Tatsache hervor, dass wenn sie einmal Honig auf einem bestimmt geformten und gefärbten Gegenstand (Fenster, Papier, Teller, Glas) gefunden haben, sie dann ähnlich oder gleich aussehende Gegenstände an andern Plätzen, auch wenn sie nichts enthalten, mit Ausdauer daraufhin untersuchen.

Wir haben bei der Kritik gewisser Autoren, wie Plateau und Bethe, die ihre fleissigen Experimente infolge von Vorurteilen vielfach falsch gedeutet haben, viel gelernt und in diesen Experimenten selbst die Bestätigung unsrer eigenen Versuche und der durch sie gewonnenen Anschauungen gefunden.

Endlich haben wir an Hand dieser Tatsachen zeigen können, wie berechtigt und fruchtbar eine richtig verstandene, auf Analogieschluss und vorurteilsloses Experimentieren begründete vergleichende Psychologie ist, und welches Licht sie auf die psychophysiologische Identitätslehre, auf den Monismus wirft, während ihr gegenüber die dualistische Anschauung nicht standhält. Die Biologie Tausender und Abertausender von Insektenarten ist überhaupt noch unbekannt. Vergleichend psychologisch beleuchtet und verstanden verspricht die Insektenbiologie noch eine überreiche Ernte.

Sachregister

25*

Autorenregister

Verlag von Ernst Reinhardt, München, Jägerstr. 17

„Nicht ein Buch, sondern das
Buch über die sexuelle Frage."
Prof. G. Klein, München.

===== 45 Tausend Exemplare erschienen! =====

Die sexuelle Frage

Eine naturwissenschaftliche, psychologische,
hygienische und soziologische Studie von

Prof. August Forel

Dr. med., phil. et jur., ehemaliger Professor der Psychiatrie und Direktor
der Irrenanstalt in Zürich.

36.—45. Tausend. 8. und 9. verbesserte und vermehrte Auflage. XII und
632 Seiten gr. 8°. Mit 23 Abbildungen.

Preis brosch. **M. 8.**—, in Leinwand geb. **M. 9.50**

Inhalt:

Einleitung. Kap. I. Die Fortpflanzung der Lebewesen. Kap. II. Die Evolution oder Descendenz (Stammgeschichte) der Lebewesen. Kap. III. Natur-
historische Bedingungen und Mechanismus der menschlichen Begattung.
Schwangerschaft. Korrelative Geschlechtsmerkmale. Kap. IV. Der Geschlechts-
trieb. Kap. V. Die sexuelle Liebe und die übrigen Ausstrahlungen des
Geschlechtstriebes im Seelenleben des Menschen. Kap. VI. Ethnologie, Ur-
geschichte und Geschichte des menschlichen Sexuallebens und der Ehe
(nach Westermarck). Kap. VII. Die sexuelle Evolution. Kap. VIII. Sexuelle
Pathologie. Kap. IX. Rolle der Suggestion im Sexualleben. Kap. X. Die
sexuelle Frage in ihrem Verhältnis zum Geld oder zum Besitz. Geld-
ehe, Prostitution, Kuppelei, Kokotten- und Maitressenwesen. Kap. XI.
Einfluss der äusseren Lebensbedingungen auf das Sexualleben. Kap. XII.
Religion und Sexualleben. Kap. XIII. Recht und Sexualleben (a. Allgemeines
b. Zivilrecht, c. Strafrecht). Kap. XIV. Medizin und Sexualleben. Kap. XI.
Sexuelle Ethik oder sexuelle Moral. Kap. XVI. Die sexuelle Frage in der
Politik und Nationalökonomie. Kap. XVII. Die sexuelle Frage in der
Pädagogik. Kap. XVIII. Sexualleben und Kunst. Kap. XIX. Rückblick und
Zukunftsperspektiven. Anhang: Einzelne Stimmen über die sexuelle Frage.

Weitere Schriften von Prof. Forel:

(Verlag von Ernst Reinhardt in München)

Sexuelle Ethik. 26.—30. Tausend. 64 Seiten. Verlag von Ernst Reinhardt in München. Preis M. 1.—

Ethische und rechtliche Konflikte im Sexualleben, in- und ausserhalb der Ehe. Im gleichen Verlag. 1909. Preis M. 1.—

Gesammelte hirnanatomische Abhandlungen. 247 Seiten und 12 lith. Tafeln. Im gleichen Verlag. 1907. Preis M. 10.—

Verbrechen und konstitutionelle Seelenabnormitäten. Im gleichen Verlag. 1907. 179 Seiten. Preis M. 2.50, in Lwd. geb. M. 3.50

Jugend, Evolution, Kultur und Narkose, Ansprache an die Jugend. Im gleichen Verlag. 1908. 23 Seiten. Preis 50 Pf.

Leben und Tod. Ein Vortrag. Im gleichen Verlag. 1908. Preis 80 Pf.

Die psychischen Fähigkeiten der Ameisen und einiger anderer Insekten. Mit einem Anhang: **Über die Eigentümlichkeiten des Geruchsinnes bei jenen Tieren.** Vorträge, gehalten den 13. August 1901 am V. Intern. Zoologen-Kongress zu Berlin. Mit 1 Tafel. 58 Seiten. gr. 8°. 3. und 4. Aufl. 1907. Preis M. 1.50.

Über die Zurechnungsfähigkeit des normalen Menschen. Ein Vortrag, gehalten in der Schweizerischen Gesellschaft für Ethische Kultur in Zürich. 5. und 6. Aufl. 1907. 25 Seiten. gr. 8°. Preis 80 Pf.

Die Rolle der Heuchelei, der Beschränktheit und der Unwissenheit in der landläufigen Moral. München, 1908. Preis 50 Pf.

(Andere Verleger)

Der Hypnotismus und die suggestive Psychotherapie. Stuttgart. Verlag von Ferdinand Enke. 1907. 5. Aufl. Preis M. 5.—

Hygiene der Nerven und des Geistes im gesunden und kranken Zustande. Stuttgart, Verlag von Ernst Heinrich Moritz. 1908. 3. Aufl. Preis broschiert M. 3.50, geb. M. 4.50

Gehirn und Seele. (Vortrag.) 12. Aufl. Leipzig, Verlag von Alfred Kröner. 1909. Preis M. 1.—.

Das Gedächtnis und seine Abnormitäten. Zürich. Orell Füssli & Cie. 188 Preis M. 2.—.

Die Errichtung von Trinkerasylen und deren Einfügung in die Gesetzgebung. Bremerhaven und Leipzig. Verlag von Chr. G. Tienken. 1892. Preis 80 Pf

Zur Frage der staatlichen Regulierung der Prostitution. (Aus Tages- und Lebensfragen von Dr. W. Bode.) Bremerhaven und Leipzig, Verlag von Chr. G. Tienken. 1892. Preis 80 Pf.

Die Trinksitten, ihre hygienische und soziale Bedeutung. Ihre Beziehungen zur akademischen Jugend. (Vortrag.) Basel, Verlag von Friedrich Reinhardt. **Preis 50 Pfg.** Billige Ausgabe 10 Pf.

Alkohol und Geistesstörungen. (Vortrag.) Basel, Verlag von Friedrich Reinhardt. **Preis 50 Pf.** Billige Ausgabe 10 Pf.

Der Mensch und die Narkose. (Vortrag.) Verlag der Schweizer Grossloge I. O. G. T. n. J. W. Schwab, Roggwyl bei Langenthal, Schweiz, 1903. **Preis 20 Cts.**

Der neutrale Guttemplerorden, ein sozialer Reformator. Verlag der Schweizer Grossloge I. O. G. T. n. J. W. Schwab, Roggwyl bei Langenthal, Schweiz, 1906. **Preis 20 Cts.**

Morale hypothétique et morale humaine. (Conférence.) Lausanne. F. Payot et Co. 1903. **Preis 40 Cts.**

NB. Die obigen Schriften sind durch jede Buchhandlung zu beziehen oder, wo keine erreichbar ist, von der Verlagsbuchhandlung Ernst Reinhardt in München, Jägerstrasse 17, die sie stets vorrätig hat.

Verlag von Ernst Reinhardt in München, Jägerstr. 17

Prof. Clouston:

Gesundheitspflege des Geistes

Mit Vorwort, Anmerkungen und einem neuen Kapitel
von **Prof. Dr. A. Forel**

Mit 10 Illustrationen. 320 S. gr. 8°. 1908. In elegantem Leinenband
Preis Mk. 2.80

Ich wüsste nicht, wer dieses Buch, das nach den einführenden Worten Forels in der englischen Heimat seines Verfassers einen sehr grossen Erfolg gehabt hat, ohne Nutzen aus der Hand legen könnte. Denn es enthält eine solche Fülle im besten Sinne des Wortes in populäre Formen gekleideter wissenschaftlicher Ergebnisse und persönlicher Erkenntnisse, eine solche Fundgrube von praktischer Lebensweisheit für Eltern, Lehrer, Ärzte, kurz alle, welche, sich mit Leben und Erziehung anderer zu beschäftigen haben und so viele vortreffliche, logische und praktische Ratschläge für die persönliche Selbsterziehung, dass es wohl verdient, in Deutschland in demselben Umfange Anerkenung zu finden wie in seiner englischen Heimat. Eine wie grosse Zahl feiner Beobachtungen über die geistige Differenzierung der verschiedenen Lebensphasen hat der viel erfahrene Verfasser in seinem Werke niedergelegt! Solche Bücher die von einem wissenschaftlich hochstehenden Autor, der gleichzeitig ein Mann praktischer Lebenskunde und -Kunst ist, geschrieben sind, wie dies, wären, wenn sie eine Verbreitung finden könnten wie unsere Moderomane, wirklich von grösster Bedeutung, um die kranke Zeit auf richtige hygienische Bahnen zu lenken. **„Münchener Mediz. Wochenschr."** v. 27. Okt. 1908.

4 Bände geb. M. 37.50 oder 45 Lieferungen zu 75 Pf.

Vom Nebelfleck zum Menschen

Eine gemeinverständliche Entwicklungs-
Geschichte des Naturganzen nach den
neuesten Forschungs-Ergebnissen von

:: **Dr. Ludwig Reinhardt** ::

4 Bände
Mit über 1600 Illustrationen im Text und gegen 80 Tafeln und Karten

Bd. I: **Die Geschichte der Erde.** Mit 194 Abbildungen im Text, 17 Volltafeln und 3 geologischen Profiltafeln, nebst farbigem Titelbild von A. Marcks. 600 Seiten gr. 8°. 10 Lieferungen zu 75 Pf. oder vollständig in eleg. Leinwandband Preis **M. 8.50**

Bd. II: **Das Leben der Erde.** Mit gegen 400 Abbildungen, 21 Tafeln und farbigem Titelbild nach Aquarell von Prof. Ernst Häckel. 650 Seiten gr. 8°. 10 Lieferungen zu 75 Pf. oder vollständig in elegantem Leinwandband Preis **M. 8.50**

Bd. III: **Die Geschichte des Lebens der Erde.** Mit gegen 400 Illustrationen, 20 Tafeln und farbigem Titelbild. 10 Lieferungen zu 75 Pf. oder vollständig in elegantem Leinwandband Preis **M. 8.50**

Bd. IV: **Der Mensch zur Eiszeit in Europa und seine Kulturentwicklung bis zum Ende der Steinzeit.** Zweite stark verbesserte und vermehrte Auflage (3.—7. Tausend). Mit 535 Abbildungen, 20 Volltafeln und farbigem Umschlag von A. Thomann. VIII und 950 Seiten gr. 8°. 15 Lieferungen zu 75 Pf. oder vollständig in elegantem Leinwandband Preis **Mk. 12.—**

(Jeder Band ist einzeln käuflich.)

Verlag von Ernst Reinhardt, München, Jägerstr. 17

Das

Leben des Süsswassers

Eine gemeinverständliche Biologie

von

Dr. Ernst Hentschel

Mit 229 Abbildungen im Text, 16 Vollbildern und einem
farbigen Titelbilde

350 Seiten gr. 8⁰ elegant gebunden Preis M. 5.—

**Reich illustriert durch Zeichnungen nach der Natur oder
unretuschierte Naturphotographien**

Urteile der Presse:

„Aus der Natur" vom 15. April 1909. Dieses Buch ist eine
Biologie im besten Sinne des Wortes. Der Verfasser hat den systematischen Gesichtspunkt ganz in den Hintergrund treten lassen und
schildert uns anschaulich und klar, wie die einzelnen Lebensfunkti-
onen von den verschiedenartigen Bewohnern des Süsswassers ausgeübt werden. In er   inie   schäftigt er sich dabei mit der Tier-
welt, so dass der T   hes richtiger das Wort „Tierleben"
enthalten sollte. Die Urtiere der Protozoen werden in einem besonderen Kapitel abgehandelt. Der Text wird durch zahlreiche Abbildungen erläutert. Wir können das Werk als 'zuverlässige Einführung in das Gebiet der Biologie bestens empfehlen.

„Prometheus" vom 2. Juni 1909. Durch die Fülle des Selbst-
gesehenen regt das Buch an zu stiller Naturbetrachtung, während es
durch die Menge des zeitgemäss hineingearbeiteten wissenschaftlichen
Materials dem Gehalte nach gleichkommt einem Lehrbuch der allgemeinen Süsswasserzoologie.

„Frankfurter Zeitung" vom 20. Dezember 1908. Es ist ein
reiches und anregendes Buch, mit viel Liebe und Sachkenntnis, auch
in einer edlen und gehobenen Sprache geschrieben.